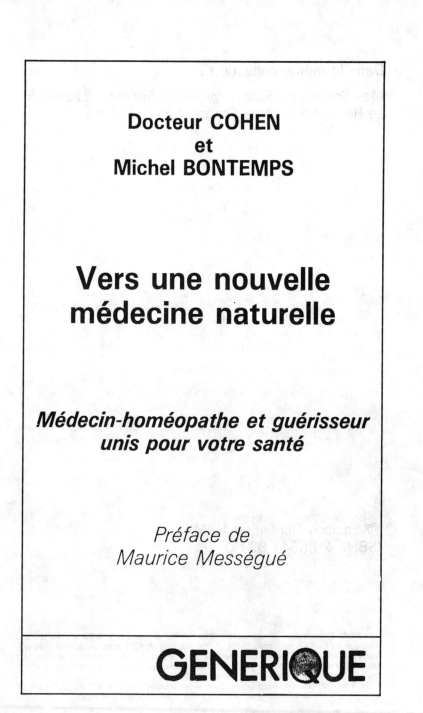

Docteur COHEN
et
Michel BONTEMPS

Vers une nouvelle médecine naturelle

*Médecin-homéopathe et guérisseur
unis pour votre santé*

*Préface de
Maurice Mességué*

GENERIQUE

Dans la même collection :

Mes Secrets de Santé, *Michel et Roseline Bontemps*
Le Régime F comme Fibres, *Audrey Eyton*

I. PRÉFACE

La querelle des médecins et des guérisseurs ne date pas d'hier mais elle est plus souvent en surface qu'en profondeur, activée par le vent des médias et par certains médecins ou professeurs jaloux de leur pouvoir médical. Au fond, dans le secret des cabinets de consultation, lors de séminaires ou de colloques, les rapports sont plus courtois. Rares sont les guérisseurs demandant à un patient d'interrompre un traitement médical ou de cesser de consulter leur médecin traitant. Inversement, de nombreux médecins ne sont pas mécontents de voir des « non diplômés » de la Faculté prendre en charge une partie de la clientèle. Quel médecin honnête ne reconnaîtrait pas en effet ce que les guérisseurs ont fait pour le développement de la médecine par les plantes, de la chiropractie, de l'acupuncture, de l'iridologie ou de l'homéopathie.

Il n'empêche qu'on aime bien dresser les uns contre les autres et qu'il est de bonne convenance , en public, de se comporter comme des cow-boys et des indiens... !

Je suis donc content de saluer la sortie de ce livre de Charles Cohen et de Michel Bontemps : « La Nouvelle Médecine ». Pour la première fois, un médecin et un guérisseur se sont associés pour se réconcilier publiquement et ce, dans le but d'aider le malade qui est en premier chef concerné.

Le rôle d'une préface n'est pas de raconter ce que vous allez découvrir vous-même en tournant les pages. Disons simplement que j'ai pris plaisir à lire le manuscrit qui m'a été confié et qui, je n'en doute pas, apportera beaucoup aux lecteurs comme à tous ceux qui cherchent à guérir ou à se maintenir en bonne santé sans se soucier des querelles dont on fait grand cas.

Comment un médecin et un guérisseur peuvent-ils s'entendre ? Pourquoi peuvent-ils utilement collaborer ? Les réponses sont dans ce livre. Avec des preuves à l'appui puisqu'il ne s'agit pas simplement d'une thèse mais d'un ouvrage essentiellement pratique.

Le parti-pris des auteurs — que je partage complètement — est d'apprendre aux patients à se soigner eux-mêmes, tout au moins pour les petits maux de tous les jours et cela sans produits chimiques qui creusent le déficit de la Sécurité sociale et transforment au fil des ans l'organisme en usine.

Or pour bien se soigner, il faut bien se connaître et savoir s'« auto-diagnostiquer ». C'est ce que propose « La Nouvelle Médecine » en partant de 33 symptômes les plus courants pour aboutir à des traitements élaborés par le médecin et par le guérisseur. Ces soins, il va de soi, sont « naturels » puisqu'ils font appel à l'homéopathie, à la phytothérapie, aux bains ou aux massages réflexes. Cet éventail de remèdes permet bien sûr de choisir celui qui convient le mieux et qui est susceptible de donner les meilleurs résultats.

Au cours d'une déjà longue carrière, j'ai pu juger de l'efficacité de ces médecines naturelles, et surtout de la médecine par les plantes qui ne m'a jamais déçu. A une condition toutefois — et que je tiens à souligner ici — que les plantes utilisées soient saines, c'est-à-dire cultivées sans insecticides ni pesticides.

En effet, ces produits, même s'ils sont autorisés par les services sanitaires, sont toujours polluants, agressifs, ce qui est déjà une raison de les éviter. Mais l'autre raison, beaucoup plus grave celle-ci, vient du fait que certains fongicides organo-soufrés comme les « dithiocarbamates », soi-disant inoffensifs, se transforment sous l'effet de la chaleur en « éthylène thiourée », agent cancérigène secondaire. Or les analyses nous ont prouvé que ceci se produit dans l'eau chaude de votre infusion !

Sans parler du scandale de ces laboratoires qui traitent leurs plantes à la bombe au cobalt afin de leur assurer une meilleure conservation et qui n'ont pas le courage de l'indiquer sur l'emballage.

Lorsque vous achèterez des plantes, assurez-vous de l'origine de leur production. Les lots de plantes doivent avoir un certificat attestant leur mode de culture et les analyses qu'elles ont subies.

N'hésitez pas à demander au commerçant de vous montrer ce certificat et ces analyses comme il devrait y être tenu.

Maurice Mességué

avec un certificat attestant leur mode de culture et les
analyses ... elles ont subies ...
Nous ne ... pas demander au consommateur de vous monter ce certificat et ... analyses comme il devrait y ...

II. POURQUOI CE LIVRE

De par une expérience personnelle des symptômes les plus
courants pour lesquels les patients nous consultent, nous
avons estimé utile de transmettre quelques conseils de traitements. Ceci pour vous aider à analyser vos réactions et
à vous prendre en charge dans certains cas simples. Il suffit
parfois de peu de chose pour être débarrassé d'un
symptôme, gênant dans certains cas depuis des années.
Notre but est d'amener le lecteur à découvrir, pour lui ou
son entourage, une recette, un conseil qui l'aidera à vivre
mieux.

Nous avons décidé d'unir nos méthodes de soins afin d'offrir plusieurs possibilités de traitement. Dans les règles de
la médecine actuelle, le thérapeute est tenu de faire bénéficier ses malades de tous les moyens de son époque, et donc
de se tenir informé de toutes les thérapies existantes. Or,
ce sont surtout les non-médecins qui ont véhiculé jusqu'à
nous depuis de nombreux siècles les traitements par les plantes. Nous leur devons à coup sûr la survivance de cette tradition. Et, bien que n'ayant pas droit de cité à la faculté de
Médecine, l'homéopathie et la phytothérapie connaissent
aujourd'hui une progression due pour l'essentiel à vous, nos
patients, qui avez voulu bénéficier de soins par la nature
remodelée par la préparation de l'homme. C'est vous qui
avez incité les médecins à s'intéresser au travail des guérisseurs qu'ils pourchassaient encore il n'y a pas si longtemps.

Pour des commodités d'impression, nous avons écrit chacun notre partie. Que ce soit dans ce long chapitre d'introduction sur l'homéopathie et la phytothérapie, ou dans les
chapitres concernant les maladies, nous avons voulu séparer nos méthodes. Nous nous sommes aperçus avec plaisir
que, sans nous consulter à l'avance, nos points de vue con-
vergeaient toujours. Ceci démontre, s'il en était besoin, que
toutes les lois de la nature s'harmonisent, quelle que soit
la voie empruntée pour les étudier.

Nous voyons quotidiennement une majorité de personnes
qui survivent plus qu'elles ne vivent : erreurs alimentaires,

symptômes gênants diminuant notablement la vitalité... Nous avons préféré sélectionner les causes les plus fréquentes de consultation, et non faire un catalogue de maladies rares. Nous avons réuni nos moyens thérapeutiques pour que chacun trouve ce qui lui convient le mieux. Ce livre n'a aucune prétention pseudo-scientifique, et n'est qu'un élément d'un grand tout qui s'appelle : « la médecine humaine ». Notre ambition est en fait de trouver les vraies causes des symptômes ; en cela, nous nous éloignerons souvent des conceptions de la médecine classique. Hippocrate, cité en référence dans nos facultés, serait sans doute mécontent de voir que la médecine officielle a renié en bloc les traitements à base de plantes, l'astronomie, l'acupuncture, l'homéopathie et toute médecine qui sort d'un quart de pas du « scientifique-explicable ». Notre chemin est différent.

Lorsqu'une technique, quelle qu'elle soit, est efficace, nous la tenons pour bonne, même si nos savants n'ont pas encore découvert scientifiquement les raisons de cette efficacité.

Comment nier l'existence de phénomènes qui nous entourent quotidiennement ? Comment nier l'effet bénéfique des plantes, de leurs formes et de leurs couleurs sur notre état mental et physique lors de promenades dans la nature ? Ne vivez-vous pas grâce à l'oxygène dégagé par les plantes ? N'appelez-vous pas les jours de la semaine :

- Lundi (de Lune)
- Mardi (de Mars)
- Mercredi (de Mercure)
- Jeudi (de Jupiter)
- Vendredi (de Vénus)
- Samedi (de Saturne)
- Dimanche (de Soleil : Sun-Day).

Nul doute que pour vous, ces sept noms, employés régulièrement, n'avaient pas cette explication.

Comment contester l'effet des autres planètes sur notre métabolisme, sur les plantes ou les marées d'océan ? Nous savons que la Lune influe sur tout ce qui touche l'eau ! Elle a donc une influence sur le milieu aqueux de notre organisme, sur le système glandulaire de la femme, sur sa fécondité et, d'une manière générale, sur l'intellect. Combien de

mères n'osaient pas dire que l'apparition des vers intestinaux chez leurs enfants était liée aux changements de Lune ?
Cela ne faisant pas partie de l'enseignement en faculté, de
nombreux médecins souriaient devant ces constatations.
Comme pour les jours de la semaine, nous avons tellement
le nez dans ces influences que beaucoup, sans les voir, n'y
croient pas.

Un exemple amusant : la circulation du sang dans l'organisme a été supposée par un médecin (Harvey). En observant la ronde des planètes et des étoiles la nuit, il a déduit
que le macrocosme sidéral et le microcosme humain pro-
cédaient de la même « mécanique ». Il faudrait que tous les
spécialistes en cardiologie pensent de temps à autre, devant
leurs appareillages modernes et sophistiqués, que la circulation du sang fut imaginée en regardant les étoiles !

Et, enfin, comment continuer à nier les effets extraordinaires de nos méthodes « douces », alors que depuis des siècles des centaines de milliers de guérisons sont enregistrées ?

• L'acupuncture a plus de 4 000 ans !
• La phytothérapie est née avec l'humanité.
• La balnéothérapie (traitement par les bains) est connue
depuis la plus haute antiquité.
• L'homéopathie a 200 ans dans sa forme officielle, mais
des milliers d'années dans son principe d'analogie.
• La médecine d'orientation anthroposophique a plus de 60
ans.

Nous nous appuyons donc sur une expérience qui se chiffre en milliers d'années !

L'expérimentation trop rapide du remède allopathique n'est
pas, pour nous, un critère de réussite du médicament. Que
de fois voyons-nous un produit discrètement retiré du commerce, après des années d'utilisation, parce que l'on s'aperçoit du danger qui réside dans son emploi à long terme. L'essai d'un produit pharmaceutique sur l'animal nous semble
incomplet. Car nous pensons que l'homme est autre chose
qu'un « animal doué de raison ». A la fin de ce siècle turbulent et atomique, voici revenu le temps de retrouver la nature
dans son rôle le plus bénéfique : guérir !

Cela ne peut se faire qu'en développant, en vous, votre
sens de l'observation. Dans nos médecines, tous vos sens

doivent être en éveil pour écouter les symptômes, les repères que votre corps vous offre. Essayons ensemble « d'avoir des yeux et de voir »...

Ce livre vous indiquera des listes de remèdes et de techniques fort efficaces. N'ayez jamais l'appréhension des effets secondaires dangereux : nous travaillons en harmonie avec la nature !

Notre but est d'éliminer peu à peu la gêne des symptômes causés le plus souvent par une vie peu adaptée au rythme humain. Ainsi soulagé, vous retrouverez le tonus nécessaire pour vous prendre en charge vous-même.

La plus grande erreur est de transformer le « patient » en « assisté », surmédicalisé, survacciné et examiné abusivement. On ne laisse plus aux gens ni le temps ni les moyens de vivre leur corps, d'analyser comment ce dernier s'exprime, de comprendre les relations existant entre tous ces signes qu'il transmet.

Vous devez donc avoir un esprit d'analyse, mais aussi un esprit de synthèse pour comprendre votre organisme comme un tout. La spécialisation découpe l'homme en organes, voire en fragments d'organes ; or, l'homme est indissociable, indivisible. Respectons l'individu dans son intégralité. Enfin, nous voudrions insister particulièrement sur le langage médical. Par une tournure de phrase significative, la médecine « suit un malade » ! Le médecin « suit » un patient, « je suis suivi par un médecin » ! Sans faire de jeu de mots, mais par une réalité tous les jours vérifiable, il est certain que la médecine officielle « suit » les malades. Dès la maladie installée, on va s'acharner pour l'éliminer le plus agressivement et le plus rapidement possible, « pour le confort du malade ».

Nous prétendrons ici que cette méthode est anti-humaine et anti-scientifique, car :
• Premièrement :

Le rôle du praticien devrait être de précéder ses malades, c'est-à-dire de faire une médecine préventive et non de suivre ses malades... à la trace !

A l'origine, le rôle de l'acupuncture était de maintenir les individus en bonne santé, préventivement, en rééquilibrant les énergies à chaque changement de saison. Le médecin n'était payé qu'à la fin de l'année si l'on n'avait pas été malade. Dans le cas contraire, cela prouvait qu'il n'avait pas fait son œuvre préventive...

Sans aller jusque-là, nous nous permettrons la comparaison avec notre système actuel : les gens en bonne santé n'enrichissent pas les praticiens, en revanche, plus on est malade, plus on doit payer !

● **Deuxièmement**

Il est normal de lutter contre une maladie lorsqu'il y a danger. Mais nous affirmons qu'il est plus dangereux pour un organisme affaibli de subir des traitements agressifs, à la manière d'une compagnie de chars d'assaut contre un intrus qui volerait une pomme dans un jardin.

Introduisons maintenant — et nous ne sommes pas les premiers à en parler — la notion de « maladie bienveillante ». Il est grand temps de démythifier la « maladie catastrophe », et de comprendre pourquoi un organisme est malade. Vous pourrez vérifier dans votre famille ou votre entourage les exemples suivants :

1. Nous prétendons que les maladies infantiles (rougeole, rubéole, varicelle, oreillons, scarlatine, roséole, etc) sont utiles au développement de l'enfant : on retrouve, dans presque tous les cas, une poussée de croissance après ces maladies fébriles, et une poussée de la personnalité de l'enfant.

2. Au sortir d'une maladie grave (parfois le cancer), des personnes nous affirment mieux apprécier « les choses de la vie », les couleurs, la nature... Souvent, après la guérison, elles nous expliquent qu'une transformation profonde s'est opérée en elles ; il leur semble avoir brûlé des étapes dans leur évolution personnelle et dans leur maturation.

Tout cela vient confirmer ce que disait Paracelse : « Les maladies sont les ouvriers du divin ».

Il existe un rythme dans toute vie ; le passage d'une saison à l'autre est une fête, une nouvelle expérience pour le corps et l'âme. Nous considérons que pour un être humain, sensé être la représentation de tout l'univers, il en est de même. Pour lui, *l'alternance est nécessaire* (éveil-sommeil, santé-maladie...) afin que son organisme vive plus, vive mieux, vive pleinement. A de rares exceptions près, ceux qui n'ont jamais été malades voient souvent une maladie brutale s'abattre sur eux s'ils ne tiennent pas compte de ces rythmes (voir « propos sur l'alimentation », p. 44). Nous ne faisons pas preuve de masochisme en considérant la maladie comme une étape parfois nécessaire, parfois salvatrice pour éliminer des toxines internes. Nous appelons éliminations les vomissements, les diarrhées, les abcès, les boutons... Nous ne citerons qu'un exemple — il y en aurait des milliers —. Une personne subit un choc moral important et se couvre de boutons le jour même ou les jours suivants : voilà une élimination de toxines internes, créées par des organes (tels les boutons sur le visage après un excès alimentaire). Même le psychisme peut produire de tels effets. Par ailleurs, comment expliquer, lors d'un jeûne, l'apparition d'une langue blanche et d'une mauvaise haleine sinon par la faculté d'élimination qu'a l'organisme, ici le tube digestif ?

Ce n'est pas un excès mais une absence d'aliment qui a occasionné ces symptômes. Manifestement, le foie se désintoxique durant le jeûne. Dès lors, comment ne pas croire aux éliminations ?

Ici, encore, la science est en train de « suivre » le bon sens de l'homme. L'homéopathie et les médecines naturelles parlent « d'éliminations » depuis des siècles ; mais tant que le milieu officiel n'a pas de preuve palpable, tout ce que l'homme ressent est considéré comme faux et sans fondement. Nous arrivons à une époque où tout cela va changer. Nos médecines humaines commencent à sortir de la marginalité. Nous rencontrons de plus en plus d'hommes et de femmes qui, instinctivement, ont compris. Ils viennent vers nous, car — autre notion que nous préciserons — leur organisme a perçu, biologiquement, à la façon d'un « voyant » les erreurs médicamenteuses qui les agressaient. Sans aucune connaissance scientifique, un être humain peut dire « avec tel remède, je me *sens* mieux ; je *sens* qu'il me correspond ». Même les plus bornés des scientifiques ne peuvent nier la subjectivité, les *sensations*. Nous en vivons tous, à tous les instants de notre vie.

Outre les cinq sens que nous connaissons, il existe d'autres « sens » que nous exprimons lors de réflexions telles que : « je sens que je vais avoir un malaise », « je sens que je m'entends bien avec telle personne : il y a quelque chose qui passe »... La description de douze sens a été faite au début de ce siècle par Rudolf Steiner, créateur de « l'anthroposophie » dont il sera fait mention à plusieurs reprises dans cet ouvrage. (1)

Voici posées en quelques mots nos façons de travailler, de penser, de réfléchir. Nous tenons compte de tout phénomène qui se manifeste à nos sens en éveil.

Quelles que soient les techniques de soin, il y aura toujours des symptômes à soigner chez l'être humain. Avec nos méthodes, nous ne supprimons pas brutalement le symptôme, car (nous l'avons déjà dit) tout symptôme sert la personne qui le présente.

Les remèdes que nous conseillons dans ce livre incitent l'organisme à effacer le symptôme en douceur, une fois qu'il a effectué son travail bénéfique d'élimination sur l'organisme.

Nous commencerons par donner des conseils de première nécessité, destinés à éviter les maladies « parasites » que l'homme s'inflige lui-même, moralement ou physiquement, par une vie peu adaptée à ses besoins et à ses aspirations.

Nous ferons ainsi œuvre préventive.

Nous aborderons donc l'homme depuis... sa conception ; tant il est évident que le déroulement de la grossesse a une importance capitale sur la vie future de l'être humain. Nous allons donner des conseils, mais il est impossible de faire le tour de tout le « travail » physique et moral que les parents, ensemble, doivent entreprendre pendant ces 9 mois merveilleux. (2)

---

(1) Quelques conseils de lecture :
• *La revue Weleda, envoyée gratuitement ; écrire à Weleda 9 rue Eugène Jung, 68330 Huningue*
• *Revue « Triades » 4 rue de la Grande Chaumière, 75006 Paris.*
(2) La plupart des conseils seront inspirés du livre du Dr Zur Linden « Mon enfant, sa santé, sa maladie », éd. Triades, qu'il est indispensable d'avoir chez soi.*

L'alimentation est un facteur primordial. Il ne sert à rien de prendre les remèdes que nous allons vous indiquer ou que votre praticien va vous ordonner, si votre organisme est diététiquement « boiteux ».

Nous incluons toutes ces notions dans le cadre d'une médecine préventive, car avec une bonne alimentation et une bonne ambiance de vie, vous devriez avoir peu à vous servir de la deuxième partie de ce livre.

Puisse notre travail déclencher en vous un éveil dans les traitements, la diététique, l'éducation, voire l'astronomie. Puisse cet éveil vous faire retrouver le vrai sourire pour rayonner un peu plus sur votre entourage. Car un des premiers buts de nos sociétés est tout de même le rayonnement des uns sur les autres.

Réflexions
sur notre façon de penser

Voici une constatation qui n'a rien de scientifique : l'espèce humaine est en train de grandir en taille ! C'est juste une des réactions de l'homme face à son époque.

L'explication rationnelle, médicale, officielle nous dit que l'on sait de mieux en mieux nourrir les enfants, équilibrer les menus, apporter des vitamines... Il faut savoir que la population de nouveau-nés d'un pays avale, quotidiennement, des doses impressionnantes de vitamine D synthétique et de produits assimilés. Est-il besoin d'ajouter que c'est à la place des vitamines naturelles de plus en plus délaissées ou détruites (fruits et légumes traités à outrance, éloignement des campagnes propres où l'on trouve encore des fruits sauvages gorgés de vitamines naturelles nées des rayons régénérants du soleil) ?

Nous nous refusons à croire que ce gavage de produits synthétiques dès la naissance rend service à l'espèce. Nous déclarons publiquement ici que l'on fait le contraire : dans le sens homéopathique du terme, nous affirmons que l'on « sycotise » les individus ! (1) Les vitamines D ou les « fixateurs » de vitamines D sont des agents sclérosants, durcissants des organismes encore « neufs » auxquels on les impose. Les vaccins ont le même effet, nous y reviendrons. Voici un modèle de réflexion que nous employons et auquel les scientifiques devraient réfléchir pour s'approcher de la réalité : les comparaisons avec la nature (le monde animal, minéral ou végétal).

Considérons une plante bien nourrie et bien arrosée. Si cette plante souffre du manque de lumière, toute bien nourrie qu'elle soit, elle va s'élever encore pour trouver la lumière. Ce procédé est employé dans les serres à fleurs que l'on couvre partiellement de bâches noires ; le but est d'imposer,

---

(1) *Sycose : en homéopathie, groupe de signes dus à un mauvais fonctionnement du métabolisme.*

par exemple à un rosier, l'éclosion de fleurs avec des tiges plus longues qui se vendent mieux.

La comparaison devient simple : à une époque où l'être passe bien après l'« avoir » et le « paraître », l'homme manque cruellement de « lumière » spirituelle ; on peut imaginer que l'être humain voit sa taille augmenter parce qu'il cherche cette lumière.

Démonstration évidemment subjective qui fera sourire les « scientifiques ». Qu'importe, c'est ainsi que nous fonctionnons. Il existe des analogies entre l'homme et la nature que nous observons sans chercher de preuves objectives.

Le fruit est la base de la reproduction et de la sauvegarde des espèces. Il est bien connu des agriculteurs qu'un arbre fruitier qui va mourir donne une production extraordinaire l'année précédant sa disparition.

Or, depuis quelques années, les enfants, les jeunes sont de plus en plus précoces. Malgré le côté positif de ce phénomène (enfants « éveillés » plus tôt, ce qui est gratifiant pour les parents), nous pensons que cette précocité est catastrophique pour l'espèce : il semblerait que l'enfance soit escamotée, que les enfants aient plus tôt un langage d'adultes, qu'ils assistent à des scènes ou à des films qu'on leur interdisait il y a quelques années encore. Sous le prétexte d'une « libéralisation avancée », d'un rejet de l'autoritarisme, on « laisse faire ». Nous commençons à voir les effets de cette attitude. Ces enfants « libérés » souffrent de plus en plus de graves problèmes psychiques. Le rôle, certes peu attrayant, du père représentant l'autorité sage, le rail, la route à suivre, est à présent considéré comme démodé, « petit bourgeois ».

Ici encore, rien ni personne ne nous empêchera d'établir une comparaison entre un arbre fruitier produisant plus vite et plus tôt parce qu'il se sent menacé, et la toute jeune fille à l'apparence trop mature. Bien sûr, la femme pouvait déjà reproduire, dès la puberté, par le passé ; mais l'observation *extérieure* de son apparence, aujourd'hui, à un âge juste pubertaire évoque plus la femme que l'adolescente.

III. LA VRAIE PREVENTION

« Si, dans la vie, les jeux sont donnés, chacun, avec un jeu donné peut faire une partie différente. »
GOETHE

La vraie prévention est simple : c'est une observation stricte des règles de la nature, tout en se servant des progrès techniques mis à notre disposition. Elle débute nécessairement par une pédagogie adaptée à l'être humain. En faisant une médecine préventive intelligente aujourd'hui, nous aurons moins besoin de remèdes demain.

Il n'y a que le patient lui-même qui puisse faire de la vraie médecine préventive. Qui connaît son corps, ses besoins alimentaires, son équilibre personnel, ses besoins physiques... mieux que l'individu lui-même ?

La médecine préventive est d'abord une prise en charge de l'individu et de sa famille par lui-même. Nous ne sommes là que pour communiquer un savoir, une connaissance des données scientifiques. Ensuite, c'est à chacun de se montrer responsable.

Nous sommes loin de la médecine préventive actuelle, faite d'obligation vaccinale, de contrôles de toutes sortes, alors que personne ne conseille les règles les plus élémentaires de vie et d'hygiène.

Nous commencerons donc par la grossesse et sa préparation ; puis nous parlerons de l'après-grossesse, des mauvais effets des vaccins, mais aussi des rythmes de vie et de l'alimentation : en un mot, nous verrons ce qu'il faudrait faire, préventivement, pour éviter les maladies les plus courantes de ce siècle, appelées aussi « maladies de sclérose ».

Conseils concernant la grossesse depuis la conception... et avant !

• LA FÉCONDITÉ

De nombreux remèdes homéopathiques et phytothérapiques agissent sur la fécondité. Ils vous permettront d'éviter les classiques mais dangereuses hormones dont on connaît encore mal les effets secondaires.

Source de vie, le germe de blé est un élément qui aide la fécondation ; nous le recommandons régulièrement aux femmes qui nous consultent.

De plus, nous prescrivons souvent un remède d'orientation anthroposophique de stimulation de la conception (1). Il faut aussi rechercher les remèdes homéopathiques de baisse de fécondité dans un répertoire ou une matière médicale homéopathique, avec son thérapeute.

Au passage, signalons qu'on arrive avec certains remèdes (Calcarea Fluorica, Sepia...) à rétablir une mauvaise position de l'utérus (ces fameux utérus rétroversés). Pour l'homme, nous chercherons son remède de fond et nous ajouterons souvent du zinc-nickel-cobalt en oligo-élément : 1 ampoule par jour, s'il y a une insuffisance spermatique.

• L'AVANT-GROSSESSE

La première règle d'or, c'est la suppression du tabac et de l'alcool. Le tabac est une cause fréquente d'avortements précoces.

De plus, il est nécessaire que le couple ait une harmonie de vie, et une alimentation équilibrée. Cette harmonie va mettre la femme dans un état mental et physique qui bénéficieront à l'enfant pour qui cela sera primordial.

(1) Voir « La médecine d'orientation anthroposophique » p. 32.

• LA GROSSESSE

1. L'alimentation de la grossesse (1)

Au risque de nous répéter, la suppression de tabac est une nécessité pour l'enfant : il risque une baisse de poids (hypotrophie fœtale), l'accélération du rythme cardiaque, et, à notre avis, une première accoutumance au tabac. Les excitants devront subir le même sort ; ils seront au moins considérablement diminués (café, thé, alcool...).

Il est recommandé de ne pas manger :
— Graisses cuites et charcuteries.
— Persil et épices fortes.
— Le pain très frais.

Il faut réduire notablement :
— Les pommes de terres qui ont un effet « durcissant » sur les organes du fœtus (on a découvert, en Angleterre, une augmentation des cas de « Spina-Bifida » — déformation congénitale de la colonne vertébrale — en relation étroite avec une forte consommation de pommes de terre).
— Viande (on recommande la viande de jeunes animaux), œufs, poissons, fruits de mer.
— Le sel et le sucre.
— Le chou et d'une manière générale les légumes qui fermentent trop.

Il faut consommer :
— Fromage blanc, lait, lait caillé, babeurre (ce qu'il reste du lait après le barattage de la crème dans la préparation du beurre).
— Fruits, notamment au petit déjeuner.
— Légumes, sous toutes leurs formes.
— Pain complet, ou mieux encore, du pain de seigle.
— Aromates : ciboulette, basilic, sarriette, pimprenelle, thym, romarin, marjolaine.
— Miel.

---

(1) Inspiré en grande partie du livre du Dr Zur Linden, déjà cité

— Kéfir (boisson gazeuse et acidulée obtenue en faisant fermenter du petit lait avec une levure dite « grain de kéfir »).

L'orientation générale de l'alimentation de la grossesse sera :
• Au premier trimestre :
Le muesli (mélange de céréales enrichies) auquel on peut ajouter de la farine de châtaigne et du miel (si le poids n'est pas trop important).
• Au deuxième trimestre :
Beaucoup de fruits sucrés et des amandes douces.
• Au troisième trimestre :
Les céréales (froment, blé vert, orge, millet, seigle) pour leur teneur en sels minéraux.

2. Quelques remèdes simples :

• *Nausées et vomissements du matin :* ils peuvent être neutralisés par des flocons d'avoine que l'on mâche crus, ou par l'absorption de 3 ou 4 tasses par jour de tisane pour le foie.

• *Brûlures d'estomac :* mâcher soigneusement des noisettes crues.

• *Forte sécrétion de salive :* (hypersialorrhée) mâcher soigneusement des baies de genévriers.

• *Constipation :* il existe diverses tisanes dont la tisane d'orientation anthroposophique « Clairo ».
Sinon, prendre une bouillie de blé concassé, de germes de blé, de grains de lin, non moulus. Faire tremper le mélange le soir, à raison d'une cuillère à soupe pour 1/4 de litre d'eau, ajouter une ou deux figues ou prunes coupées en morceaux ; manger froid au petit déjeuner.

3. Quelques conseils supplémentaires

• *Il faut un sommeil long* et calme pendant la grossesse

9/10 heures en moyenne et une heure de repos dans la journée.

• *Il est très sain* de faire 1/4 d'heure de marche lente par jour, au grand air si possible.

• *Il peut être dangereux* de prendre des bains chauds (à plus de 38°) : en tous cas, pas plus de deux bains par semaine.

• Evitez les coups de soleil sur la tête et, bien sûr, sur le ventre.

• *Prendre soin très tôt des mamelons :* s'ils ont perdu leur fermeté normale, frictionnez-les tous les jours avec quelques gouttes de jus de citron durant les deux derniers mois de la grossesse.

• *Au neuvième mois :* la femme prendra tous les deux jours un bain de siège au tilleul : une poignée de tilleul pour un litre d'eau bouillante ; laisser infuser sans couvercle cinq minutes, filtrer et mélanger à un demi bidet d'eau tiède. Durée du bain : 10 minutes et 5 minutes pour les deux dernières semaines.

• *Contre les vergetures :* utiliser la préparation « huile de massage à l'arnica » (Weleda). On en frictionnera les seins (sauf les mamelons), le ventre et les hanches.

• *Contre la fatigue :* le repos, bien sûr, mais aussi un massage (préférez le matin) du ventre et de la plante des pieds avec « l'huile de massage à l'arnica ».

• L'APRÈS GROSSESSE

1. L'allaitement :

Pour maintenir une quantité de lait suffisante, la femme prendra tous les jours du « sirop de prunelle » (2 à 3 cuillères à soupe par jour) dans une tisane lactogène d'orientation anthroposophique. Il est nécessaire de boire beaucoup durant l'allaitement (eau ou lait). Certaines femmes signalent même une sensation de soif accrue au moment où elles allaitent.

Il sera bénéfique pour la mère (et donc son enfant) qu'elle prenne une préparation de « sels calcaires » non synthétiques. La montée de lait sera favorisée par l'alimentation aux céréales complètes et par l'ingestion de lentilles. En cas de gaz chez la mère ou l'enfant, on ajoute du cumin au fromage, aux pommes de terre et aux légumes. La mère peut aussi prendre une tisane de cumin (pour une grande tasse d'eau, laisser bouillir 10/15 minutes).

Avant chaque repas, la mère mangera un fruit cru ou un légume cru.

Si le nouveau-né a des rougeurs, vérifier que la mère ne mange pas d'orange.

2. Le « Baby-Blues », la présence du père

A l'occasion de cet extraordinaire événement qu'est la naissance d'un enfant, la joie des parents est très intense. Pourtant le bouleversement de l'organisme maternel depuis la conception, les troubles divers de la grossesse, la sensation unique de vie que la femme ressent en elle, la mettent dans un état de fragilité psychique. Puis le moment (parfois difficile) de l'accouchement, la frustration physique et psychologique que certaines femmes éprouvent à la naissance de l'enfant perturbent quelque peu la vie du couple et entament la résistance nerveuse de la mère. De plus, on assiste à une modification hormonale. Après l'accouchement, plusieurs de ces nouvelles mamans finissent par présenter un état dépressif : toute leur vie est désormais changée. Cet état est appelé le « Baby-Blues » que l'on peut improprement traduire par « Mélancolie due au bébé » (médicalement : dépression du post partum). Le père de l'enfant a un rôle-clé à jouer en cette occasion : il doit non seulement participer au travail de la maison et aux soins de l'enfant, mais aussi soutenir la mère à qui l'on demande plusieurs centilitres par jour de cette merveilleuse substance qu'elle va offrir si chaleureusement à son enfant : son lait. Nous affirmons qu'une femme bien soutenue moralement a une lactation plus facile.

3. L'ambiance générale de la maison

Le calme est la première des règles à observer pour le bien de la mère et de son enfant. La chambre de bébé, fraîchement organisée, doit être, cela va sans dire, propre et souvent aérée. Un large plan de travail sera confectionné ou acheté pour changer l'enfant.

Il aura tout le temps de s'habituer aux bruits divers ; progressivement donc, il faudra lui faire écouter de la musique et les bruits habituels de la maison : il les entendait si peu dans le ventre de sa mère. C'est un nouveau venu qui va parfois sursauter à un son, pourtant familier à tout le monde.

Nous déconseillons radicalement et définitivement la présence de l'enfant devant un téléviseur allumé. En effet, nombre de parents constatent régulièrement une certaine nervosité chez le nouveau-né qui séjourne devant un téléviseur allumé. A fortiori si l'enfant tête, la télévision et la radio seront coupées.

Conseil sur l'éducation :
« l'épanouissement » du nourrisson au jeune adulte

1. La radio et la télévision

Loin d'être des règles moralisatrices, nous donnons tous ces conseils pour que l'éveil de l'enfant se fasse dans de bonnes conditions. Il aura tout le temps de se forger aux difficultés et à l'agressivité de la vie. Et il le fera d'autant mieux qu'il est calme et mentalement bien armé.

Le premier conseil que nous répétons inlassablement porte sur l'usage de la télévision. Dans de nombreuses familles, nous sommes amenés à constater que les enfants passent la majeure partie de leurs moments libres dans la journée devant le poste de télévision. Au risque de paraître rétrogrades, nous ne cesserons de condamner ces pratiques envers de petits organismes.

Il s'agit là d'une grave atteinte à l'équilibre et à la santé de l'individu.

Médicalement, tout d'abord, les yeux sont mis à rude épreuve, le mental est sollicité d'une manière trop rapide et souvent bouleversante, puisqu'on recherche les émissions fantastiques, violentes, bruyantes, faites pour « accrocher » les jeunes. Une statistique a récemment montré que, de la naissance à l'adolescence, un enfant habitué de la télévision a assisté à plusieurs centaines de meurtres, assassinats et scènes de violences corporelles !

Nous condamnons fermement cette « éducation » par le sensationnel qui ne tient aucun compte du fait que l'enfant (au moins jusqu'à 7 ans) ne sait que répéter, imiter ce qu'il voit faire autour de lui.

D'autre part — plusieurs parents nous l'ont confirmé — la lecture est totalement absente de la vie des enfants-télé. Dès qu'on supprime la télévision, l'enfant cherche, construit, lit... Cette activité créatrice ne peut être que positive pour lui : il recherche des personnages extraordinaires dans les livres, là où la violence est moins évidente, moins manichéenne que chez ces personnages inhumains, ces robots débiles crachant le feu qu'on nous impose. Dans les émissions de télévision, le héros est devenu une machine à tuer et à triompher de tout. C'est le nouveau « modèle » pour l'enfant. Ne nous étonnons plus des sempiternelles mises en garde sur « la montée de la violence » ?

De plus, et sans chercher à le prouver scientifiquement, nous affirmons que les influences électriques du champ magnétique de la télévision sont nocives. Nous sommes persuadés que la présence prolongée devant un poste de T.V. mène vers un état mental « d'endormissement ». A certains moments, on dirait qu'on est comme hypnotisé. Qui n'a pas remarqué que plus on regarde la télévision, plus on s'habitue et plus on en est l'esclave ?

Ceci dit, *nous considérons la télévision comme une bonne acquisition. Mais à condition de l'utiliser comme une séance de cinéma* ; c'est-à-dire, pour ne regarder que les programmes choisis, bien installés comme s'il s'agissait d'un moment organisé uniquement pour cela.

Dans certains villages, les personnes âgées ont gardé l'habitude de se rassembler en groupes, installées sur des chaises dehors, pour bavarder tranquillement. Ceci existe, et prouve donc que la théorie des personnes seules « qui n'ont que la télé » est fausse. Si ces gens ne l'avaient pas, ils iraient chercher dehors cette compagnie et ces contacts autrement plus chauds.

Nous ajouterons qu'avoir un poste de radio allumé toute la journée ne vaut guère mieux. Il est inutile de s'élever contre la « civilisation du bruit », sans parler de la radio qui devient, jusque dans les voitures, une véritable drogue. Si on veut écouter la radio, il est nécessaire à notre avis de savoir aussi en diminuer le son et surtout de l'éteindre une demi-heure de temps en temps. Pour réapprendre à apprécier le silence utile à l'esprit, il faut aussi écouter les bruits habituels de la maison, de la nature, des oiseaux et, pourquoi pas, des voisins.

2. Les vaccinations

Principe du vaccin : une substance contenant des cultures de bactéries ou de virus, tués ou « atténués », est injectée dans un organisme sain afin que celui-ci fabrique des anti-corps et sache se défendre si ce même microbe se présentait à nouveau à lui.

Le vaccin met en jeu le système de défense de l'organisme. Il passe dans le sang et dans les organes, puis dans le système « réticulo-endothélial ». Il intervient aussi dans des mécanismes immunologiques très complexes et dont on découvre tout juste les éléments de base, sans vraiment savoir comment le tout fonctionne ! Ici encore, ne critiquons pas le manque de preuves scientifiques quant à l'action des remèdes homéopathiques, alors qu'on intervient avec les vaccins dans des domaines encore ignorés. (Pour information, on ne connaît presque pas le mode d'action de l'aspirine sur l'organisme... néanmoins, on l'emploie par tonnes depuis des années !).

Il se trouve que ce tissu de défense — le système réticulo-endothélial — concerne certains terrains homéopathiques (peut-être tous) ; il concerne le terrain sycotique assurément ! (Voir explications sur le terrain p. 70).

La vaccination est un élément sycotisant, nous en avons la preuve par le grand nombre d'observations de troubles survenus après une vaccination. Ainsi, les rhino-pharyngites qui apparaissent chez l'enfant, quelques jours ou quelques semaines après les premiers vaccins. Il devrait être obligatoire, pour le thérapeute, de chercher sur le carnet de santé les dates de début des troubles. Il serait surpris, comme nous l'avons été, de la « hasardeuse » concomitance des deux. Nombreux sont les eczémas, asthmes, bronchites, angines, maux de ventre, états nerveux ainsi dépistés avec les dates de vaccinations.

Par ailleurs, la sycose est un état favorisant le cancer ; à ce titre, rien ne prouve qu'en sycotisant quelqu'un avec des vaccins répétés, on ne précipite pas chez lui le processus de formation d'un cancer, même des années après. Les analyses bio-électroniques (dites « de Vincent ») sur tous les vaccins, les classent dans la zone du cancer ; ceci, chimiquement et objectivement !

Nous ne parlerons pas ici des accidents causés par les vaccins (encéphalopathie du vaccin variolique, entre autres) : l'école classique médicale elle-même les reconnaît, tant il serait difficile de faire autrement.

La vaccination anti-variolique n'est plus obligatoire en France de 0 à 2 ans, âge où elle faisait les pires ravages. Il a fallu arriver aux années 1970 pour le comprendre. Tant pis pour les enfants devenus débiles avant !

Le B.C.G. (anti-tuberculeux) est un vaccin souvent mal toléré chez les sycotiques et les tuberculiniques.

Ainsi, nous voyons régulièrement des petits tuberculiniques chez qui le vaccin « ne prend pas ». Au lieu de comprendre que leur organisme exprime ainsi son terrain, la médecine officielle va s'acharner sur eux : deux, trois, quatre B.C.G., deux, trois, quatre tests tuberculiniques, pour bien montrer qu'on est le plus fort et que le test est enfin « positif ».

Ce qu'on ne voit pas, c'est le travail fait en « négatif » sur le pauvre organisme tuberculinique dont on verra qu'il est souvent frêle.

La vaccination B.C.G. a été fortement conseillée à la naissance (dans les huit premiers jours). Nous nous élevons contre cette pratique, car, à huit jours, le nouveau-né a autre chose à faire que de lutter contre des bacilles de Koch, fussent-ils inoculés par un médecin. En tous cas, cela aura permis d'en vendre deux fois plus... puisqu'ils seront bien souvent à refaire !

Pour ne pas prendre de risques inutiles et pour éviter aux parents des accrochages perpétuels avec les administrations, nous en sommes arrivés à admettre une vaccination antitétanique et antipoliomyélitique, que nous ne commencerons que vers 8/9 mois. (1)

Nous donnons systématiquement une dose de « Tétanospolie 9 CH » isothérapique le lendemain du vaccin et Thuya 9 CH le soir.

Si l'obligation vaccinale est trop « policière » de la part des pouvoirs publics, sachez qu'il existe une dose homéopathique propre à chaque vaccin (B.C.G., variole, etc.) pour aider l'organisme à assimiler.

Notre dernier avis ira sur le vaccin anti-rougeoleux. C'est une des plus grandes inepties de l'époque, car on sait aujourd'hui que les maladies infantiles sont des étapes importantes dans la croissance et l'évolution des défenses de l'enfant.

3. Le rythme de vie

On ne peut pas aborder la médecine préventive sans parler du rythme de vie. En cette fin du XXe siècle, tout le monde voit bien que nous vivons « à cent à l'heure » et que le rythme n'est plus adapté à l'échelle humaine. Encore une fois, la nature est si bien faite que l'homme résiste — aussi ! — à cela ; ce qui ne va tout de même pas sans mal.

La notion de rendement obligatoire qui nous est imposée à tous oblige à travailler vite, faire son marché vite, effectuer ses trajets vite, manger vite, parler vite... bref, nous sommes contraints à un état physique et psychique de tension permanente.

(1) *Ligue nationale pour la Liberté des vaccinations, 4 rue Saulnier, 75009 Paris*

Comme il est souvent impossible de faire autrement, nous devons trouver urgemment des compensations à ce genre de situation éprouvante et vieillissante. Le travail de la terre semble être une bonne activité de récupération. Pour d'autres ce sera le sport, les jeux de patience, un travail manuel ou de la peinture. Pour tous, il sera bien venu de rester quelques instants au silence en rentrant chez soi, et de se repasser mentalement la journée dans la tête.

Ces moments de détente sont nécessaires si l'on veut atténuer les effets de ce rythme éperdu. A notre avis, l'art tient une place importante dans la « reconstruction » d'un organisme. Citons aussi la méthode du Dr Vittoz (1) qui est une technique destinée à acquérir une « conscience du moment présent » à l'aide de ses propres sens. Cela permet de ne pas toujours anticiper sur l'avenir car vivre le moment présent est un moyen d'échapper à cette course folle. De plus, les remèdes homéopathiques des « gens pressés » peuvent aider à atténuer la fébrilité, le trac, l'angoisse...

4. L'éducation, le monde de l'enfant

Ici encore, comment concevoir un être humain équilibré s'il n'a pas reçu dans son enfance une nourriture morale et spirituelle, au même titre que la nourriture matérielle, qui a aidé à sa croissance et son développement physique ?

Nous assistons actuellement aux premiers résultats d'une politique de « non-traumatisme » de l'enfant, lequel a pu faire tout ce qu'il estimait bon, au hasard de ses caprices et de ses errements. Or, un enfant non guidé par des adultes se perd obligatoirement.

Nous voyons ainsi des adolescents en proie à des luttes intérieures, à des états mélancoliques et dépressifs. Rien à voir avec l'âge du « romantisme » qui s'accompagne d'un profond désir d'action. Ce sont plutôt des états de fausse

---

(1) Lire à ce propos :
« *Traitement des psycho-névroses par la rééducation du contrôle cérébral* », Dr R. Vittoz.
« *La psychothérapie du Dr Vittoz* », Dr d'Espiney (éd. Tequi)

décontraction où l'on ne ressent presque plus le feu intérieur qui caractérise cet âge.

Même la façon de s'habiller reflète cette disposition. C'est un âge où l'on cherche habituellement à se distinguer par une mode plus excentrique, afin de s'affirmer. Or on constate que la mode actuelle est ample, large, avec des vêtements pendants et très souvent de couleurs tristes. On voit de plus en plus de jeunes filles habillées en sombre, voire en noir, et surtout couleur parme ou violette, les couleurs traditionnelles du deuil ! Ce n'est qu'un petit indice, mais qui reflète souvent l'état d'âme.

Nous n'aborderons même pas la question de la drogue qui gagne des adeptes de plus en plus jeunes. Sur ce point, c'est à tout le système éducatif qu'il faut s'adresser. La dominante incontestable, c'est que l'enfant a besoin d'un rail, d'un guide, comme la jeune plante a besoin d'un tuteur ; même si plus tard elle devient plus forte que lui. Il est sans fondement, voire criminel, de considérer les principes, la morale, la religion (pour qui le veut), comme n'ayant plus de raison d'être.

L'enfant a besoin de cela !

La notion de base est simple : l'enfant ne peut qu'observer et imiter. L'imitation est chez lui le seul moyen de s'affirmer. Pour cette raison, l'anthroposophie soutient que certains gestes, certaines paroles, certains sentiments sont à prescrire devant un enfant, car il avalerait tout cela comme une nourriture. Non seulement il imite mais en plus il mémorise et cela deviendra un de ses principes de base : son cerveau tout neuf ne demande qu'à emmagasiner. Un exemple tiré de cette science est à méditer :

Un enfant ne peut pas dominer les lois physiques de la nature. S'il se brûle, s'il se fait mal à une branche ou avec un caillou, par la douleur, il apprend à ne pas recommencer. Il est obligatoirement remis sur le « droit chemin ». Il sait qu'il ne peut pas attraper un essaim de guêpes s'il a été piqué une fois.

Or, comme nous avons à faire à un être humain et non à un animal, le modèle physique n'est pas suffisant. Il existe aussi des lois morales élémentaires contre le mensonge, le vol, le crime, etc. Mais là, il n'existe plus de défenseur des lois, si ce n'est l'adulte lui-même. L'enfant va donc tester, comme si inconsciemment il poussait l'adulte à réagir, afin de se faire remettre sur le rail. Il est certain que l'enfant désire auprès de lui une main et un esprit fermes qui le rassurent. Ce sera même un jeu de tester l'adulte pour voir sa réponse. Les enfants de parents laxistes chez qui « tout est permis », risquent de devenir taciturnes et tristes. S'ils ne rencontrent aucune réaction de fermeté, ils en viendront très vite à penser que c'est par indifférence que leurs parents ont choisi la voie de la facilité.

On peut affirmer avec le Dr Zur Linden que :

«les valeurs spirituelles qui sont ici en cause ne se défendent pas d'elles-mêmes comme les valeurs naturelles ou comme les objets du monde extérieur. Elles doivent être protégées par l'adulte qui, dans un langage approprié à l'enfant, s'efforcera de lui faire toucher la réalité du doigt. »

5. La chaleur

Jusqu'à l'âge de 7 ans, l'enfant a particulièrement besoin d'être entouré d'un monde de chaleur. Chaleur humaine, mais aussi chaleur physique. La température de sa chambre ne doit pas excéder 16 à 18°. En revanche, il faudra veiller à le couvrir *jour et nuit* avec plusieurs épaisseurs de coton et de laine, surtout sur la poitrine. Dès qu'il sera un peu affaibli, une onction à l'huile de massage à l'arnica sur tout le corps l'enveloppera de cette chaleur dont il a tant besoin. L'apparence esthétique de ses petits pyjamas ne doit pas faire oublier ses besoins, notamment la nuit ; c'est au changement de température, après minuit, que démarrent bon nombre de rhino-pharyngites.

Qu'est-ce que la médecine d'orientation anthroposophique ?

Les divers chapitres de ce livre proposent certains conseils de traitement « d'orientation anthroposophique ». Nous allons essayer de vous donner une esquisse d'explication sur cette merveilleuse conception de la médecine et de l'être humain qu'a proposée Rudolf Steiner. Nous ne saurions que trop vous conseiller de vous familiariser avec son œuvre. Rudolf Steiner a créé le Mouvement anthroposophique et nous a donné des multitudes de renseignements concernant une approche de l'être humain dans sa totalité physique et spirituelle. Dans son œuvre, vous découvrirez des aspects inattendus de l'approche possible de l'Homme, avec ses quatre corps constituants et ses divers tempéraments dont la connaissance est une mine pour qui veut avoir des notions médicales et pédagogiques plus complètes. Vous y trouverez une approche de l'Homme qui a le double avantage de considérer ce dernier comme autre chose qu'un simple assemblage de cellules ; cette approche tient compte du corps physique que nous percevons avec nos sens mais aussi des autres éléments dits « supra-sensibles » (au-delà des sens) qui le constituent.

L'approche spirituelle et supra-sensible de Rudolf Steiner nous a appris à découvrir d'innombrables richesses sur le corps, l'âme et l'esprit : ceci nous paraît être le triptyque nécessaire à un exercice médical convenable. Le deuxième avantage de ces notions anthroposophiques réside dans une possibilité d'application pratique à toutes « les choses de la vie ». A l'inverse d'une connaissance intellectuelle pure, les conceptions de Steiner ne se figent pas.

En plus de la médecine anthroposophique, existent aussi une pédagogie et des écoles Steiner, des banques anthroposophiques, des cliniques, des thérapeutiques artistiques (peinture, art de la parole, eurythmie, modelage), une approche de l'astronomie et de la géométrie projective, une agriculture « bio-dynamique », des conseils pour les abeilles, des conceptions sur l'Histoire et sur la Bible, et une étude sur la Christologie et l'architecture.

Dans le chapitre sur la pédagogie, nous parlerons de la quadripartition de l'être humain (les « corps » physique, éthérique, astral et le Moi ou Je).

La tripartition, quant à elle, a une application médicale des plus intéressantes pour « élargir » (selon le mot de R. Steiner) les données habituelles de la médecine.

L'être humain répond à une division ternaire de son organisme :

• l'étage neuro-sensoriel
• l'étage rythmique
• l'étage métabolique

1. L'étage neuro-sensoriel se situe, pour la plus grande partie, au niveau de la tête, du système nerveux et des sens. C'est le pôle « froid » de l'organisme : les cellules nerveuses sont en effet le siège de peu d'échanges par rapport au tube digestif, par exemple. Nous les avons en nombre défini et non renouvelable.

2. L'étage rythmique correspond au cœur et au système pulmonaire, siège d'un rythme quasi régulier. Son rôle le plus évident est de servir de tampon entre les étages neuro-sensoriel et métabolique.

3. L'étage métabolique comprend les organes digestifs, les organes reproducteurs et les membres. Ici, les activités sont intenses, situées dans une « flore ». L'étage métabolique est le siège d'une grande vitalité. Tout est comme « bouillonnant » par rapport au pôle opposé qui garde « la tête froide ».

La fièvre est un exemple du déséquilibre de ces trois corps : la partie supérieure de l'organisme et la peau (qui fait partie embryologiquement du système neuro-sensoriel) sont le siège d'une chaleur et d'une rougeur, témoins d'une « intrusion » du pôle métabolique à un endroit inhabituel. La sueur, la rougeur du visage et le dégagement de chaleur par la peau marquent une réaction saine de l'organisme (les bienfaits de la fièvre ne sont plus à démontrer). Quoi qu'il en soit, la personne atteinte de la fièvre en souffre. Nous devons donc, en même temps, respecter et contrôler cette fièvre.

Nous aurons à en atténuer légèrement les effets avec nos remèdes de fièvre. Puis, en relation avec les données de la tripartition, nous rajoutons un remède de soutien du pôle rythmide (du cœur) qui va venir équilibrer le haut et le bas de l'organisme (Pour mémoire, ce remède se compose de : hyosciamus : 0,01 % / onopordon : 2,5 % / primula : 2,5 % / excipient 100 %, ou « cardiodoron » (nom qui n'est pas utilisé en France). Nous avons de multiples autres exemples d'application de ces données dans notre pratique. Chacune des « parties » se retrouve dans tout l'organisme car la division en trois n'est qu'une indication pour faciliter la compréhension.

Les remèdes seront souvent confectionnés comme des « modèles » selon la tripartition et la quadripartition (exemple : les basses dilutions agissent sur le système métabolique, les moyennes sur le système rythmique, les hautes sur le système neuro-sensoriel).

La médecine officielle et l'homéopathie traditionnelle se trouvent enrichies par la médecine d'orientation anthroposophique, car c'est « l'art de guérir en tenant compte de l'origine cosmique et de la composante spirituelle de l'Homme ». Il faut aussi savoir que la fabrication des remèdes tient une place primordiale dans cette forme de médecine. Les laboratoires anthroposophiques tiennent compte des rythmes de la nature selon un calendrier précis et des notions astronomiques adéquates pour cultiver et ramasser les substances qui serviront à la fabrication des remèdes.

Nous vous conseillons la lecture du livre de Victor Bott, « Guide pratique de médecine familiale », éditions Triades. Et le livre de S. Rihouet-Corroze : « Qui était R. Steiner ? » aux mêmes éditions est une sorte de biographie de cet être étonnant.

L'éducation selon Steiner

Nous abordons ce sujet dans le cadre de la vraie médecine préventive. Avant de donner tout médicament, il faut « faire » des êtres sains par une bonne éducation dans un milieu équilibré.

Il ne s'agit pas d'apprendre des recettes, des règles ou un dogme. Mieux vaut s'imprégner et réfléchir sur des notions nouvelles qui peuvent surprendre, et... constater le résultat sur l'équilibre de l'enfant. Pour saisir ces notions, il faut pénétrer le domaine de compréhension de l'être humain appelé « supra-sensible » ; c'est-à-dire au-delà de ce que nos cinq sens habituels nous font percevoir.

Rudolf Steiner nous offre le résultat qu'il a tiré de cette compréhension. Il affirme que tout être humain honnête et désintéressé peut accéder à cette observation par des exercices qu'il peut faire lui-même dans sa vie quotidienne. (1) Lorsqu'on lit les ouvrages concernant l'éducation à la lumière de l'anthroposophie, à la différence des autres livres, on s'aperçoit que rien n'est à retenir par cœur. Ni obligation ni interdit ne sont à imposer à l'enfant. Non, ici tout est nuance. Il s'agit de créer une ambiance répondant aux besoins de l'enfant, en respectant la compréhension de l'être humain selon la « science spirituelle anthroposophique ». Ainsi, chacun pourra rajouter sa personnalité et ses idées sur cette trame de fond qui ne s'apparente en aucun cas à une « marche à suivre » sectaire.

Mais qu'est-ce donc que cette nouvelle compréhension de l'être humain ?

L'homme ne cherchant pas à aller au plus profond de lui-même, sa richesse intérieure n'est pas totalement éclose. Pour désigner cette richesse, Steiner emploie d'abord une comparaison :

« Toute la vie ressemble à une plante qui ne contient pas seulement ce qu'elle offre à nos yeux, mais encore un état futur qu'elle cache au tréfonds de son être. La contemplation d'une plante déployant ses premières feuilles nous annonce l'éclosion proche de fleurs et de fruits. Et de ces fleurs et de ces fruits, cette plante recèle déjà les germes. (...) De même la vie humaine recèle les germes de son avenir. Mais seule la connaissance de la nature cachée de l'homme permet de concevoir cet avenir. Les multiples projets de réforme qui préoccupent notre époque ne peuvent

---

(1) Lire : « Etudes psychologiques - Culture pratique de la pensée - La nervosité et le moi - Les tempéraments ». Rudolf Steiner (éd. anthroposophiques romandes.

aboutir s'ils ne sont issus d'une connaissance parfaite des profondeurs de la vie humaine ».

Nous commencerons par décrire la constitution suprasensible d'un être humain ; elle est quadruple.

La quadripartition

a) Le corps physique : c'est celui que tout le monde voit avec ses sens. C'est un ensemble de composants obéissant aux mêmes lois qui régissent le règne minéral. Ces composants se dissocieraient immédiatement si des éléments supérieurs ne les maintenaient. Un de ces éléments supérieurs maintient l'agrégation des forces physico-chimiques au sein de l'être vivant : c'est le corps éthérique.

b) Le corps éthérique (ou corps de la vie) : tout être vivant possède un corps éthérique de sa naissance à sa mort. Celui-ci empêche les substances physiques incluses dans le corps d'obéir à leurs propres lois ; livrées à elles-mêmes, ces lois ne pourraient qu'entraîner la destruction de l'organisme.

Lorsque le corps vivant se transforme en cadavre, c'est que le corps éthérique s'en est détaché. Dès lors, le corps physique n'obéit plus qu'à ses propres lois, et il se désagrège.

Si le terme « éthérique » vous gêne, appelez-le « force vitale », à l'instar de la puissance magnétique qui détermine l'attraction dans l'aimant ; c'est une force vive invisible. Le corps éthérique est commun à l'homme, aux animaux et aux plantes. C'est lui qui opère les phénomènes de croissance, de reproduction, de circulation des liquides, etc. Il est à la fois l'habitant et l'architecte du corps physique, l'image ou l'impression de ce corps de vie.

c) Le corps astral : pour se représenter cette troisième partie de l'être humain, il faut imaginer les désirs, les passions, les sentiments les plus divers, les joies, les pulsions, les douleurs... d'une personne peu ouverte.

Tout cela ne peut être un constituant du corps physique ni du corps éthérique ; on l'appelle donc le corps astral. On peut résumer toutes ces propriétés sous le nom de « sensation » lorsqu'on fait des expériences sur les réactions d'un végétal confronté à des excitations extérieures. « Si l'on négligeait ce point de vue, il serait justifié de prétendre que la teinture de tournesol est douée de sensibilité à l'égard de certaines substances parce qu'elle rougit à leur contact... »

Par principe, le corps éthérique et le corps astral sont des entités non matérialisables. On peut dire que le corps éthérique est une « énergie » — bien que l'énergie reste quelque chose de quantifiable, de mesurable, donc de matériel — modelée en une certaine forme (à une époque où on commence à démontrer le lien entre matière et énergie, cela est concevable). Il se compose de forces agissantes, sans substance (comme l'effet magnétique de l'aimant). Le corps astral, lui, est une forme constituée par des images colorées, lumineuses et d'une extrême mobilité.

Cependant, l'homme se distingue des autres êtres terrestres par un quatrième attribut : celui qui porte son « moi ».

d) Le « moi » ou le « je » : le mot « moi » est très différent des autres mots. Tout le monde peut employer un terme quelconque pour parler d'un objet. Table, chaise, etc. aura la même signification pour tout un chacun.

En revanche, le mot « moi » ne peut être employé que pour désigner soi-même. Les religions disent que le « dieu » (quelle que soit l'orientation donnée au mot « dieu ») ne se manifeste, pour des êtres inférieurs, que du dehors, à travers les phénomènes. Il commence à parler à l'intérieur de l'être lorsque apparaît le « moi ».

Cette faculté est l'attribut du « corps du moi », quatrième élément de la nature humaine.

Pour donner un sens à ce « moi », nous reprendrons l'exemple d'hommes placés à des degrés différents d'évolution. Examinons l'homme « sauvage » primitif (sans que cela soit préjoratif !) et l'homme de culture moyenne. Les deux ont en commun la faculté de se dire à eux-même : « moi »; le corps du « moi » existe chez chacun d'eux. Mais le primitif obéit à ses passions, à ses instincts et à ses désirs, à peu près comme un animal.

En revanche, l'homme évolué, même s'il abandonne à certaines inclinations et à certains désirs, domptera et réprimera d'autres pulsions. Chez un être plus sage, enfin, des sentiments plus élevés auront poussé sur le sol des passions et des instincts primitifs.

Toutes ces actions résultent de l'action du « moi » sur les autres éléments. Cette activité constitue précisément la tâche du « moi » : dominer et purifier par son influence les corps inférieurs.

Réfléchissons à la démarche suivante : si par une gymnastique mentale, l'homme se considérait comme n'ayant qu'un corps physique et un corps éthérique, il n'éprouverait aucune sensation (qui sont du domaine du corps astral) ; il serait comme une plante ou un minéral inanimé. Si l'homme n'avait qu'un corps physique, un corps éthérique, et un corps astral, il serait animé de mouvements (corps astral - corps animique) mais aussi de sensations, de passions, d'instincts, etc. Il ne vivrait donc que comme un animal, se mouvant et suivant les instincts de l'espèce.

Mais lorsqu'on ajoute la dimension humaine, le « moi » (étranger à l'animal qui ne peut ni dire ni penser) on dépasse le stade des sensations.

Le « moi » de l'homme lutte pour atteindre un développement de plus en plus parfait. A voir la difficulté que l'on a à maîtriser un instinct animal — quand on y arrive —, nous partageons avec Steiner l'idée qu'il faut plusieurs vies pour s'améliorer lentement, au-delà de l'espace et du temps.

Ainsi, le corps astral devient le siège de sentiments épurés de plaisir et de déplaisir, d'appétit et de désirs affinés. Le corps éthérique se transforme à son tour, devenant le siège des habitudes, des inclinations permanentes, du tempérament et de la mémoire.

Ce travail descend jusqu'au corps physique : sous l'influence du moi, la physionomie, les gestes et l'allure se modifient, tout l'aspect du corps physique se transforme. La santé est donc meilleure.

Pour en revenir à l'éducation, il faut savoir que les facteurs ordinaires de culture agissent sur le corps astral. Ils l'impressionnent par des plaisirs et des peines. La contemplation des œuvres d'art agit sur le corps éthérique. L'homme le transforme en pressentant, grâce à l'œuvre d'art, un monde plus élevé, et plus noble que le domaine de la simple perception sensorielle.

Le « sens religieux » favorise puissamment la purification et l'ennoblissement du corps éthérique (« Religieux » dans un sens élargi, quelle que soit l'appartenance philosophique). Ainsi, nous avons une approche toute différente de la « morale », transmise jusqu'ici comme une série d'interdits, sans explications, et remise en question en cette fin du XXᵉ siècle. Ce que l'on appelle la « conscience morale » n'est rien d'autre qu'un progrès du corps éthérique, dû aux efforts du « moi » à travers une série d'incarnations. Jusqu'ici, l'homme obéissait aveuglément à des lois par souci de respecter une tradition, souvent sans chercher plus loin.

Ce qui est nouveau, à notre stade de l'histoire, c'est que l'on peut comprendre pourquoi on respecte telle ou telle règle ; on l'en respecte d'autant mieux. Les éclaircissements de Steiner sur le monde spirituel sont donc une pierre de touche dans cette évolution et dans ce qu'on ne cesse d'appeler « la nouvelle civilisation ».

Au niveau éducatif, lorsqu'on commence à bien posséder tout cela, on ne peut plus aborder l'enfant de la même façon car on s'est changé soi-même. C'est ce que l'on nomme « l'éducation des éducateurs ». Quand le « moi » devient assez puissant, il peut aussi transformer le corps astral, puis le corps physique.

Steiner affirmera que « la connaissance des lois qui régissent le développement successif de la nature humaine constitue la base indispensable de l'éducation et de la pédagogie ».

Déroulement de l'enfance*

1. Les sept premières années.

L'être est constitué de quatre corps. A l'image du corps physique visible de l'enfant (lequel naît en premier), on admet qu'il y a des naissances successives pour un même individu.

Jusque-là, entouré du corps physique de la mère, celui de l'enfant était à l'abri du monde matériel. A la naissance,

* Voir « *L'éducation de l'enfant à la lumière de la science spirituelle* › (Rudolf Steiner, éd. Triades).

il commence à éveiller ses sens physiques (ouïe, toucher, vue, odorat, goût), protégés jusqu'alors.

La deuxième naissance se produit au moment de la seconde dentition, vers la septième année. Là, l'enveloppe qui entourait le corps éthérique s'en sépare (comme le corps physique s'est séparé de l'enveloppe physique qu'était sa mère). La troisième naissance se produit vers la puberté, où le corps astral se dégage à son tour d'une enveloppe astrale.

Jusqu'à l'âge de sept ans, l'enfant ne peut fonctionner que par l'imitation : il lui faut donc un modèle. Cette imitation agit sur la formation de son corps et de ses organes. Même son cadre de vie va favoriser — ou entraver — la saine élaboration des formes internes et externes de son corps physique. Tout ce que l'enfant percevra par ses sens agira sur les forces de son corps et de son esprit.

Ce sont donc les actes des grandes personnes, accomplis sous ses yeux, qui vont orienter l'enfant.

Il faut donc faire très attention à ne pas léser le corps éthérique avant 7 ans par un mauvais environnement ou des actes néfastes. De même que les yeux se développent dans le sein de la mère à l'abri de la lumière, le corps éthérique se développe protégé par sa gaine éthérique. Ce qu'il contient comme idées, habitudes, mémoire , etc. se développera spontanément par les seules influences du monde qui entoure l'enfant. Ainsi, jusqu'à 7 ans, l'enfant n'apprend que par l'imitation qui joue un rôle intérieur. Par exemple, l'œil sera doué d'une vue normale si les couleurs et les lumières qui entourent l'enfant sont disposées avec des rapports convenables. De même, le cerveau se développera sainement s'il assiste à des actes sains. Il faut donc agir sur les sens de l'enfant comme on exerce un muscle, pour développer sa vue, son toucher, son goût, son odorat, son ouïe.

● LES COULEURS

Contrairement à ce qui se pratique, l'anthroposophie affirme qu'une couleur évoque sa couleur complémentaire à l'intérieur de l'être humain. Après avoir fixé une couleur rouge et porté sa vue sur une surface blanche, on constate que l'œil voit du vert. Après avoir fixé du bleu, on voit du jaune-orangé.

Un enfant turbulent sera donc entouré et vêtu de couleurs rouges ou jaune-rouges. Un enfant léthargique sera entouré de bleu ou de bleu-vert. Lorsque l'enfant très vif voit du rouge, il se produit à l'intérieur de lui-même la couleur verte qui agit en le calmant. Ce processus se manifeste surtout à l'âge dont il est question ici.

● L'ALIMENTATION

Il faut donner à un enfant une nourriture appropriée, au lieu de le gaver comme le font, souvent, les mères actuelles (pour ne pas qu'il pleure !). Cette bonne alimentation développera adroitement son goût et son instinct ; lesquels, par la suite, lui feront désirer ce qui lui est nécessaire et refuser ce qui lui est nuisible.

Il est un interdit absolu à cet âge, c'est de dépasser la ration d'albumine strictement indispensable. L'excès de blanc d'œuf, par exemple, fait perdre à l'enfant ses instincts alimentaires, ainsi que la faculté de se développer normalement. Il y a en effet dans le blanc de l'œuf un processus qui a la propriété de faire sortir la forme plastique de ses limites, ce qui a pour effet d'étouffer la sûreté de l'instinct. En gavant l'enfant d'albumine, on détruit cette force.

L'enfant à qui l'on donne peu d'albumine ne réclamera jamais que les aliments indispensables à sa santé. Le jaune d'œuf est normalement le moyen de reproduction des volailles. Dans la mesure où sont concentrées en lui trop de forces de formation d'un futur très vivant, on n'en donnera qu'à partir de la fin de la première année.

● LES JOUETS

Ils ont une importance capitale dans le développement de l'enfant, à condition qu'ils apportent à l'enfant une activité créatrice. Qui n'a pas remarqué l'enfant à qui l'on achète une belle poupée bien habillée, bien dessinée, et qui finit par la laisser dans un coin pour s'amuser avec des morceaux de bois, des pierres, des branches ou des cartons ? La poupée est finie, achevée, elle n'évoque plus rien pour l'imagination. Une vieille poupée de chiffon éveille davantage l'enfant, qui va devoir la compléter par son imagination, donc faire travailler l'élaboration des forces dans son cerveau.

Les jouets électroniques sont une des plus grandes aberrations du moment, car tout est inconnu pour l'enfant. Il n'a qu'à appuyer sur un bouton pour laisser la machine parler, avancer, jeter des flammes ou s'allumer. Leur seule utilité serait de les démonter et de se servir des morceaux détachés pour créer autre chose. Si l'on ne donne que des objets évoquant les nombres, la géométrie, les mathématiques à un enfant, on en fera un matérialiste et on ne développera pas son sens créateur.

Les jouets en bois mobiles sont bons, de même que les livres d'images dont les personnages peuvent être actionnés. De lui-même, l'enfant va souvent laisser un coffre et une armoire pleine de jouets pour aller s'amuser à faire des pâtés avec de la terre humide et des bouts de bois.

2. De sept à quatorze ans

C'est l'âge où le corps éthérique naît, se dégageant de son enveloppe éthérique. C'est la deuxième naissance qui va de la seconde dentition à la maturité sexuelle. Il restera encore une gaine astrale au corps astral. Comme a été évoqué le mot « imitation » pour la période précédente, ici le mot clé sera « autorité ».

Les préceptes moraux agissant sur le corps astral seront mal appropriés. Seule l'autorité guidera le jeune enfant. Tout ce qu'il est obligé d'apprendre devra lui être enseigné en évoquant en lui des images. A tous les « pourquoi » de l'enfant, la réponse devra être imagée, sensible. Ainsi, quand naîtra son corps astral, tout ce qu'il aura d'abord aperçu sous des formes concrètes se métamorphosera sainement en concepts abstraits, en jugements raisonnables. Pour stimuler le corps éthérique maintenant accessible, l'autorité sera doublée de la vénération et du respect. L'absence de vénération fait dépérir les forces vivantes du corps éthérique. Le héros de l'histoire, les récits très tirés de la vie des hommes et des femmes dignes de servir de modèles, doivent déterminer la conscience morale, la direction de l'esprit.

Avant la deuxième dentition, les récits, les contes ne pourront avoir d'autre but que répandre de la joie, de la fraîcheur, de la gaieté. Après cette période, il faudra, par le choix des récits, s'efforcer de présenter à l'âme de l'enfant des images de la vie qui l'incitent à l'émulation. Les remontrances, dans la plupart des cas, ne serviraient guère. Il sera meilleur de montrer les conséquences des mauvaises habitudes, par l'exemple, par l'image de quelqu'un qui s'en trouve embarrassé.

Il faudra donc agir, à cet âge, par l'image, le symbole.

De sept à quatorze ans, il est temps de stimuler la mémoire de l'enfant. Lorsqu'il sera en âge de juger entre plusieurs éléments, il faudra qu'il ait acquis une somme appréciable de données afin de pouvoir les comparer entre elles.

Ainsi les mots sonneront-ils comme autant de symboles dans la tête de l'enfant qui, d'abord, ne les comprendra pas (comme il n'a pas compris les lettres qu'il a appris à dessiner avant de savoir les lire).

Ils agiront comme une ambiance, une musique, lorsqu'il lira une récitation ou un poème. Il les entendra résonner avant d'en comprendre réellement le sens. « Il est tout aussi possible de comprendre par le sentiment et par le cœur que par la raison ». Un texte évoquera les images d'un monde mystérieux même si le sens est un peu faux. L'important, c'est que les mots de ce texte soient mis en mémoire et soient affinés dans leur compréhension un peu plus tard.

A ce stade, on se sert peu de l'intelligence. C'est « l'instrument de l'âme affecté à la compréhension du monde matériel » ; c'est une faculté de l'âme qui ne naît qu'avec la puberté.

3. L'adolescence

La troisième naissance est celle qui correspond à la naissance du corps astral. Pendant cette période, l'éducation doit être orientée vers les forces sentimentales et esthétiques. « L'homme est suffisamment mûri pour juger par lui-même des choses qu'il a préalablement apprises ». Steiner ajoute : « pour acquérir le droit de penser, il faut avoir appris à respecter la pensée de ceux qui nous ont précédés (...) Toutes les opinions doivent agir sur son sentiment ; il faut qu'il (l'enfant) puisse entendre deux points de vue opposés sans se prononcer instantanément, sans s'enrôler pour ou contre ».

Comme nous avons cité l'imitation de zéro à sept ans, l'autorité de sept à quatorze ans, ici le mot magique est « émulation ». Il sera donc question de récits d'hommes et de femmes qui ont joué un grand rôle dans l'histoire.

Il est aussi temps de former le goût artistique.

C'est l'âge de l'idéalisme qu'il ne faut jamais contrer.

L'adolescent aura tout le temps de revenir à des considérations plus matérielles. De plus, les idéaux de la jeunesse fortifient le corps astral.

Propos sur l'alimentation

Que de livres, d'articles, de revues ont parlé de l'alimentation ! Aussi, ne donnerons-nous ici aucune recette, mais plutôt des idées directrices sur le rôle de l'alimentation pour l'homme, et sur l'importance que celle-ci peut avoir dans le devenir physique et mental d'un individu.

Nous affirmons, une fois de plus, que la vie entière et l'évolution spirituelle d'un individu, sont fortement influencées par son mode d'alimentation. Il est donc capital de former son instinct alimentaire et de noter les effets de tel ou tel aliment sur son organisme.

En homéopathie, les goûts alimentaires sont importants pour aider à définir un remède. Ils reflètent souvent la façon qu'ont les cellules de l'organisme de réagir dans leur intimité. Ils renseignent aussi sur les différents constituants de cet organisme.

Les données que nous allons résumer ici sont tirées de conseils de Rudolf Steiner, par l'intermédiaire de « L'alimentation dynamique » de Gerhard Schmidt (éd. Triades). Il est couramment admis que l'homme construit son corps avec ses aliments. Or, observez bien le devenir des aliments. Depuis l'assiette, où ils sont bien arrangés et décorés pour le plaisir des yeux, jusqu'à leur excrétion, que faisons-nous, dès que l'aliment passe dans notre bouche ? Nous nous évertuons à détruire ! Les dents déchiquètent soigneusement toute substance dégustée. Ouvrons ici une parenthèse pour relever un point important. Nous n'insisterons jamais assez sur l'immense rôle de la bonne mastication. Une bonne moitié des troubles digestifs que nous soignons est due à une insuffisance de mastication. Elle-même reflète le penchant de nombreux hommes « modernes » à partager cette maladie de civilisation : la précipitation. Les gens pressés, et en particulier pressés de manger, altèrent gravement leurs équilibres physique et spirituel. Rudolf Steiner affirme que chaque être humain qui ne respect pas ses rythme propres (et mange avidement, par exemple) risque de nombreuses maladies.

Il n'est pas question de prôner une quelconque habitude, mais de vous conseiller de manger lentement, en donnant une priorité à votre sens du goût. Dégustez l'aliment dans votre bouche, pensez à sa forme, à sa couleur, à son goût, et mâchez, mâchez soigneusement !

A la fin de la mastication, après avoir « détruit » l'aliment, que se passe-t-il ?

Une destruction chimique va suivre. Ce poisson amoureusement décoré, entouré de petits légumes ou cette volaille sur un lit de garnitures diverses, bref, tous ces aliments une fois mâchés vont connaître l'acide chlorhydrique de l'estomac et les premières enzymes (dans la bouche pour les amidons, dans l'estomac puis dans les intestins, pour les autres aliments). Le rôle de ces enzymes est de « digérer », c'est-à-dire de commencer à détruire chimiquement — plus finement que les dents — les aliments. Au passage, l'estomac lui-même aura longuement malaxé et imbibé ces substances.

Maintenant, faisons-nous tout petit et entrons dans les méandres de l'intestin grêle. Nous voyons là de minuscules « ventouses » appelées « villosités intestinales » qui vont, sans que vous en ayez conscience, palper, sonder, goûter encore ces aliments déjà soumis à une rude épreuve, pour les déconstruire un peu plus. Chaque partie de l'intestin grêle va « reconnaître » l'aliment qu'il devra imbiber de ses enzymes. Ici, le merveilleux laboratoire vivant fonctionne sans relâche, jusqu'à ce que le repas soit passé entièrement par lui. Ensuite, les substances alimentaires vont encore subir un mystérieux cycle pour être distribuées à l'organisme par le sang. « Digerere » en latin veut dire « distribuer ».

A première vue, cette analyse paraît satisfaisante pour la physiologie moderne : la chimie et la physique ont détruit les aliments pour que les substances chimiques dont ils sont constitués soient distribuées aux différentes parties de l'organisme.

L'explication anthroposophique, elle, va beaucoup plus loin. Tout d'abord, il faut savoir que l'ensemble du travail, pour détruire les aliments, demande une énergie importante à l'organisme. Cette énergie ne demande qu'à être utilisée. Elle se renforce encore plus lorsqu'on mange des végétaux, lesquels sont plus antérieurs que les animaux dans l'évolution jusqu'à l'homme. C'est un peu comme si vous utilisiez un muscle plus qu'un autre : vous verriez rapidement ce muscle se développer et augmenter de volume. A l'inverse, l'autre serait atrophié. On sait, par exemple, que si l'on reste dans l'obscurité totale pendant longtemps, donc si on laisse l'œil au repos complet, on risque de devenir aveugle (le Dr Vittoz affirme que la sensation a le même rôle pour le psychisme ?t le système nerveux : elle le stimule).

Rudolf Steiner nous dit, quant à lui, que manger des végétaux (légumes ou céréales) demande beaucoup plus d'énergie à ces forces de déconstruction des aliments que manger des animaux. Quand on mange leur chair, l'effort à faire est beaucoup moins grand. Avec les animaux, vous demandez à votre système digestif ce que demande, par exemple, une haltère d'un kilogramme à un bras qui s'entraîne pour se muscler. Il est sûr qu'en mangeant des végétaux, cet effort est équivalent à une haltère beaucoup plus lourde. L'effort sera plus fatigant, mais le muscle sera de plus en plus fort. Si ces forces restent longtemps inemployées, elles s'amenuisent. Bien sûr, les substances ont leur importance.

Mais l'effort de destruction demandé au système de digestion est plus profitable à l'organisme.

L'esprit humain, lui, ne se nourrit pas de matière mais du travail de déconstruction des aliments effectué par la digestion. « Là où l'esprit doit agir, la matière doit se retirer de son champ d'action ». L'édification matérielle exprime et manifeste des activités vitales (croissance, reproduction). La déconstruction correspond généralement à un recul de ces forces vitales, donc à des forces de mort. Elle correspond aussi à un éveil et à une intensification de la conscience.

La vie de l'âme ne peut se déployer que grâce au refoulement des forces de vie, puisque le premier rôle de la digestion est de détruire les aliments.

La vie du corps emploie les substances pour une vie végétative : la croissance, la reproduction, l'énergie vitale.

L'être humain, nous l'avons vu, est quadruple : corps physique, éthérique, astral et le moi. L'alimentation a une triplicité minérale, animale et végétale. Le quatrième élément est d'origine humaine (le lait maternel, pour la toute petite enfance). R. Steiner a dit : « En ingérant tel ou tel aliment, nous entrons en relation avec un substrat spirituel qui se trouve derrière l'objet matériel ».

Les substances ingérées sont modifiées et déconstruites par l'homme. Dans la genèse du monde, l'être humain tel qu'il est aujourd'hui est apparu en dernier ; après le minéral, le végétal et l'animal. Ce dernier étant le plus « près » de l'homme, il faut un minimum de force pour triompher des aliments animaux. En revanche, il en faut un maximum pour triompher des minéraux.

Pour la nourriture d'origine végétale, l'homme doit dépenser deux fois plus de forces que pour la nourriture d'origine animale. Nous avons tout à fait les forces pour cela. En biologie moderne, on sait bien qu'un organe inactif ou insuffisamment actif s'atrophie ou dégénère. L'organisme qui n'est plus habitué à ingérer des substances végétales, va ressentir de la fatigue et des troubles car les organes ne seront plus accoutumés à faire ce travail. On en a ainsi conclu que la nutrition se concevait en terme de « travail » et non en terme de « substances ». Chaque prise de nourriture pose une question à l'homme : peut-il triompher d'un corps étranger et **l'humaniser ?** Cette intrusion étrangère menace de le détruire et d'entraver ses capacités psycho-spirituelles. Autrement dit, toute alimentation est un début de processus morbide. Le vieux proverbe arabe dit : « On se rend malade en mangeant, et on se guérit en digérant ». Nous voyons donc l'importance des innombrables maladies dépendant de la mauvaise alimentation, des mauvaises combinaisons alimentaires et de la mauvaise qualité de certains aliments.

Le rythme, lui aussi, a une grande importance dans le système digestif. Il est bon de ne pas manger à n'importe quelle heure et de s'astreindre à un rythme régulier d'ingestion alimentaire.

L'important, c'est le travail fourni pour, tour à tour, déconstruire et reconstruire les substances, afin de les utiliser au mieux. Pour ce faire, le système rythmique est primordial. Le rein joue un rôle important dans l'élimination des déchets, et « d'astralisation » des substances ; et le foie « pousse le tout jusque dans notre moi proprement dit ».

Nous ne donnerons comme conseil réel que celui concernant l'origine des aliments :

— Les légumes, dont la consommation est capitale (une étude japonaise vient de démontrer la moins forte proportion de cancer dans un groupe se nourrissant de beaucoup de légumes, par opposition à un groupe en mangeant moins ou pas), seront issus de culture bio-dynamique ou, tout au moins, d'une culture n'employant ni engrais chimiques, ni pesticides, ni insecticides. Pour votre potager, sachez que la combinaison de certains légumes entre eux, durant leur culture, permet d'éviter l'invasion des insectes et de certaines maladies.

— Les viandes de jeunes animaux seront préférées, pour ceux qui mangent de la viande.

— Les fruits devront être, si possible, du pays et de la saison. Nous ferons une mention toute particulière à la cure de raisins, chaque automne, dont l'effet bénéfique n'est plus à démontrer. Elle n'est pas seulement reconstituante ; elle est aussi un véritable remède de drainage pour l'organisme. Johanna Brandt (1) l'a utilisée sur elle-même pour guérir son cancer à l'estomac, et nous voyons souvent des éliminations importantes par l'organisme lors de cette cure.

— L'eau est un des éléments les plus mal contrôlés pour l'être humain. L'eau du robinet est une infâme boisson contenant toute une série d'éléments chimiques nocifs. Les eaux minérales ne sont pas plus bénéfiques dans la plupart des

(1) « La cure de raisin » Johanna Brandt. Ed. Dunant/Genève.

cas, mais à préférer si les analyses des eaux de la ville sont mauvaises. Pour faire évaporer le chlore contenu dans de l'eau de la ville, mettez-la dans une carafe un petit moment avant le repas, et remuez-la vigoureusement à l'aide d'une fourchette. On peut égalemnt y rajouter quelques gouttes de citron.

Selon les données de l'étude bioélectronique, les eaux les plus acidifiantes pour l'organisme (qui ont donc un effet anti-cancéreux) sont dans l'ordre décroissant :

— l'eau de Kastel-Roc
— l'eau du Mont Roucous
— l'eau de Volvic
— l'eau d'Evian, de Vittel, de Contrexéville.

— Enfin, attardons-nous sur le petit déjeuner. Ce devrait être un repas plus équilibré. Nous conseillons, pour l'hiver, de la chicorée avec du pain complet, du beurre et un peu de miel. On mangera, si possible, du fromage ou du fromage blanc. Nous déconseillons fortement le fruit ou le jus de fruit habituel du matin, pris sous prétexte de « donner des vita-mines » pour commencer la journée. Le fruit acide, surtout l'éternel jus d'orange, est un élément qui déminéralise l'or-ganisme, faisant fuir le calcium en particulier. Il suffit de faire l'expérience suivante : mettez une coquille d'œuf dans du jus de citron ; au bout d'un certain temps, vous retrouverez votre coquille complètement ramollie car le calcium en sera parti. Mangez donc les fruits l'après-midi, au goûter ; l'or-ganisme, à ce moment-là, ne sera pas à jeun et supportera mieux cette acidité.

Pour en finir avec le petit déjeuner, sachez qu'il sera pré-férable de manger des protéines (fromages, pain complet) pour compléter l'apport de glucides (sucre) et de lipides (graisses).

En résumé, mangeons lentement, dans une bonne ambiance, des aliments de bonne qualité, c'est-à-dire dits « biologiques » ou « biodynamiques ». Surtout évitons les congelés, les colorants et les divers conservateurs chimiques. Refusons systématiquement ces viandes dénaturées, issues de malheureux veaux, piqués aux tranquillisants (pour évi-ter les troubles dus à la séparation d'avec leur mère) et

« gonflés » aux hormones pour les vendre plus chers. Celui qui a vu un poulet élevé en batterie, pressé, stressé, mangeant n'importe quoi, ne devra plus acheter ces volailles bon marché dont la qualité nutritive est encore plus basse que le prix. Un dernier conseil, concernant plus spécifiquement l'alimentation de l'été. Il est utile pour nos pauvres intestins de limiter la consommation de crudités et de fruits dès la fin du mois de juillet. Nombre de remèdes pour les ballonnements et les aphtes seront inutiles si l'on fait attention aux nombreuses pêches, tomates, tranches de melons et autres crudités. Pour ceux qui ont des problèmes de peau ou des troubles nerveux dus à un mauvais fonctionnement intestinal, pensez à une alimentation un peu plus « sèche », mangez des céréales et des légumes cuits.

IV. QU'EST-CE QUE L'HOMÉOPATHIE ?

« Le vrai médecin est celui qui connaît
l'invisible qui n'a point de nom,
point de matière, mais agit néanmoins ».
PARACELSE

Si l'on veut bien comprendre l'homéopathie, il faut d'abord éliminer les « fausses définitions » les plus courantes :
— c'est une médecine par les plantes ;
— c'est soigner le mal par le mal ;
— c'est soigner avec des petites doses :
— c'est une médecine naturelle sans danger.

L'homéopathie ne se conçoit que si l'on a bien compris les lois qui la régissent, et qui sont la « loi de similitude », et la « loi de la dose infinitésimale et de la dynamisation ».

1. La loi de la similitude :

Il existe une harmonie entre toutes choses dans la nature. Chaque élément est essentiel au tout, et constitue un maillon de la vie. L'insecte, que l'on détruit avec tant de vigueur, est la base alimentaire des oiseaux. Et les oiseaux sont essentiels à leur tour à d'autres animaux et à d'autres tâches. Quiconque veut détruire une espèce particulière à la surface du globe, détruit à terme l'humanité entière.

Entre les éléments de ce tout, il y a des points communs, des attirances. Certains éléments ont des points semblables, des points communs qui les mettent en harmonie.

Mais notre loi de similitude va encore plus loin. Elle dit qu'une substance, qui provoque certaines réactions, peut soigner le malade dont l'affection se manifeste par des réactions similaires. En d'autres termes, c'est la similitude entre un élément issu de la nature (la substance) et un élément humain (le malade), qui devient la base de l'efficacité homéopathique.

Prenons quelques exemples. Lorsqu'on boit trop de café, on devient insomniaque. Les idées défilent dans la tête d'une manière accélérée. On est l'objet d'une sorte d'excitation mentale joyeuse, on a des palpitations, une tachycardie (cœur rapide). Si une personne vient me consulter pour une insomnie avec déferlement d'idées et excitation joyeuse (alors même qu'elle n'a pas bu de café), je lui donnerai « Coffea ».

La loi de similitude a assimilé cette personne au remède qui lui correspond. Et le café, dilué et dynamisé de façon homéopathique, va ainsi non plus créer les troubles, mais inverser son effet et soigner celui qui les présente.

L'intoxication à l'arsenic provoque des vomissements, des diarrhées, des brûlures d'estomac qui s'améliorent à la chaleur, et un état anxieux. Tous ces symptômes s'aggravent vers une heure du matin. Le sujet qui présente ces mêmes symptômes sans avoir consommé d'arsenic est un sujet « arsenicum »». C'est son semblable, « arsenicum », dilué et dynamisé de façon homéopathique, qui le soignera.

Il en va de même pour la piqûre d'abeille, qui se manifeste par une peau rouge, tendue, chaude, piquante et douloureuse. Les symptômes s'améliorent au froid. Si une personne présente ces mêmes symptômes sans avoir été piquée par une abeille, elle sera soulagée par « Apis », son remède semblable.

Chemin faisant, nous avons cité un remède végétal (le café), un remède minéral (l'arsenic) et un remède animal (l'abeille). Ces trois règnes sont utilisés en homéopathie.

La loi de similitude peut paraître une curiosité : en effet, comment concevoir qu'une personne ait des points communs avec le soufre, ou l'anémone, alors qu'elle n'en a jamais consommé ? Il reste encore, en médecine, bien des choses que l'on ignore, et la loi de l'humilité devrait être incorporée aux lois de l'homéopathie. Nos balbutiements scientifiques doivent admettre tant de choses qui restent à découvrir !

2. La loi de la dose infinitésimale et de la dynamisation

Les produits que l'on tire de la nature sont parfois très

toxiques. Il fallait donc trouver un moyen de neutraliser cette toxicité pour pouvoir les utiliser. C'est Samuel Hahnemann qui s'est, le premier, penché sur ce problème. Ses découvertes ont éclairé la médecine d'un jour nouveau. En utilisant une substance à dose infinitésimale, on atténue, jusqu'à la supprimer, sa toxicité. Il faut donc diluer la substance jusqu'à l'obtention de ce dosage infinitésimal.

Mais paradoxalement, la substance ainsi diluée garde son efficacité à condition d'être dynamisée, c'est-à-dire fortement secouée. Ainsi, la dilution et la dynamisation sont les deux principes de fabrication du remède homéopathqiue.

● LA DILUTION :

La substance est, le plus souvent, dissoute et macérée dans l'alcool. On obtient ainsi une solution alcoolique, appelée « teinture-mère » (car c'est d'elle que vont naître les dilutions successives).

On prend un volume de cette teinture-mère, que l'on dilue dans dix volumes d'alcool : c'est une solution à 1/10ème, appelée solution à 1 DH (ou encore 1XH, 1 X, ou D1). Si l'on dilue à nouveau un volume de cette solution à 1 DH dans dix volumes d'alcool, on obtient une solution à 2 DH, et ainsi de suite. De la même façon, si l'on dilue un volume de teinture-mère dans cent volumes d'alcool, on obtient une solution à 1/100ème, ou solution à 1 CH. Si l'on prend un volume de cette 1ère CH, et qu'on le dilue dans cent volumes d'alcool, on obtient une solution à 2 CH, et ainsi de suite.

En France, on peut également répéter l'opération trente fois pour arriver à la 30ème CH. La quantité de substance subsistant dans cette dilution à 30 CH correspond à 10 puissance moins 60 de la quantité de teinture-mère initiale.

● LA DYNAMISATION

Chaque fois que l'on a effectué une dilution, on « dynamise » le produit, c'est-à-dire qu'on le secoue pour renforcer son action thérapeutique. C'est là le point essentiel de la méthode homéopathique, et c'est ce qui la différencie des autres méthodes thérapeutiques. L'homéopathie n'est donc pas une « médecine par les plantes », non seulement parce qu'elle utilise aussi des minéraux et des animaux, mais aussi par cette dynamisation, qui la différencie de la phytothérapie. Plus la dilution augmente, moins il subsiste de produit initial, mais plus ce produit est dynamisé : théoriquement, on secoue la dilution une centaine de fois à chaque dilution. Si l'on considère une dilution à 30 CH, il ne reste que $1/10^{60}$ de la substance initiale, mais le produit a été dynamisé trente fois. On suppose que le solvant (l'alcool le plus souvent) acquiert, par le biais de la dynamisation, les propriétés physico-chimiques de la molécule initiale.

En théorie, on dit qu'après la 11ème CH, il ne reste plus la moindre trace de la substance initiale à l'échelon moléculaire. Et pourtant, le produit continue d'agir : c'est probablement parce que le solvant, ainsi modifié et dynamisé, prend le relais. Dans la mesure où il n'y a plus trace de « matière » à ce stade de la dilution, certains ont parlé de l'action « énergétique » des remèdes homéopathiques. Cela rapproche l'homéopathie de l'acupuncture, et de toutes les méthodes de soin qui font intervenir les centres énergétiques de l'organisme.

Quoi qu'il en soit, nous, les praticiens, nous avons observé suffisamment de guérisons qui constituent des preuves cliniques de l'efficacité de l'homéopathie. Alors, que les scientifiques continuent à chercher, à coup de raman-laser ou d'autres expériences « terre-à-terre », des preuves qui leur conviennent. Pour nous, les praticiens, les guérisons sont des preuves suffisantes !

Historique de l'homéopathie

La « loi d'analogie » ou « des semblables », base de l'homéopathie, remonte à des temps très anciens. Déjà Hippocrate soignait selon une loi de mise en harmonie avec la nature. Il disait : « les maladies viennent quelquefois par les semblables, et les mêmes choses qui ont causé le mal le guérissent. La toux est, comme la dysurie, c'est qu'Hippocrate avait pour règle de ne pas utiliser de remèdes toxiques. Sa devise était : « d'abord ne pas nuire » (Primum non nocere).

Le véritable précurseur de l'homéopathie fut Paracelse. La première loi de Paracelse était la « loi des signatures » : à tout mal correspond son remède particulier, déterminé par concordance astrale. Il parle aussi déjà de doses infinitésimales.

Nous devons à Samuel Hahnemann les premiers travaux sur l'homéopathie « moderne ». Samuel Hahnemann naquit en 1755 à Meissen (Allemagne) et mourut en France, à Paris, en 1843. Médecin, il fut excessivement déçu par la médecine de son époque. Malgré une clientèle bien établie, il abandonna son métier. Il se fit copiste et traducteur, vivant dans une quasi-misère.

Lorsque ses enfants étaient malades. Hahnemann bouillonnait. Etait-il possible qu'il n'existât pas dans la nature tout ce qu'il fallait pour soigner un être humain ?

Il entreprit des recherches et se mit à expérimenter sur lui-même et sur ses proches. Il remarqua que le quinquina, qui guérit la fièvre intermittente, lui provoquait une fièvre intermittente !

Le processus était enclenché, l'homéopathie naissait. Il expérimenta alors de nombreux remèdes. Durant ces travaux, il fut pourchassé par des pharmaciens et des médecins jaloux.

A 80 ans, devenu veuf, il épousa une Française et vint s'établir à Paris, où il eut un succès certain.

Il mourut à 88 ans, laissant derrière lui une extraordinaire doctrine qui allait révolutionner le monde médical, encore bien des années après sa mort.

L'homéopathie se répandit alors dans le monde. A Berlin, par exemple, elle avait droit de cité puisqu'elle était enseignée à la faculté de médecine. D'année en année, l'homéopathie survécut à travers tous les pays du monde. Elle acquit ses lettres de noblesse lors de ce véritable raz-de-marée des années 1970, où une nouvelle génération de médecins se mit à travailler avec acharnement, solidement aidée par des aînés homéopathes chevronnés.

Nous avons ainsi eu, à Montpellier, un professeur de faculté de grand renom, le professeur Pagès, qui était aussi homéopathe, à une époque où l'expansion de cette médecine était loin d'être ce qu'elle est actuellement.

Présentation du médecin homéopathe

Nous pouvons, en préambule, affirmer qu'un médecin homéopathe digne de ce nom doit avoir un diplôme d'homéopathie, et suivre un perfectionnement permanent. Seuls peuvent être homéopathes des médecins ayant effectué leur cycle d'étude, sanctionné par un examen final donnant le diplôme d'homéopathie.

Dans la pratique, il peut arriver que l'on utilise un médicament allopathique. Le vrai médecin homéopathe ne renie pas tout en bloc ; il vaut mieux, bien souvent, donner un antibiotique que de laisser quelqu'un s'infecter parce qu'on n'a pas pu trouver le bon remède à temps.

La dispersion dans diverses disciplines est incompatible avec une bonne pratique de l'homéopathie. On ne peut pas « faire un peu d'homéopathie » sous peine d'être dangereux pour sa clientèle. On ne peut qu'« *être homéopathe* ».

Présentation du malade homéopathique

Il n'y a pas de sujets réfractaires à l'homéopathie ; il n'y a que des gens pour lesquels on n'a pas encore trouvé le bon remède, ou qui présentent ce que l'on appelle un « barrage » à l'action des remèdes (vaccins à outrance, toxines héréditaires, intoxications successives).

Après avoir levé ces barrages et donné les bons remèdes, l'homéopathie doit agir (voir exemple dans le chapitre sur la sycose).

Certaines personnes sont impatientes et ne supportent pas de prendre des remèdes souvent. Nous les comprenons fort bien, mais il faut choisir entre vivre avec sa maladie (si elle n'est pas trop gênante) ou prendre des remèdes. Le malade qui se fait soigner par l'homéopathie doit tout repenser de la médecine ; il ne doit plus dire : « j'ai une angine », mais : « j'ai mal dans la gorge, du côté droit, avec une gêne en avalant, une amélioration de mes symptômes en buvant froid, et une sensation de brûlure au fond de la gorge ».

Il faut exprimer en détail ses symptômes et non essayer de jongler avec des termes techniques. Nos médicaments étant adaptés à chaque cas, il est nécessaire, pour nous, que vous écoutiez bien l'expression de votre corps afin que nous trouvions le bon remède ensemble.

« J'ai des coliques » ne signifie rien ; il faut dire (selon ses propres symptômes, bien sûr) : « j'ai mal sur le côté du ventre, je cherche à plier mon corps en deux en appuyant sur le ventre avec mes mains, cette douleur s'améliore si je mets une application chaude dessus, et s'aggrave après le repas ». Le « malade-homéopathique » ne doit pas s'étonner ou s'offusquer quand le médecin lui pose des questions saugrenues ou bizarres. Celles-ci ont toujours un sens. On demande, par exemple, si le sujet aime la bière lorsqu'il a une sinusite, ou s'il rêve de voleurs lorsqu'il souffre d'un herpès. Vous retrouverez ces symptômes dans une « matière médicale ».

Le patient doit avoir un ou des livres d'homéopathie pour détecter déjà le genre de symptômes à rechercher. Eventuellement, il peut soigner des petites affections, parfois en collaboration téléphonique avec son thérapeute. Si ce dernier a un doute, il ne laissera pas évoluer une maladie et demandera un examen médical.

Apprendre la façon qu'a la nature de s'exprimer à travers un être humain est riche d'enseignements. Nous entendons fréquemment des gens nous dire, après des années de traitement et d'observation homéopathique, d'eux-même et de leur entourage, qu'ils ont beaucoup évolué. Leur sens de l'observation s'est beaucoup aiguisé, leur permettant de mieux réagir face à une situation comprenant mieux « les autres », leur façon de vivre selon leur terrain. Il n'est pas rare non plus qu'on nous signale une progression plus rapide d'une psychanalyse, sous traitement homéopathique.

Enfin, le malade ne doit arrêter ou modifier son traitement qu'après discussion avec son médecin homéopathe. S'il remarque des réactions, même un peu gênantes (celles-ci seront très utiles pour la suite du traitement), il doit en parler. Il ne faut jamais dire qu'un remède « fait mal », car le remède de fond d'un individu peut lui causer (au début) des *éliminations* inhabituelles qui lui seront salutaires. Il ne s'agit jamais « d'effet secondaire », mais « d'élimination », à discuter avec le praticien.

Présentation du remède homéopathique

Plusieurs formes sont possibles :
- les granules
- les doses-globules
- les doses-ampoules
- les gouttes
- les triturations (poudres)
- les suppositoires
- les ampoules injectables
- les gélules
- les pommades

1. Les granules : ce sont des petites sphères de sucre, imbibées à trois reprises de la solution liquide contenant le remède. C'est pour cette raison qu'il ne faut pas les toucher avec les doigts car la substance active se retrouve même à la surface. On verse le nombre de granules indiqué (en moyenne trois) dans le bouchon, puis directement dans la bouche où on les laisse fondre. Il faut prendre les granules 5 à 10 minutes avant un repas et une demi-heure à une heure après.

2. Les doses-globules ou « doses » : beaucoup plus petits que les granules, les globules sont contenus dans un tube plus petit. On met la totalité du tube dans la bouche.

3. Les doses-ampoules : comme toutes les ampoules, après avoir cassé un côté, on présente l'ampoule au-dessus de la bouche et on casse l'autre côté pour que le liquide verse directement. Certains conseillent de mettre le contenu d'une ampoule dans une cuillère à soupe d'eau au fond d'un verre. Quelle que soit la manière de procéder, il faut garder ce liquide quelques instants dans la bouche avant de l'avaler.

4. Les gouttes : sont à prendre dans très peu d'eau avant les repas, toujours en gardant le liquide quelques instants dans la bouche avant de l'avaler.

5. Les triturations : sont des poudres accompagnées

d'une toute petite cuillère-dose en plastique. Il faut prendre la quantité de poudre contenue dans une cuillère et la mettre à fondre sur la langue. Si on n'a pas de cuillère-dose, on prend l'équivalent de la pointe d'un couteau.

6. Les suppositoires : sont à passer sous l'eau froide, puis à placer après la selle.

7. Les gélules : contiennent une poudre. On doit mettre le contenu de la gélule (en l'ouvrant) dans la bouche, toujours environ 5 à 10 minutes avant un repas ou 1/2 heure après.

8. Les pommades : sont appliquées en petite quantité. Les pommades à base de métaux agissent à partir de la superficie, en rayonnant sur la peau sans qu'il soit besoin de faire pénétrer la pommade.

Les contre-indications à l'homéopathie

● LA MENTHE

Bien qu'il soit classique de citer la menthe, nous nions catégoriquement cette interdiction ! Nous ne déconseillons pas les infusions de menthe ou l'emploi de feuilles de menthe dans l'alimentation. Le tout étant de ne pas prendre un remède directement avant ou après une infusion de menthe, par exemple.

● LA CAMOMILLE

Ceci reste improbable et imprécis. Nous ne sommes pas sûrs de cette contre-indication.

● LE CAMPHRE

Probablement, les vapeurs fortes risquent-elles de gêner ou d'altérer le produit lors de l'absorption par les muqueuses de la bouche. De même que le menthol (exemple 1) doit créer des conditions physico-chimiques particulières au niveau de ces mêmes muqueuses. Il faut savoir que le remède « Camphora » est incompatible avec tous les autres remèdes homéopathiques.

• LES REMÈDES ALLOPATHIQUES

Nous tenons à nous élever en faux contre cette affirmation. Il est absolument inexact que les remèdes allopathiques sont incompatibles avec l'homéopathie.

Nous ferons une exception pour la cortisone qui annihile les moyens de défense de l'organisme, alors que le remède homéopathique est là pour les augmenter. Toutefois, nous avons maintes fois donné des traitements à des gens « cortisonés ». Bien que l'action soit plus difficile à obtenir, elle se fait quand même.

En revanche, tous les autres médicaments ne sont pas incompatibles, à de très rares exceptions près.

Pour preuve, nous citerons le cas des personnes sous antibiotiques depuis longtemps (pour acné ou infections diverses). Lorsque l'homéopathie prend le relais, nous supprimons progressivement les remèdes allopathiques. Par exemple, nous voyons régulièrement des personnes qui prennent, tous les jours, dix, vingt, trente comprimés de tranquillisants, sédatifs, anxiolytiques et autres somnifères. Nous avons alors pour habitude de laisser les remèdes allopathiques pour ne pas créer un état de manque dans l'organisme. Nous donnons nos remèdes de dépressions, d'anxiété, d'insomnie en même temps. Nous conseillons alors au patient de réduire très progressivement les autres médicaments pour 1/4 ou 1/2 comprimé tous les deux jours, toutes les semaines, voire toutes les deux semaines. Souvent, les gens prennent ce genre de remèdes depuis des années : on n'est plus à un mois près !

L'état physique de ces personnes restant stable ou s'améliorant, et ce, malgré la suppression progressive des remèdes allopathiques, montre que le traitement homéopathique, bien choisi, est actif.

Les « terrains » et « constitutions » homéopathiques

Nous abordons maintenant un élément important de l'homéopathie. Ne serait-ce que physiquement, il existe des différences entre les individus. La variété est infinie. On retrouve, en reconnaissant quelqu'un, la loi d'individualité. Chaque individu est unique. Ce sont la variété et la différence qui font la richesse d'une société. La standardisation, que ce soit par un phénomène de mode ou de politique, est l'un des facteurs les plus avilissants de l'individu : tout le monde veut être de taille et de poids normalisés, et nombre de femmes (surtout) passent leur vie à essayer toutes sortes de régimes pour être dans la « norme ». Imaginez cette fête pour l'esprit lorsqu'on regarde la nature. C'est la variété qui fait plaisir et qui rend joyeux. Il faut donc accepter la variété chez les humains. C'est ce qui rendra une société complète où chacun apportera ce que l'autre n'a pas, dans une loi d'équilibre et d'harmonie. Nous réclamons ainsi le *droit de la différence*. Mais qui sont ces petits gros, ces grands maigres ou ces « de travers » ?

Trois types principaux sont décrits, sur lesquels de multiples combinaisons sont possibles.

La typologie homéopathique

1. Le carbonique

Vous êtes carbonique si vous êtes plutôt carré, trapu, à l'allure droite et assurée, avec une démarche régulière, des gestes utiles et précis.

On vous reconnaît à ce que l'angle formé entre votre avant-bras et votre bras est un angle ouvert en avant.

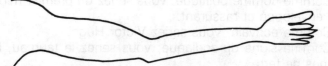

Vos dents sont blanches, larges et les deux arcades dentaires (supérieure et inférieure) sont exactement au contact l'une de l'autre.

Vous êtes discipliné, résistant, endurant, on peut compter sur vous. Votre raideur physique s'accompagne souvent d'une raideur morale rassurante ; vous avez une stabilité qui donne à votre entourage des points de repères moraux et physiques. Vous êtes un travailleur opiniâtre qui va au bout de ce qu'il entreprend, mais vous pouvez connaître des baisses de forme où vous déprimez, car vous ne vous aimez pas faible. Un bon repos vous fera repartir pour un moment plus logique, plus ordonné, plus méticuleux que jamais. Vous êtes respectueux de l'ordre établi et vous n'aimez pas être dérangé.

Votre intérieur est souvent arrangé de la même façon, c'est la « maison des grands-parents » où l'on aime à venir parce qu'on retrouve toujours ses points de repère stables et qui rassurent tant.

Assis, vous êtes calé au fond de la chaise ou du fauteuil. Votre habit est traditionnel, costume pour monsieur ou tailleur pour madame, toujours de bon goût. En un mot, vous vous habillez classique.

Mon conseil au carbonique : vous assoupir, moralement et physiquement, moins manger et accepter les gens un peu « dingues ». Il faut de tout pour faire un monde !

• Comme animal, vous seriez le bœuf, l'hippopotame, l'éléphant massif et solide, mais gentil et calme.

• Comme sport, vous seriez n'importe lequel pour peu qu'il demande de l'endurance.

• Comme outil, vous seriez le bulldozer.

• Comme musique, vous seriez la musique de charme.

• Comme profession, vous seriez fonctionnaire.

• Comme membre de la famille, vous seriez le nouveau-né et le grand-père.

• Comme rythme, vous seriez la valse lente.

• Comme homme politique, vous seriez un premier ministre enveloppé et rassurant.

• Comme écrivain, vous seriez Victor Hugo.

• Comme signe du zodiaque, vous seriez le taureau, les signes de terre.

Vous êtes le plus exposé aux maladies d'auto-intoxication car vous vous « tenez bien à table » et vous êtes l'un de ceux qui prennent le plus facilement de la « bedaine ». Attention aux maladies artérielles et au cœur !

2. Le phosphorique

Vous êtes un individu mince, souple, élancé, qui a, sans

le vouloir, des gestes gracieux. A l'image du phosphore qui s'allume vite et s'éteint aussi vite (observez une allumette), vos enthousiasmes sont faciles, mais vos épuisements aussi rapides.

Votre attitude trahit toujours ce que vous pensez. Vous n'avez pas l'assise du carbonique car vous avez grandi par poussées fulgurantes, souvent avec des montées de fièvres dites « de croissance » et une fragilité évoquant celle des jeunes poulains qui viennent de naître.

Votre démarche est nonchalante et mal assurée. Vous vous tenez rarement droit car vous êtes fragile et vous cherchez toujours un point d'appui, tantôt sur une hanche, tantôt sur l'autre. Vous cherchez souvent à vous asseoir. Assis, vous êtes au bord de la chaise, prêt à bondir. Vos traits sont souvent fins et mobiles.

On vous reconnaît à ce que l'angle du bras et de l'avant-bras est dans le prolongement.

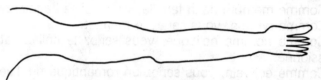

Vos dents sont un peu jaunes, longues et étroites.

Vos arcades sont au contact.

Votre intérieur est un intérieur d'artiste, de bon goût, harmonieux, où règne une ambiance douce, feutrée et romantique. Car la sensibilité du phosphorique est un de vos constituants de base. Vous êtes un hyperactif sensible et qui souffre facilement. Vous êtes un être délicat qui a besoin d'un support et d'un soutien continus : ceci devant être bien connu de votre entourage.

A l'école, vous savez mais n'osez pas répondre.

Si on ne vous montre pas un véritable « bain d'Amour », vous pleurez intérieurement... ou pour de bon ! Il vous est indispensable d'avoir de l'oxygène en grande quantité, et de l'amour comme aliment quotidien.

Vous êtes imaginatif, artiste et esthète.

Vous manquez de résistance et ne pouvez fournir qu'un effort intermittent. Vous êtes enthousiaste, passionné, mais rapidement découragé, fatigué et déçu par les échecs. Votre tenue vestimentaire : col roulé et pantalon de velours pour monsieur, et longue robe romantique et grande écharpe qui vole au vent pour madame.

Mon conseil au phosphorique : marchez un peu sur la sensiblerie pour apprendre à vous « durcir » ; cela ne vous empêchera pas de garder une sensibilité. Vous serez ainsi moins « bloqué » émotivement, alors que vous avez de grandes capacités.

• Comme animal, vous seriez la biche ou la girafe.
• Comme meuble, vous seriez un secrétaire de style anglais.
• Comme sport, vous seriez le patin artistique sur glace.
• Comme outil, vous seriez la grue ou le ciseau qui sculpte.
• Comme musique, vous seriez la petite musique de nuit ou un concerto pour flûte, harpe et orchestre.
• Comme profession, vous seriez peintre, poète, chef d'orchestre, décorateur.
• Comme membre de la famille, vous seriez l'adolescent.
• Comme rythme, vous seriez le menuet.
• Comme homme politique, vous seriez le collaborateur passionné.
• Comme écrivain, vous seriez un romantique du 19ème siècle.
• Comme signe du zodiaque, vous seriez la balance, les signes d'air.

Vous êtes un sujet tuberculinique, enclin aux tendances dépressives, aux maladies infectieuses ou inflammatoires, sensible du foie et des reins.

3. Le fluorique

Vous êtes un être à la démarche plus ou moins irrégulière, aux gestes souvent désordonnés. Vous êtes instable, désarticulé et déséquilibré. Désarticulé au sens propre, car vos articulations sont tenues par des ligaments hyperlaxes, très relâchés, très souples. Ce qui fait que vous vous tordez facilement les chevilles.

On vous reconnaît à ce que l'angle du bras et de l'avant-

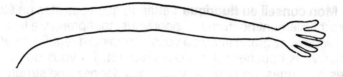

bras est ouvert en arrière.

Il en est de même pour les jambes : le genou est souvent déjeté en arrière.

Assis, vous êtes tout de travers sur la chaise, souvent presque allongé ou une jambe relevée. Votre tête est souvent inclinée sur une épaule plus haute que l'autre, et votre colonne vertébrale est souvent en scoliose. Pour peu qu'on trouve une jambe plus courte que l'autre et des asymétries au visage ou au corps, le tableau sera complet. La mâchoire supérieure est souvent en avant par rapport à la mâchoire inférieure. Vos dents sont petites, grises et presque à tout coup, porteuses de nombreuses caries.

Votre intérieur est une curiosité, les choses les plus inattendues et les plus hétéroclites pendent du plafond ou des murs. Vous êtes la personne à peindre son plafond en noir et ses murs en violet ; ou alors vous avez un moteur de voiture recouvert d'une planche comme table de salon. Tout, chez vous, est en désordre, mais dans une pagaille sympathique, parce que géniale : le fluorique a des idées mais il est inconstant.

Vous multipliez les gestes irréguliers et inutiles. Vous avez besoin d'un « rail », d'être tenu pour progresser, bien que toute régularité vous excède. Vous avez une sainte horreur du côté « fonctionnaire » d'un travail.

Dans votre vie active, vous êtes très irrégulier ; mais vous avez par moments le coup de génie que personne d'autre ne pouvait avoir.

Vous êtes attachant, mais il faut à tout prix que vous vous forciez à avoir des contraintes. Si vous n'avez pas de retenue, vous allez vers une vie décousue, d'un travail à l'autre et d'un conjoint à l'autre, sans pouvoir vous réaliser.

Votre tenue vestimentaire se situe dans le non-mode, l'anti-conformisme, les couleurs qui ne vont pas ensemble, le pull en été, la chemise sur la peau en hiver.

Mon conseil au fluorique : attendu que vous êtes un être essentiellement nocturne — pour vous, tout prend vie la nuit — vous avez grand intérêt à vous contraindre régulièrement pour vous coucher tôt et vous lever tôt. En vous donnant des habitudes, un rythme, vous vous donnez une structure qui va vous aider à compenser ce grand relâchement physique et moral qui vous caractérise.

• Comme animal, vous seriez le singe, agile et malicieux.

• Comme meuble, vous seriez un fauteuil « design » au ras du sol.

• Comme sport, vous seriez l'escrime, la lutte (pour l'effort brusque dans un temps court).

• Comme outil, vous seriez le niveau à bulle qui a besoin d'un repère droit.

• Comme musique, vous seriez le hard rock, la musique électronique.

• Comme profession, vous seriez un acrobate ou un danseur de jazz.

• Comme membre de la famille, vous seriez l'enfant terrible ou l'adulte révolté qui, à 30 ans, n'a toujours pas choisi sa voie.

• Comme rythme, vous seriez tout ce qui sort des rythme connus.

• Comme homme politique, vous seriez l'opposant qui dérange.

• Comme écrivain, vous seriez Jean-Paul Sartre, comme signe du zodiaque, le poisson.

(Il est bien évident que ceci est une caricature et que nous connaissons des poissons carboniques ou phosphorique).

Vous avez des problèmes d'irrégularité de courbure de la colonne vertébrale, vous avez fait un rachitisme, des caries en cascades et vous ferez des rhumatismes déformants. Vous êtes un être à part et vous tenez à cette position ; pourtant, la ligne verticale vous ferait tant de bien... Vous êtes assez peu sociable, mais la société a besoin de gens comme vous.

Cette réflexion sur le fluorique nous évoque une comparaison avec le symbolisme du caducée : la colonne vertébrale en scoliose ressemble au dessin du serpent, et le fluorique est en quête permanente d'un équilibre (ce sont des gens sensibles). Car, qu'est-ce que le caducée ?

C'est un serpent qui, de maléfique, va se redresser en trouvant un semblable sur le bâton de la sagesse surmonté d'une tête : il va trouver sa tête et sa verticalité.

Qu'est-ce qu'une colone en scoliose ? C'est un défaut de courbure qui se présente ainsi :

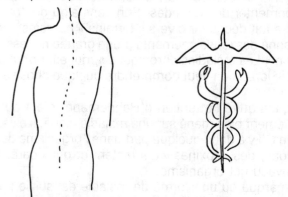

Qui ne penserait pas au serpent ?

Le caducée représente le bâton, symbole de rectitude, de sagesse. Notre serpent qui a trouvé son semblable pour le rassurer, l'équilibrer, avec deux courbes opposées et complémentaires, a rétabli un équilibre.

Comment ne pas penser que le fluorique a besoin d'une structure rigide et sage ! ? Il a besoin de son « semblable » pour enfin retrouver une colonne vertébrale symboliquement plus droite (« semblabe » étant le « remède le plus adapté » dans notre terminologie homéopathique).

Les diathèses ou terrains homéopathiques

Quatre diathèses (1) viennent compléter les trois terrains :

(1) Diathèse : disposition générale d'une personne à être souvent affectée de telle ou telle maladie.

- la psore
- la sycose
- le fluorisme en luèse
- le tuberculinisme

1. LA PSORE

Le génie de Samuel Hahnemann ne s'est pas cantonné à expérimenter des remèdes. Son sens aigu de l'observation lui a fait découvrir divers « terrains » humains. Il a surtout donné des renseignements d'une grande richesse dans son livre « Les maladies chroniques », qui est un traité très apprécié lorsqu'on veut comprendre quelque chose à l'être humain.

Ce qui a attiré l'attention d'Hahnemann, c'est qu'après un traitement bien mené sur une maladie aiguë, il existe des récidives. Il y a donc quelque part dans l'organisme des perturbations, des « toxines » qui restent et qui « parasitent » de nouveau cet organisme.

Il remarqua qu'une forme de maladie est suivie par une autre, comme si se révélait « une fraction du mal, détachée d'un mal plus profond ». Il décrit la psore comme étant responsable de 7/8e des maladies. Il décrit aussi la gale comme étant le support de transmission du terrain psorique : pour lui, elle est *contagieuse* et non héréditaire. Exemples de symptômes psoriques cités par Hahnemann :
- vers intestinaux, gonflement du ventre, alternance faim et manque d'appétit, ganglions au cou, sueurs de la tête ;
- hémorragies nasales, crampes ;
- nez bouché avec sécheresse ;
- toux matinale ;
- « refroidissement » rapide ;
- sueurs diffuses ;
- bouffées de chaleur anxieuses ;
- chute des cheveux et croûtes sur le cuir chevelu ;
- règles irrégulières ;
- secousses des membres à l'endormissement ;
- fatigue au réveil ;
- mauvaise haleine, avec goût aigre dans la bouche. Sécheresse de la bouche, dégoût de la viande, surtout chez les enfants ;

• lésions de peau de toutes sortes, des suppurations aux lèvres gercées.

Les principaux symptômes de la psore :

— *les éliminations, les écoulements* améliorant toujours l'état profond ;

— *l'alternance des symptômes* : peau, nez, intestin puis arthrose et hémorroïdes ;

— *troubles de la thermo-régulation* : le psorique a chaud (surtout aux pieds, dans le lit) ;

— *atteinte du tube digestif* : de la faim constante, même la nuit, aux troubles intestinaux divers ;

— *atteinte des nerfs sympathiques* : on commence à voir venir la fatigue ;

— *mauvaise odeur du corps* : sueurs fortes et aversion pour la toilette ;

— *état du malade excellent avant une aggravation* : symptôme quasi régulier.

Aujourd'hui, la psore est élargie à d'autres notions, à des causes qu'Hahnemman n'avait pas citées. On dit qu'on « entre dans la psore » en s'intoxiquant sur le plan alimentaire (surgelés, graisses, excès divers, alcool, hormones et tabac). La pilule peut donner, dans certains cas, une psore avec troubles digestifs (nausée, bouche amère) et respiratoires (nez bouché ou coulant et sécrétant).

Toutes les toxiques internes demandent à votre organisme un gros effort d'élimination par la peau (eczéma, furoncles, mycose, urticaire, impétigo, etc.). Lorsque votre organisme s'épuise, les lésions se fixent car les émonctoires (1) ont moins de réactivité. On trouve alors des hémorroïdes, des fissures anales, des calculs, de l'arthrose, et même des états dépressifs.

Vous ne vous doutez pas du mal que vous vous faites avec vos excès alimentaires. Vous vous auto-intoxiquez chroniquement, et tout ce que font les remèdes est remis en question par ce que vous mangez.

---

(1) *Emonctoire : organe, ouverture naturelle ou artificielle du corps donnant issue aux produits de sécrétions et aux humeurs.*

Si nous demandons de moins manger, ce n'est pas pour obéir à une philosophie de l'ascétisme. Mais simplement parce que nous avons une connaissance de la psore et de ses ravages sur l'organisme. Sournoisement, d'une année sur l'autre, d'un symptôme à l'autre, elle amène vers des troubles de plus en plus difficiles à juguler.

L'évolution classique du psorique est la suivante :

— bébé glouton, vorace, vous avez des croûtes de lait, des bronchites, des rhino-pharyngites, vous aimez le sucre ;

— de 10 à 18 ans, vous êtes l'acnéique qui n'aime pas se laver. Vous faites des furoncles, on vous appelle « le philosophe déguenillé » ;

— de 20 à 35 ans, vous avez des maux de tête, des hémorroïdes, des surcharges hépatiques, voire des hépatites. Déjà quelques « blocages » lombaires ou cervicaux ;

— de 40 à 50 ans, c'est le moment de coliques néphrétiques et des fatigues périodiques ;

— de 55 à 60 ans, le gros ventre s'est installé avec l'arthritisme, les lumbagos, « on n'a plus 20 ans, que voulez-vous ! » ;

— de 60 à 70 ans, l'hypertension artérielle s'installe, l'arthrose aussi, et la sclérose des tissus et des artères vous guette.

2. LA SYCOSE

Ce passage mérite une lecture très attentive, car en cette fin du XXᵉ siècle, il prend une importance toute particulière. Nous verrons comment on se « sycotise », comment un être en équilibre peut basculer dans la sycose avec la vie moderne et l'excès des médicaments ou des vaccins.

Parlant de l'utilité de l'élimination par l'organisme, Hahnemann emploie cette boutade : « Je demande ce que deviendrait le globe terrestre si les souverains, dans les états desquels se trouvent des volcans, s'avisaient tout à coup de faire combler ces abîmes ? N'est-ce pas par ces soupiraux que le bitume souterrain exhale ses superfluidités, comme les vices dont nous parlons expulsent les produits de la dégénération de l'organisme désaccordé par eux ? »

La sycose peut être transmise héréditairement, nous en verrons l'exemple avec le bébé Médorrhinum. Hahnemann insiste sur le fait qu'il faut d'abord traiter la psore dans un organisme avant de traiter la sycose, sous peine d'échec.

Sycose (du grec « sukon » = « figue ») décrit une lésion des parties munies de poils » (cuir chevelu, barbe), une sorte d'excroissance, comme une petite figue, au centre formé par un ulcère rond qui suinte. Actuellement, ignorant totalement le terrain sycotique, les dermatologues appellent cela le « sycosis » de la barbe. Hahnemann a déterminé que l'origine de ce trouble est une infection d'ordre génital non syphilitique.

La sycose est donc une atteinte profonde. On a déterminé qu'elle touchait le tissu réticulo-endothélial (le tissu de défense de l'organisme), tissu qui va voir sa structure gorgée d'eau, dans un état appelé « hydrogénoïde ».

Les signes de la sycose

a) La peau : la sycose fait « construire du tissu » à l'organisme. Il s'agit de verrues, papillomes, polypes, condylomes, adénomes glandulaires, végétations diverses, crête de coq. Votre peau est souvent humide et froide, infiltrée, luisante, séborrhéique. Vos cheveux sont cassants et gras. Vos extrémités sont froides (main, pied, bout du nez). Il peut aussi exister des taches brunes sur le corps. Vos plis naso-géniens sont marqués (pli allant du nez aux angles de la bouche).

Deux signes extérieurs peuvent attirer l'attention sur la sycose :
• l'induration du cartilage de l'oreille, vous gênant lorsque vous vous couchez dessus ;
• la maladie de Dupuytren, ou rétractation des tendons fléchisseurs de la main.

b) Les tissus : ils sont, dans un premier temps, infiltrés. Nous trouvons de la cellulite (essayez donc toujours de la faire disparaître par l'extérieur si on ne fait pas un traitement externe qui va se localiser autour du bassin et des fesses, en gros de la taille aux genoux). Cette cellulite est douloureuse. Vous avez, de plus, des catarrhes (inflammation des muqueuses) du nez, du cavum et de l'appareil génito-urinaire.

c) Le psychisme du sycotique : vous êtes un déprimé, anxieux et inquiet. Vous êtes toujours perturbé, toujours pressé, vous vous précipitez. Vous ne pouvez tenir en place. La mère de famille sycotique a un « ressort » sous le siège qui la fait se lever toutes les deux minutes pour apporter ce qu'il manque à table. L'enfant est un tourbillon, touche à tout aux gestes précipités.

Votre psychisme est souvent enclin à des peurs irraison-nées, et à des obsessions ou idées fixes sur certains sujets.

d) Modalités principales :

• aggravation à l'humidité. R. Zissu parle de « l'humidité extérieure entrant en compétition avec l'humidité intérieure » ;

• amélioration à la mer ;

• amélioration couché sur le ventre. Chez l'enfant, amélio-ration les jambes repliées avec les fesses en l'air ;

• aggravation au réveil. Il faut deux heures pour « émerger » (encore un terme humide et marin).

Les origines de la sycose

Le docteur Jacques Michaud a fait une étude magistrale sur cette question dans son livre « Le vieillissement précoce ou Sycose » (Doin).

1. La Blénorragie : c'est la cause la plus classique, recon-nue même lorsqu'elle est traitée. Il faudra toujours agir pen-dant longtemps sur le fond, même si vous l'avez eue long-temps avant.

2. Les vaccinations : c'est une des causes les plus fréquen-tes et les plus graves de sycose d'une société. Nous réaffir-mons ici que les vaccinations sont un danger lorsqu'elles sont faites en excès et si elles ne sont pas suivies d'un traitement de fond homéopathique. J'invite tous les thérapeutes à recenser dans leurs dossiers, comme nous l'avons fait, les troubles suivant une vaccination. Comme par hasard, quand un enfant fait des otites ou de l'asthme, on retrouve sou-vent les correspondances sur le carnet de santé. La preuve est apportée par l'amélioration ou la guérison de ces maladies après un traitement anti-sycose (souvent, avec des iso-thérapiques de vaccins !). Nous ne sommes pas contre les vaccinations, nous sommes contre *leur abus.* En revanche, nous nous opposons formellement au vaccin anti-variolique. S'il a prétendument « supprimé » la maladie de la surface du globe (comme si on pouvait savoir ce que sera l'avenir), il a surtout causé d'immenses ravages. Quant à la diphtérie et la coqueluche, nous avons de merveilleux remèdes homéopathiques qui en viennent à bout sans antibiotiques.

3. Les causes infectieuses :
— la colibacillose urinaire ;
— les salmonelles (J. Michaud parle de la « sycose biliaire » dont un des remèdes est le Parathyphoïdinum. B) ;
— les mycoses (champignons) de plus en plus fréquen-tes avec l'emploi insensé des antibiotiques et de la pilule.

4. Les causes toxiques ou de pollution : tous les hydro-carbures sont impliqués (donc, la vie citadine) : pétrole, mazout, goudron, arsenic, plomb (on retrouve le tetraethyle de plomb dans le produit de combustion de l'essence de voi-ture. Voyez ce que nous respirons !).
Sont aussi à incriminer les dérivés soufrés et nitrés. On cite même le strontium, issu d'expériences nucléaires.

5. Les causes alimentaires : l'aliment est considéré ici comme un intermédiaire entre les produits utilisés en agri-culture (insecticide, raticides, fongicides, antibiotiques et hor-mones utilisées dans l'alimentation du bétail), et l'homme. Les colorants et la mauvaise qualité de l'alimentation sont aussi sycotisants. Nous ne pourrons pas éviter de parler à nouveau de la qualité des aliments. La tendance actuelle est à la rentabilité de la terre. On emploie donc des tonnes d'en-grais chimiques à forte concentration en potasse. Or, on sait que l'excès d'un oligo-élément entraîne une perturbation dans l'équilibre entre tous. Ceci est également connu chez l'homme lorsqu'on donne l'éternel calcium aux spasmophiles (ou le magnésium, ou le potassium, ou le phosphore). Ces oligo-éléments sont à des doses infimes dans l'organisme et dans la terre. L'excès d'engrais potassique crée dans la terre une carence en magnésium. La population actuelle des pays industrialisés manque chroniquement de magnésium. Cela est très grave car, nous en parlons dans la sycose, le magnésium est un des éléments protecteurs de l'organisme contre le terrain cancérinique. Dans la sycose, le rapprochement est évident : le terrain « construit » du tissu anormal, par exemple des verrues. Dans ce cas, le magnésium est utilisé (parfois avec succès), au même titre que le Thuya.

6. Causes médicamenteuses :

— les vaccins, en premier lieu (nous en avons déjà parlé) ;

— l'excès d'antibiotiques, en second lieu. Nous sommes effarés par l'intoxication massive des enfants qui, dès l'âge de 4 mois, sont submergés d'antibiotiques. La mise en place de 6 jours, tous les deux mois, d'un traitement par antibiotiques, pendant des années, va les sycotiser davantage et augmenter le nombre des affections respiratoires, digestives ou nerveuses ;

— il est d'utilité publique (en tous cas médicale) de citer un remède décrit par le Dr Guermonprez, tiré de la pénicilline : le Penicillium. C'est de la pénicilline diluée et dynamisée, utilisée comme remède homéopathique. Pour détoxiquer l'organisme submergé, même par d'autres antibiotiques, elle donne dans son expérimentation les symptômes suivants (reproductibles, pour les sceptiques) :

• fatigue, frilosité, état de fièvre traînant ;

• furonculose, dermatoses, mycoses cutanées et muqueuses ;

• écoulements mucopurulents ;

• rhumatismes subaigus ;

• manifestations allergiques.

Voilà qui est stupéfiant ! Un antibiotique utilisé en excès qui crée des infections ! Voulez-vous d'autres symptômes ?

• Aggravation par temps humide et par l'eau (sycose).

• Aggravation à 4 heures du matin (sycose).

• Fatigue extrême, dépression du matin, tout paraît triste.

• Fébricule continue parfois pendant des mois, ne dépassant pas 38°.

• Névralgie, douleurs rhumatismales accompagnées parfois d'une douleur rhumatismale de type allergique à début et

fin brusques, avec rougeur de l'articulation et œdème.
• Orgelets, otites, furoncles, stomatites, glossites, rhumes avec écoulement épais, angines rouges à répétition.
• Asthme sur fond de bronchite chronique.

Parmi les causes médicamenteuses responsables d'un terrain sycotisé, on peut citer encore :
• l'abus de vitamines (la sacro-sainte vitamine D du bébé, entre autres), l'abus d'hormones (les femmes, dans la majorité des cas, constatent l'infiltration des tissus par de la cellulite — sycose — en prenant des hormones) ;
• l'abus des tranquillisants est à mettre aussi en cause ;
• le Dr J. Michaud insiste sur l'excès de rayons X des radiographies. Il cite également les transfusions sanguines et les ablations chirurgicales des organes lymphatiques (amygdalectomie, appendicectomie, cholecystectomie/vésicule biliaire). Nous avons le cas d'une patiente qui a pris 12 kilos après l'ablation de la vésicule biliaire ;
• et enfin, la pilule est sycotisante avec souvent des prises de poids et de cellulite.

7. Les causes mentales et psychiques : nous sommes quasiment certains que le souci prolongé, les contrariétés répétées et les refoulements perpétuels d'émotions, de vexations, sont des éléments hautement sycotisants.

Attention de ne pas mal utiliser les remèdes de la sycose, car leur emploi est difficile. Il faut un traitement de fond, de drainage, bien suivi et long pour atteindre une sycose. Plusieurs mois, voire plusieurs années, sont nécessaires et l'aide du thérapeute est indispensable.

EXEMPLES DE SYCOSES « INDUITES »

Cause médicamenteuse : nous avons cité les antibiotiques, nous pourrions citer n'importe quel médicament ; par exemple un produit utilisé pour l'état dentaire. Il est administré à Sylvie, adolescente de 17 ans, en 1976. Il provoque une intense réaction digestive avec vomissements, gros troubles douloureux dans tout le ventre, et fortes douleurs dans l'hypochondre droit, à l'endroit du foie et de la vésicule.

Je la vois en octobre 1979, elle a 20 ans. Son traitement de fond lui réussit. Elle passe son premier hiver sans rhume et s'ouvre vers les autres. En janvier 1981, je la vois pour troubles digestifs persistants, avec vomissements au premier écart alimentaire. Elle pèse 58 kg. Le traitement pour le foie ne « marche » pas chez elle, alors qu'il est très souvent efficace. Cela nous oblige à revoir tout le dossier. Nous déterminons une atteinte hépatique et intestinale depuis ce médicament mal supporté. Sylvie a encore des vertiges, le ventre est ballonné, elle a mal du creux épigastrique à l'hypochondre droit. Je décide alors de faire une hétéroisothérapie de ce médicament (fabriqué en diluant et dynamisant le médicament, comme un remède homéopathique, pour détoxiquer l'organisme). Nous sommes donc *cinq années* après la prise (février 81). Après ce traitement, la jeune fille passe de 58 à 51,500 kg. Elle a perdu toute la cellulite (sycose !) prise à cette époque, elle a « fondu », elle est en pleine forme, passe le permis de conduire et se sent plus tonique. Elle n'est, se dit-elle, même plus abattue par la chaleur. Il reste quelques réactions hépatiques aux sauces.

Je lui donne alors un traitement de fond à visée hépatique le 5 août 1981. Le 30 octobre, lorsque je la revois, il n'y a plus de problèmes hépatiques. Elle a même pu manger des frites !

Vaccination : Julie, une jolie petite fille, est l'exemple type de la tuberculinique. Nous voyons sa mère qui a eu une primo-infection et qui est, elle-même, de type tuberculinique.

Pour Julie, de la naissance à deux ans, tout se passe bien, si ce n'est la vaccination BCG qu'on lui fait à un an, après un premier test tuberculinique :

1er test tuberculinique	10 06 76	négatif
2ème test tuberculinique	08 10 76	négatif
1er vaccin BCG	08 10 76	
3ème test tuberculinique	25 02 77	positif
4ème test tuberculinique	09 02 78	positif
5ème test tuberculinique	22 10 79	positif
6ème test tuberculinique	avril 80	positif
7ème test tuberculinique	11 06 81	négatif
2ème vaccin BCG	16 06 81	

(heureusement non recontrôlé)

Voilà la réaction type du tuberculinique submergé de toxines vaccinales, et qui finit par négativer un vaccin. On lui en redonne en la revaccinant.

A partir de là, Julie fait des affections respiratoires répétées.

A deux ans, elle commence ses premières otites et ses bronchites. A Noël 1980, au cours d'une « bronchite » débutante, elle est mise d'emblée sous antibiotiques. Manque de chance, c'était... une rougeole !

Trois semaines plus tard, elle fait une réaction d'allure grippale, une otite et une bronchite qui ne seront améliorées qu'en été, après l'humidité (sycose) de l'hiver, donc *après plusieurs mois.*

En avril 1981, on lui enlève les végétations ; en été 1981, elle refait une otite.

Voilà l'exemple type de sycose induite par les vaccins. On pourra nous objecter que rien ne prouve que ce sont les vaccins et les tests qui ont déclenché le processus. Nous répondrons qu'un seul cas ne suffit pas en médecine à faire une statistique. Nous en avons des centaines, sûrement plus. Au risque de nous répéter, nous demandons à tout médecin de bonne volonté de chercher la correspondance des troubles respiratoires avec les vaccinations, en regardant les dates sur le carnet de santé.

Les troubles se manifestent de quelques jours à quelques mois après !

3. La luèse ou luétisme

Hahnemann la décrit comme la troisième grande source des maladies chroniques (après la psore et la sycose).

A. LES ORIGINES DE LA LUÈSE

L'infection syphilitique a été la première cause décrite, surtout à une époque où les traitements étaient insuffisants et où la syphilis ternaire et quaternaire avait le temps d'imprimer profondément ses toxines.

Les toxi-infections chroniques

Abcès à répétition

Infections rhino-pharyngées à répétition
Infections génitales fréquentes
Oreillons
Acetonémie de l'enfant
Alcoolisme congénital : l'hérédo-alcoolisme

Autres causes
Consanguinité
Paludisme
Perturbations psychiques
Avortements spontanés à répétition

B. LES SIGNES DE LA LUÈSE

La luèse intervient d'abord sur la forme puis sur la structure. Il y a des distensions de vaisseaux, puis des nécroses et des atteintes métaboliques.

Les signes psychiques : c'est un être déconcertant, versatile, qui présente des angoisses « métaphysiques », un désespoir de vivre. Il est prompt à la révolte et non conformiste. Il est créatif, a de l'humour, sait faire table rase et avoir l'idée géniale. Mais, il est désordonné, sans esprit de suite, capricieux et a continuellement besoin de changement. Il ne peut fixer son attention et a de l'insomnie avec peur de la nuit. Il peut avoir des tendances à l'alcoolisme.

Les signes généraux : la toxine luétique et le fluor déterminent : irritation-ulcération-sclérose.

Atteinte du tissu vasculaire lié à une endovascularité (qui entraîne un défaut d'irrigation des tissus), atteintes artérielles (aortes, artères cérébrales, coronaires, veines avec varices).

Tissu conjonctif : le mot clé est relâchement. Relâchement ligamentaire avec hyperlaxité, scoliose par défaut de contention de la colonne vertébrale, tendance aux « descentes » d'organes ou ptoses.

Le tissu osseux est le siège d'excroissances osseuses appelées exostose (saillie de l'appendice xiphoïde, située au bas du sternum).

Tissu lymphoïde : les végétations, les amygdales, les

ganglions en général, les angines et surtout les amygdalites. Le sujet luétique a souvent des angines à répétition. La maladie éruptive s'y rapportant est la scarlatine.

4. Le tuberculinisme

Tout d'abord, il faut dire que le tuberculinique peut n'avoir jamais eu la tuberculose et ne jamais l'avoir dans sa vie. Il s'agit d'un terrain héréditaire qui n'a rien de contagieux.

A. DESCRIPTION DU TYPE TUBERCULINIQUE

Le plus souvent, le tuberculinique est longiligne. Son déséquilibre neuro-endocrinien qui crée une hypersympathicotonie, un hyperthyroïdisme, un hypergénitalisme et un hyposurrénalisme, y contribue en accélérant la croissance.

Ainsi naît le type physique prédisposé à la tuberculose : sujet maigre, longiligne, au visage typique. L'étage neuro-sensoriel (le front) est plus développé que les autres. Ce sujet présente souvent des fatigues inexpliquées, il se « déminéralise » facilement. Il fait des caries dentaires, il a des taches blanches sur les ongles, et a aussi des états fébriles qui durent sans explication extérieure.

Le psychisme du tuberculinique est bien particulier. Par le jeu de ses insuffisances ou de ses excès glandulaires, c'est un cyclothymique, son comportement est variable. Il va être facilement passionné et « échauffé » pour une idée ou un projet, mais peu après il sera profondément épuisé. Ce qui le caractérise le plus est son extrême sensibilité et son besoin d'un monde d'affection autour de lui. Le sujet a besoin d'air et d'oxygène ; son oxygène se compose en partie de l'amour qu'on lui porte. Il est désormais classique de citer cette phrase : « Comprendre un tuberculinique, c'est l'avoir à moitié guéri ».

C'est un sujet hypersensible à tout, en particulier à la musique et aux arts. Ses relations ont besoin de passion. On pourrait lui reprocher de s'écouter un peu trop lorsqu'il dit : « J'ai toujours été un peu fragile et de santé précaire ». S'il sait accepter ses moments de fatigue comme étant passagers, il sera capable de faire n'importe quoi.

Le tuberculinique est essentiellement féminin dans son mode de relation et d'existence. Son effort doit être de forcer un peu son organisme et d'apprendre à contrôler un peu plus sa sensibilité.

B. LES SIGNES DU TUBERCULINIQUE

Le sujet n'a pas de grosse maladie, mais il est souvent « patraque » depuis l'enfance. Il est ce qu'on appelle un « oxygénoïde » ; il a besoin d'air tout en étant frileux, donc couvert. Il est souvent enrhumé et a des douleurs partout. Il se réveille difficilement le matin, fatigué, congestionné et avec un encombrement des muqueuses.

Sa circulation laisse à désirer. Il a souvent les extrémités bleues ou glacées, et sa tension est basse.

Son système lymphatique est souvent atteint. Il a de petits ganglions partout et des végétations hypertrophiées.

Les règles sont longues à apparaître, et sont très souvent irrégulières. La nervosité s'ensuit avec parfois un état dépressif.

Le foie est toujours atteint ; avec des degrés différents, mais toujours atteint.

Le squelette et les muscles sont sujets aux rhumatismes, au rhumatisme articulaire aigu, aux faiblesses articulaires et aux poussées brutales de croissance.

Le système respiratoire est bien sûr la cible du sujet tuberculinique, depuis les rhumes chroniques jusqu'aux bronchites avec difficultés respiratoires à l'effort. Les migraines sont fréquentes chez les tuberculiniques.

Au terme de cette étude succincte de l'abord des constitutions homéopathiques, vous voyez l'intérêt de connaître l'être humain dans ses différences, tant au point de vue du traitement qu'au point de vue de la compréhension.

C'est la différence qui fait la richesse des êtres humains, et il n'y a pas un terrain meilleur qu'un autre. Chacun apporte une expérience de vie pour soi et un modèle différent que l'on doit tolérer, pour l'autre.

Sachez reconnaître quel est le terrain de votre enfant, de votre mari, de votre ami, de votre femme ou de votre voisine. Ainsi, vous comprendrez mieux vos contemporains et vous apprendrez la tolérance. Ce qui contribuera aussi à lutter contre l'uniformisation des êtres humains.

Reconnaissez les terrains pour choisir les conditions de vie et de climat, voire de vacances (fuir l'humidité pour le sycotique, par exemple). Lisez et relisez tout ce qui concerne les terrains, et vous ferez œuvre utile autour de vous, surtout sur le plan éducatif.

*   *   *

Qu'est-ce que la phytothérapie ?

A partir de la compréhension de cette notion fondamentale de terrain, il est possible d'imaginer quelles vont être les bases de l'entente :

malade « médecines naturelles » - praticien « médecines naturelles »

Car il doit s'agir d'une véritable entente. Pour que la thérapie soit efficace (homéopathie, phytothérapie ou autre…), il faut qu'il y ait un « feeling » comme disent les anglo-saxons. Le thérapeute est à l'écoute complète du malade ; celui-ci doit comprendre le « pourquoi » de sa maladie et la façon dont la thérapie va agir. Nous laissons là les sceptiques et les ricaneurs répéter que c'est ce « feeling » le plus utile dans nos traitements.

Nous ne nions certes pas la part psychologique indispensable à toute prise en charge. Il est certain que le charisme du praticien est pour beaucoup dans la réussite du traitement. Ceci est d'ailleurs valable quel que soit le mode de médecine employée (allopathie comprise). Il suffit de faire une simple constatation. En allopathie, les prescriptions arrivent par vagues, au gré des budgets publicitaires des laboratoires. Nous voyons nos malades arriver pendant 6 mois avec tel anti-dépresseur, puis pendant un an avec tel autre, et ceci quel que soit le prescripteur. Pourtant, dans les quartiers, on chuchote que ce médecin obtient de meilleurs résultats que les autres. D'ailleurs, sa salle d'attente ne désemplit pas ! Ce ne sont pas les médicaments qui sont la cause de cette plus grande réussite, puisqu'il utilise les mêmes que ses confrères. Tout simplement, sa personnalité est plus forte, son magnétisme plus puissant, ou tout bonnement son amour des malades est-il plus rayonnant. Personnellement, nous préférons cette dernière hypothèse car nous sommes persuadés que l'amour que nous mettons dans nos ordonnances — pas à dose homéopathique, cette fois — est aussi indispensable que le médicament lui-même. Certains extrémistes ne vont-ils pas jusqu'à penser que celui-ci n'est que le vecteur de cet amour !

Nous nous refusons à admettre que le praticien n'est qu'un simple prescripteur, comme le voudraient les trusts pharmaceutiques qui essayent de nous manipuler à leur guise. Une thérapie, un traitement doivent être expliqués à chaque malade., c'est primordial pour qu'il comprenne notre approche de la maladie. C'est pourquoi nous répétons à chaque consultant que notre ambition n'est pas de traiter une maladie et un symptôme, mais un malade ayant son propre terrain. La maladie n'est qu'une sonnette d'alarme, l'appel au secours d'un organisme en difficulté. Il ne suffit pas de débrancher l'alarme pour être satisfait, il faut comprendre ce qui l'a déclenchée. Imaginez le policier, alerté par la sirène d'alarme d'une banque, qui se contenterait de venir appuyer sur l'interrupteur pour arrêter la sirène, et qui partirait, satisfait, en laissant les voleurs continuer tranquillement leur pillage. C'est ce que font, à notre avis, les praticiens qui ne se préoccupent que du symptôme. Enduisez de pommade à la cortisone un enfant souffrant d'eczéma, vous ferez disparaître les lésions cutanées. Mais le déséquilibre qui a provoqué cette élimination par la peau n'étant pas réglé, notre petit patient se retrouvera, à coup sûr, avec une maladie plus grave. Bourrez de calcium et de magnésium un spasmophile, sans essayer de comprendre pourquoi il est spasmophile, vous ne pourrez que voir son état empirer. Les exemples peuvent être dénoncés à l'infini. Le plus souvent, pour un résultat immédiat, on assombrit le pronostic final.

Nous nous refusons à traiter sans essayer de comprendre. Nous nous devons de tout expliquer au malade. Lors d'une émission sur un grand poste de radio périphérique, un médecin nous disait que pour lui, les Français n'étaient pas majeurs et qu'ils ne pouvaient ni comprendre ni choisir leur thérapie.

Nous nous élevons énergiquement contre cette affirmation. Chaque malade doit savoir que nous venons tous au monde avec certains organes faibles. C'est cela, en partie, notre terrain. Nous n'y pouvons rien. Ces organes — appelons-les des « organes cibles » — seront faibles toute notre vie. Nous mourrons, en partie, à cause d'eux. Nous disons cela sans aucun pessimisme, car il faut bien mourir un jour de quelque chose. Autant savoir par où commencera le déséquilibre qui nous conduira à cette phase ultime, de façon à en retarder l'issue le plus possible. Nous avons tous des organes qui ont tendance à trop fonctionner (excès de yang, disent les acupuncteurs), et d'autres qui sont paresseux (excès de yin).

A la suite de toute perturbation (choc moral, physique, fatigue, mauvaise nutrition, stress, etc.) et suivant leur penchant naturel, ces organes ralentissent ou accélèrent leur fonctionnement, entraînant un déséquilibre de tout l'organisme. Car, nous ne le répéterons jamais assez, nous sommes un tout, une entité où physique et psychique sont complètement mêlés, indissociables. Il n'y a pas de malades seulement psychiques et d'autres totalement physiques. Le mariage soma-psyché ne supporte aucun divorce, c'est à la vie à la mort.

Le déséquilibre de santé qui aboutit à la maladie, démarre toujours à partir des mêmes points faibles ; mais il entraîne inexorablement, au bout d'un certain temps, une perturbation de tout l'organisme. Comme les circonstances de la vie actuelle (stress, manque d'activité physique, excès de table, etc.) favorisent la perturbation de ce fragile équilibre, il y a lieu de renforcer régulièrement nos points faibles pour nous rééquilibrer. Voilà notre mot-clé ! Nous ne devrions jamais nous soigner, mais régulièrement nous rééquilibrer, afin de rester en bonne santé. Ce cheminement intellectuel que nous expliquons toujours à nos patients nous amène bien entendu à construire des traitements de rééquilibrage appropriés à chaque malade. Selon notre inclination propre, ils sont bâtis à partir d'oligo-éléments, et de remèdes homéopathiques comme nous venons de le voir) ou de plantes.

Dans ce cas, comme de diagnostic complémentaire, nous utilisons le plus souvent l'astrologie, appelée astrologie médicale. Un thème cosmobiologique (ou étude d'astrologie médicale) nous permet de connaître les organes cibles d'un individu à la minute même de sa naissance. Ceci est immuable. Une telle étude ne se fait donc qu'une seule fois dans la vie. L'astrologue médical n'a pas besoin de voir le malade. Seuls lui sont nécessaires la date, le lieu et l'heure de naissance. A partir de ces coordonnées, il dresse la carte du ciel du sujet, l'interprète et découvre ainsi les points faibles. L'interprétation est la partie la plus longue et l'astrologue doit non seulement être spécialisé dans ce genre d'études, mais avoir en plus une longue habitude.

Le dossier est remis au patient ainsi qu'au thérapeute qui l'a sollicité.

L'astrologie médicale permet de connaître les organes qui ont tendance à trop travailler et ceux qui ont tendance à se ralentir.

En ce qui nous concerne, nous avons choisi, après étude des textes anciens, de stimuler les organes faibles en période de lune croissante et de drainer les organes congestifs (en excès) pendant la lune décroissante. Nous utilisons ce mode de traitement depuis 10 ans avec toute satisfaction. Ceci nous entraîne, bien entendu, à construire un traitement sur mesure pour chaque malade. Nous avons même affiné ces prescriptions en utilisant les principes de l'anthroposophie de Rudolf Steiner.

Au début, nous n'utilisions que des tisanes dont nous sommes convaincus de l'efficacité. Pour des raisons pratiques, nous avons en plus inclus dans notre arsenal thérapeutique des préparations galéniques (préparations faites à l'officine, par le pharmacien lui-même, et non pas toute conditionnées) plus pratiques (gouttes, gélules) que l'explosion des médecines naturelles a remises au goût du jour ou tout simplement fait découvrir (gélules d'huiles essentielles sur silice, par exemple). Nous allons vous dresser un panorama de toutes ces solutions et vous expliquer leur intérêt propre.

● TISANE

La forme la plus ancienne de la médecine par les plantes est sans nul doute la tisane qui consiste à faire infuser une plante dans de l'eau. Pour nous, son intérêt majeur réside dans la souplesse des prescriptions. Il y a peut-être 5 000 espèces de plantes médicinales ; même si elles ne sont pas toutes disponibles en pharmacie, le mariage de ces différentes plantes entre elles permet d'obtenir une variété de préparations infinie. Surtout que ce nombre de possibilités est multiplié par le fait que d'une plante, nous pouvons utiliser la fleur, la feuille, la racine, la tige, l'écorce, le bourgeon, une ou deux parties seulement ou tout l'ensemble. Vous pouvez aisément imaginer que les mélanges possibles sont innombrables.

En connaissant bien la phytothérapie, nous pourrons donc choisir la fleur ou la racine, la feuille ou l'écorce ; et pour une même plante, l'effet ne sera absolument pas le même. Aucune de ces préparations n'aura exactement la même action ; ce qui nous permet de composer des traitements sur mesure. Ceci est irremplaçable.

Il y a deux inconvénients majeurs à l'utilisation des plantes :

1. La pollution : c'est l'inconvénient le plus grave. Les plantes médicinales sont de plus en plus traitées et polluées. Les recherches faites actuellement sous l'impulsion de Maurice Mességué sur la composition des plantes médicinales révèlent une réalité parfois catastrophique. Elles sont non seulement gorgées de pesticides et d'insecticides, mais également traitées au cobalt pour éviter les proliférations microbiennes et avoir une meilleure conservation. Or, nous ne savons pas ce qui se passe lorsque nous avalons une plante irradiée. En revanche, nous savons parfaitement que certains produits de traitement, autorisés en agriculture, se transforment en produits hautement cancérigènes, sous l'effet de la chaleur (l'eau de l'infusion, tout simplement). Il devient maintenant très difficile de se procurer des plantes « propres », non traitées.

Quel que soit l'endroit où vous les achetez, il est indispensable que la mention « plantes médicinales biologiques, garanties non traitées » soit indiquée sur le paquet avec un numéro.

de référence de lot qui vous permette de réclamer, si vous le désirez, un double des analyses complètes ayant été effectuées sur ce lot de plantes. Nous espérons qu'une épuration va être faite dans le monde des plantes médicinales, car certaines sociétés n'hésitent pas à marquer sur leurs emballages :

insecticide   000
pesticide   000

ce qui est tout à fait impossible, car du seul fait de la pollution atmosphérique, il y a toujours trace de produits traitants dans les cultures. En revanche, il faut qu'à partir d'un certain taux de produits chimiques, ces plantes soient retirées du marché.

2. Le temps de préparation : il est toujours plus long de préparer une tisane que d'avaler des gouttes ou des gélules. Or, les « patients » sont des plus « impatients », et supportent mal de prendre le temps de se soigner. Voyons ces « très complexes » mode de préparation :

L'infusion
— Vous portez de l'eau à ébullition.
— Vous éteignez le feu.
— Vous jetez les plantes dans l'eau bouillante.
— Vous couvrez et vous laissez infuser les plantes quelques minutes. L'infusion s'utilise, en général, pour les parties fragiles de la plante : fleur, jeunes pousses.

La décoction
— Vous mettez les plantes dans un récipient en terre, émail, pyrex et autre porcelaine, supportant le feu. Les casseroles en métal ne doivent pas être utilisées.
— Vous ajoutez la quantité d'eau froide nécessaire.
— Vous portez à ébullition et vous laissez bouillir quelques minutes. C'est le mode de préparation des parties dures : certaines feuilles, tiges, écorces, racines.

La macération à l'eau
— Vous laissez macérer les plantes dans de l'eau froide pendant quelques heures. Ensuite, le plus souvent, vous faites chauffer l'eau et vous suivez les consignes données par le prescripteur. Cette longue macération est surtout utilisée pour la partie des plantes la plus résistante : tige, racine, écorce.

Quelquefois, plus rarement, la macération n'est pas suivie d'ébullition.

   La macération à l'huile
— Mode de préparation identique mais avec un liquide huileux (huile d'olive par exemple). Il est très rare, dans ce cas, que l'on chauffe le liquide après le temps de macération. Le plus souvent, la macération huileuse utilise des plantes fraîches. Il s'agit, en général, de préparations à usage externe : huiles pour le corps, frictions, embrocations.

   La macération à l'alcool
— La macération alcoolique s'obtient de façon similaire, en utlisant un produit alcoolisé : vin, alcool de fruit (eau de vie, marc, etc.).

   Dans les macérations huileuses ou alcooliques, le temps de macération peut aller de plusieurs heures à plusieurs jours. Il est certain que notre mode de vie supporte mal ces préparations longues ; il est quand même possible de se trouver 10 minutes par jour pour se préparer une infusion. Bien des gens qui prétendent « ne pas avoir le temps » (litanie à la mode) trouvent souvent deux heures par jour pour regarder la télévision. Nous nous arrangeons, en général, pour que nos préparations soient compatibles avec notre rythme de vie.

   En effet, si les infusions doivent être préparées au coup par coup, les décoctions, un peu plus longues (15 à 20 mn) sont prêtes pour 3 jours et les macérations pour plusieurs semaines. Vous voyez qu'avec un minimum d'organisation, un traitement de plantes en tisanes est envisageable, même pour un P.D.G. débordé.

   Posologie
— Les posologies sont déterminées par le praticien.

   Je tiens toutefois à préciser que lorsqu'on prescrit une tasse, sans préciser son volume, il s'agit d'une grande tasse. Il y a 6 tasses dans un litre.

   La teinture-mère
— Il s'agit d'une macération dans l'alcool : selon les espèces, le temps de macération est variable.

   C'est la préparation de base du remède homéopathique

d'où son nom de « teinture-mère ». C'est à partir de cette mère que sont réalisés les remèdes homéopathiques. Nous l'utilisons en phytothérapie sous forme de gouttes, que l'on absorbe mélangées à de l'eau. C'est une solution pratique, que nous choisissons souvent pour les cures de drainage (en lune décroissante). Comme il s'agit tout de même d'un produit alcoolisé (60°), l'usage en est, de préférence, réservé aux adultes.

Les poudres de plantes

— Elles peuvent être préparées en comprimés, en gélules, voire diluées directement dans de l'eau. C'est une solution pratique, que pourtant nous n'utilisons guère, peut-être à tort.

Les nébulisats

— Comme de nombreux praticiens, nous avons cru à la révolution phytothérapique lorsque les premiers nébulisats ont reçu leur autorisation de vente en pharmacie.

Il s'agit d'un produit, présenté sous forme de poudre, qui possède toutes les propriétés de la plante entière sous une forme extrêmement concentrée : une gélule représente les principes actifs contenus dans environ six tasses de tisane ! Leur mode de préparation est très complexe, mais parfaitement naturel. Nous étions persuadés d'avoir découvert le produit miracle, et nous nous sommes précipités sur nos ordonnances, poussés par les laboratoires qui fabriquent ces produits. Hélas, au bout de quelques mois, nous nous sommes aperçus, contre toute attente, que ces nébulisats étaient beaucoup moins efficaces que nos simples tisanes. Six fois plus concentrés, et dix fois moins efficaces, bien que dix fois (au moins !) plus chers. Nous avons renoncé.

Dame nature, si généreuse de ses bontés, n'accepte pas de se faire violer !

Les huiles essentielles

— C'est la quintessence de la plante. Cet enfant, né de l'union de la plante et du soleil, est le produit qui nous tient le plus à cœur.

L'huile essentielle (que l'on appelle aussi essence de plante), est obtenue en général par distillation de la plante à la vapeur d'eau. Mais ce procédé ne s'applique pas à toutes les plantes. Il concerne surtout les plantes vivant au soleil. Et la présence du soleil est si importante qu'une même plante ne contient pas la même proportion d'huile essentielle selon qu'elle a poussé au sud ou au nord de la Loire : plus elle a poussé au nord, moins elle en contient, et moins elle est active sur le plan médicinal.

L'huile essentielle est un produit extrêmement concentré (il faut une tonne de pétales de roses pour obtenir 200 g d'huile essentielle), et donc « violemment » actif. Pour l'utiliser, il faut en connaître parfaitement les dosages. Seul un praticien compétent et averti peut en maîtriser l'usage. Il ne suffit pas de s'intituler « phytothérapeute », même lorsqu'on est un docte médecin de l'officielle faculté, pour s'octroyer le droit d'en prescrire.

A ce sujet, nous possédons, dans nos dossiers « noirs », des ordonnances assez curieuses, comme par exemple celle-ci :

— huile essentielle de bardane
— huile essentielle de bourdaine : 0 à 0,02 g.
— huile essentielle de chiendent :
— silice colloïdale : q.s.p. 1 gélule nr X.

Lorsqu'on sait qu'aucune de ces trois plantes ne contient d'huile essentielle, on est en droit de s'interroger sur la science du praticien !

Sans parler de ce livre, émanant d'un autre médecin officiel, qui conseille une formule de lavement avec de l'huile essentielle pure. Surtout n'essayez pas, même pour rire, vous ne ririez pas longtemps !

Les huiles essentielles sont des produits réellement fantastiques. Malheureusement, elles coûtent fort cher. Cela n'est pas un inconvénient bien grave, car en aromathérapie nous en utilisons des doses presque infinitésimales (de 3 à 6 milligrammes pour une gélule). Mais ce marché, commercialement très intéressant, a conduit certains fabricants ou revendeurs peu consciencieux à couper des essences avec des produits de qualité inférieure pour en abaisser le coût. Quand il ne s'agit pas de produits totalement chimiques ! Malgré les bonds prodigieux qu'a réalisés l'industrie chimique, les normes Codex (normes pharmaceutiques) qui régissent les produits datent de plusieurs années. Si bien que les huiles essentielles proposées en pharmacie peuvent parfaitement répondre aux critères établis (point d'ébulition, stabilité, indice d'acide, de saponification, de réfraction, etc.), tout en étant parfaitement chimiques. Tous les pharmaciens ne le savent pas. Ils se fient à leurs fournisseurs. Et vous, client-patient confiant, vous absorbez un produit agressif, indigeste, et surtout totalement inefficace. C'est pourquoi il faut que votre pharmacien soit au courant, choisisse ses fournisseurs avec soin, et exige des analyses complémentaires, comme par exemple des chromatographies. Nous sommes même en train de mettre au point d'autres analyses, plus sophistiquées, car les chimistes parviennent parfois à obtenir des huiles essentielles présentant les mêmes résultats à la chromatographie qu'une essence naturelle.

La convoitise d'un marché intéressant a toujours stimulé l'imagination des industriels. Et ce marché est vaste : nous ne sommes pas les seuls à utiliser les huiles essentielles, et nous sommes des « petits ». Les « gros », ce sont les fabricants de parfums qui les achètent par kilos, voire par tonnes.

Ne soyons pas trop pessimistes : puisque nous utilisons les huiles essentielles en très petites quantités (et en attendant que nos analyses soient au point) il nous suffit de bien choisir nos fournisseurs, et il y en a de sérieux. Mais nous jetons ce cri d'alarme pour que nos patients ne fassent pas confiance à n'importe qui.

Mode de préparation galénique des huiles essentielles

Les huiles essentielles peuvent être utilisées de plusieurs manières :

— **suppositoires** : lorsqu'on a besoin d'une forte concentration, afin d'agir vite, en cas d'invasion microbienne dans des maladies à évolution rapide (grippe, bronchite, rhumatismes inflammatoires, etc.). Leur action est alors au moins aussi rapide que celle des antibiotiques.

— **ovules** : pour toutes les maladies gynécologiques. Les huiles essentielles sont alors mélangées à d'autres produits : argile, poudre de plantes, ou même parfois produits chimiques (alphachymotripsine par exemple) dans certains cas particuliers.

— **liniment-embrocation :** en association avec des huiles, des alcoolats, des alcools (alcool à 90°, alcool de pomme, eau de vie, etc.). Elles donnent des résultats prodigieux en cas de douleurs, rhumatismes, élongations, déchirures musculaires.

— **gélules :** cette forme de prise orale est celle que nous préférons. La tolérance est parfaite, et l'efficacité remarquable. L'huile essentielle est alors imprégnée sur un support neutre (silice colloïdale, lactose) avant d'être enfermée dans une gélule. Contrairement à ce que croient certains patients, l'enveloppe de la gélule n'est pas nocive : c'est une gélatine naturelle que l'estomac accepte volontiers.

Ceux qui prétendent que les gélules sont inefficaces ou mal tolérées sont des ânes, qui n'ont jamais su prescrire !

Lorsqu'on respecte la posologie (0,06 g maxi d'huile essentielle pour une gélule), les résultats ne peuvent être que bénéfiques. Il faut simplement savoir choisir ses huiles, les doser en fonction de l'affection à traiter, de l'âge, du poids, etc. Il nous paraît toutefois évident de réserver l'aromathérapie aux adultes (sauf, bien sûr, en cas de maladie infectieuse, où nous préférons de loin les huiles essentielles aux antibiotiques).

Bains

C'est un des traitements que nous préférons. Nous affirmons avec force (aidés en cela par Kniepp et Salmanoff, nos maîtres), qu'il est possible de tout traiter grâce à la phytobalnéothérapie, c'est-à-dire à l'action jointe de l'eau et des plantes médicinales. De grands précurseurs, comme Maurice Mességué, l'avaient déjà dit et prouvé. Nul ne peut nier l'efficacité remarquable de ses bains de mains et de pieds.

En ce qui nous concerne, nous avons choisi d'utiliser les bains aux huiles essentielles. La mise au point de ce procédé s'est révélée longue et laborieuse, car les huiles essentielles, comme leur nom l'indique, sont des substances huileuses qui n'ont aucune affinité avec l'eau. Si vous jetez dans l'eau une essence pure, vous la verrez surnager. Il nous fallait donc trouver un moyen de rendre cette huile miscible Après bien des études, nous avons trouvé une astuce pour que les molécules d'essence restent en suspension dans l'eau, permettant ainsi au baigneur-patient d'avoir la totalité de sa peau en contact avec le produit actif. Il s'agit d'un produit, que l'on mélange à l'huile essentielle, et qui n'altère pas ses propriétés. En outre (et ce fut peut-être le plus difficile), ce produit respecte le PH de la peau. C'est un élément très important, car après un séjour dans un bain dont le PH est supérieur à 7, la peau ne remplit plus son rôle de barrière et laisse le patient aussi vulnérable face aux microbes qu'un nouveau-né aux prises avec un ours sauvage ! Et malheureusement, de nombreux produits de bains, même « naturels », ont un PH supérieur à 7

Lorsque nous affirmons que l'on peut tout traiter par les bains aux huiles essentielles, nous entendons par là « toutes les maladies que l'on peut traiter par les plantes ». Et cela fait déjà beaucoup ! Mais il est malheureusement difficile de trouver le temps de se soigner complètement par l'hydrothérapie. Pourtant, dans nos centres de cure où les patients ont tout le temps de se soigner, nous obtenons des résultats merveilleux. Lorsqu'il s'agit d'une prescription en cabinet, nous demandons au patient de prendre deux à trois bains par semaine, en thérapie de complément, ce qui nous permet d'accélérer le processus de guérision (notamment dans les cas de déséquilibre nerveux, spasmophilie, troubles circulatoires, rhumatismes, obésité, fatigue).

Cataplasmes

Tout comme les bains, c'est une thérapie que nous utilisons beaucoup, surtout dans nos centres. Malheureusement, malgré son irremplaçable action thérapeutique, il nous est difficile de convaincre nos patients de la pratiquer à domicile. Peu de gens acceptent de passer une heure à s'appliquer un cataplasme. Pourtant, rien, pas même un médicament, ne permet d'obtenir une action dépurative aussi rapide (notamment sur le foie et les reins).

L'intérêt du cataplasme est double : d'abord il permet de diminuer les médicaments internes, ensuite, sa formule peut être parfaitement adaptée au cas à traiter. En effet, il est possible de mélanger des plantes en poudre, des plantes entières fraîches ou séchées, des huiles essentielles, de l'argile, des huiles végétales, des minéraux, des oligo-éléments, tout cela dans un même cataplasme Cette adaptation parfaite au terrain du malade, et à sa maladie, explique les remarquables succès de cette méthode.

Nous venons de vous décrire les utilisations les plus courantes des huiles essentielles. Il nous faudrait un livre complet pour les décliner toutes en détail. Il nous faudrait vous parler des aérosols, du Neti Krya (lavage de nez), de l'Aromato-Sympathicothérapie, des massages reflexes aux essences de plantes, et de bien d'autres encore. Mais il s'agit d'un autre livre que nous écrirons peut-être un jour.

En revanche, nous ne pouvons clore ce chapitre sans dire un mot de l'aromatogramme, qui nous permet dans les cas difficiles de choisir, avec plus de sûreté, les huiles essentielles qui conviennent au terrain du patient.

L'Aromatogramme

Mise au point par des médecins phytothérapeutes, cette analyse présente un grand intérêt pour le praticien, confronté quotidiennement aux maladies chroniques.

Les huiles essentielles sont, depuis fort longtemps déjà, répertoriées par leurs propriétés médicales propres : action sur le foie, le pancréas, la circulation artérielle, etc. Depuis peu, on connaît un nouveau classement : action bactéricide, action antiseptique, action fongicide. Et l'huile essentielle peut avoir une autre action capitale : elle stimule les fonctions de défense de l'organisme, et renforce le terrain. C'est d'ailleurs peut-être là son action primordiale.

Or, s'il est facile de choisir une huile essentielle cholagogue hyper ou hypo-tensive en étant certain du résultat, s'il est possible de lutter contre une maladie infectieuse en utilisant du thym rouge, de l'origan et de la canelle, en étant sûr de balayer l'invasion microbienne, il n'est, au contraire, pas du tout évident de voir le malade dynamisé à la fin du traitement, prêt à se défendre tout seul. Comme en homéopathie, il faut trouver la plante qui convient parfaitement à chaque patient. Celle qui, non seulement balayera les microbes, mais possédera aussi une action dynamisante sur ces fameux « organes-cibles » qui ont toujours besoin d'être renforcés.

Cette plante miracle, nous avions depuis longtemps l'habitude de la rechercher au pendule, avec succès. Depuis peu, des équipes de recherche ont mis au point l'aromatogramme, technique de diagnostic biologique, scientifique, utilisable par tous.

Comment pratiquer un aromatogramme ?

Il suffit de faire des prélèvements dans « toutes les cavités naturelles du corps ». Prélèvements simples, et qui n'ont rien de traumatisant : il faut frotter l'intérieur du nez, de la gorge, du vagin, etc. avec un coton stérile, puis mettre en culture les microbes que l'on ne manque pas d'y trouver. Ce prélèvement peut être pratiqué au cabinet du praticien, mais la culture doit se faire dans des conditions classiques, dans un laboratoire de biologie.

Lorsque les germes sont identifiés, on laisse tomber sur ces microbes une goutte d'une quarantaine d'essences de plantes. Au bout de quelques jours, on peut constater que certaines de ces huiles tuent très efficacement vos microbes, alors que d'autres le font moyennement, et d'autres encore pas du tout. Et c'est là que votre aromatogramme devient très intéressant.

Imaginez que l'on trouve dans l'analyse un « staphylocoque doré pathogène ». C'est une petite bête (très fréquente) dont il faut absolument se débarrasser, et les huiles essentielles vont s'en charger. On regarde alors dans l'aromatogramme quelles sont les huiles essentielles qui ont réussi à détruire ce microbe.

Et on trouve :

• L'origan : rien d'étonnant, il détruit le staphylocoque chez 86 % des malades.

• La cannelle et le thym rouge : pas de suprise, ils sont respectivement efficaces à 76 % et 73 %.

Ce sont là des essences majeures, hautement bactéricides : leur efficacité n'a donc rien d'étonnant. En revanche, on remarque que la bergamote et le lemon grass (par exemple) sont efficaces, alors que seulement 2 % des staphylocoques y sont sensibles. Plus étonnant encore, l'huile essentielle de coriandre. Bien qu'elle ne soit statistiquement jamais efficace, elle peut aussi tuer le staphylocoque présent.

On en déduit que l'huile essentielle de coriandre est, dans ce cas, une *huile essentielle de terrain*. La coriandre sera toujours l'alliée de ce patient, et pourra, non seulement tuer ses microbes, mais aussi stimuler ses organes faibles. Il suffira d'ailleurs de regarder les propriétés de la plante, et de voir sur quels organes elle exerce son action thérapeutique, pour connaître ces organes faibles. Dans le cas de la coriandre, on en déduira que le patient a un système digestif faible, une tendance à l'aérophagie, des digestions lentes, et peut-être des contractures musculaires et des douleurs articulaires.

En fait, c'est là le véritable intérêt de l'aromatogramme. Car en ce qui concerne l'action bactéricide, il suffirait de toujours utiliser la trilogie thym-origan-cannelle pour obtenir des résultats aussi rapides (et même plus) qu'avec des antibiotiques. C'est d'ailleurs ainsi que nous soignons très rapidement des sinusites ou des cystites rebelles à tous les traitements classiques. Mais l'aromatogramme nous permet, en plus, de connaître les huiles essentielles amies de nos malades, celles qui dynamiseront leur organisme, tout en nous révélant leurs points faibles. Et tout diagnostic supplémentaire est le bienvenu pour nous aider à mieux comprendre nos patients. Nous utilisons pour cela de nombreuses méthodes : l'interrogatoire, bien sûr, mais aussi l'iridologie, les analyses classiques, l'aura, la réponse des plexus. L'aromatogramme, que nous préférons nommer « thème aromatique », est un atout supplémentaire non négligeable.

Nous venons de brosser un tableau rapide des principales possibilités de prescription en médecine naturelle. Le but de cet ouvrage étant de vous offrir les moyens de vous prendre en charge et d'éviter d'avoir recours trop fréquemment aux médicaments miracles, nous avons laissé de côté volontairement les prescriptions que nous utilisons plus rarement.

Cette longue introduction était indispensable car, pour bien se soigner, il faut comprendre d'abord pourquoi on est malade, et comment vont agir les remèdes. Certains, comme les huiles essentielles, sont très difficiles à manier. C'est pour cette raison que vous trouverez peu de préparations à base d'huiles essentielles dans les conseils qui vont suivre.

Contrairement à ce que pensent certains, l'homéopathie et la phytothérapie sont beaucoup plus difficiles à bien connaître, et à bien prescrire, que l'allopathie. Devant un symptôme, le médecin allopathe n'a qu'une solution :

le remède adéquat. L'homéopathe et le phytothérapeute, eux, ont autant de possibilités de traitement à leur disposition qu'il existe de malades. Pour eux, seul compte le « terrain » du patient.

V. VOTRE NEZ COULE, VOUS ÉTERNUEZ

Que de troubles au niveau du nez dans une population ! Que de rhumes, coryzas rhinites, rhumes des foins, sinusites... Nous avons choisi de traiter ici les problèmes plutôt liés à l'allergie, puisque l'éternuement répété est, dans la majorité des cas, allergique.

Qu'on le « traîne » depuis l'enfance, ou qu'on l'ait contracté « en cours de route », le rhume des foins (ou rhinite allergique ou coryza spasmodique, selon la dénomination que l'on choisit) est un état congestif de la muqueuse nasale, qui devient hypersensible au monde extérieur (poussière, pollen, plume, poils d'animaux, etc.).

Le trouble se manifeste simplement au printemps (pollen) ou à l'automne (humidité). Il faut rechercher dans la famille le terrain allergique et surtout l'insuffisance hépatique. Le foie est en effet étroitement relié à toute maladie allergique.

Quelles que soient les raisons, les éternuements fréquents, surtout s'ils sont accompagnés d'un écoulement des yeux et de difficultés respiratoires ressemblant à l'asthme, doivent être longuement traités. Ceci, afin d'éviter que cette élimination naturelle prenne trop d'ampleur, et pour empêcher l'organisme d'en effectuer une autre ailleurs, qui pourrait être plus dangereuse.

Il est bien évident que dans un premier temps les moquettes-pièges-à-poussière, les oreillers en plume ou les poils d'animaux doivent être évités.

On nous signale souvent qu'après un plus ou moins long traitement, la personne allergique peut à nouveau côtoyer l'objet de son trouble.

Nous n'aborderons pas ici les rhumes chroniques ou les sinusites qui répondent à des symptômes différents.

Il est intéressant de savoir traiter un rhume lorsqu'il débute car cela permet souvent de prévenir l'angine, la trachéite ou la bronchite qui risquent de suivre. En effet, le rhume peut être le reflet d'un simple coup de froid passager, mais aussi d'une atteinte virale ou grippale.

Il faut d'abord savoir qu'une « grippe » qui traîne, avec une lassitude interne, des urines foncées et des selles décolorées, peut signaler la présence d'une hépatite virale. Il est alors bon de demander un avis médical.

Le rhume peut aussi être un des signes précurseurs d'une maladie éruptive de l'enfance (rougeole, oreillons, varicelle, rubéole) ou de toute maladie à virus. Donc, surveillez bien la peau de l'enfant dès qu'un « rhume » se prolonge, avec de la fièvre.

Enfin, vous pouvez constater des rhumes qui s'enchaînent à longueur d'année, surtout chez les enfants qui ont besoin de plusieurs dizaines de rhumes ou de rhinopharyngites pour acquérir leur propre immunité. Voilà qui nécessite un traitement de fond de plusieurs mois, voire plusieurs années, ne serait-ce que pour éviter des otites ou des bronchites.

Les remèdes homéophatiques

• Votre nez coule comme de l'eau, irritant vos lèvres et vos narines, vos yeux sont rouges, comme si vous épluchiez des oignons. Vous pouvez avoir une douleur à l'oreille ou à la gorge.

Remède de rhume spasmodique du mois d'août :

Allium Cepa (l'oignon)

Dilution : 5 CH, toutes les heures au début, puis augmenter en espaçant les prises.

• Le symptôme touche plus les yeux. Le larmoiement est irritant, les paupières brûlent, elles sont enflées, rouges et ulcérées, collées le matin. Ce qui vous donne une tendance à cligner des yeux.

Le coryza, lui, n'est pas irritant. Il s'aggrave la nuit lorsque vous êtes couché.

Vous toussez le matin pour vous éclaircir la voix et vous débarrasser de vos abondantes mucosités, parfois jusqu'à vomir votre petit déjeuner. Vous avez une sensation de raideur de la lèvre supérieure, de la langue et d'une joue.

Euphrasia

Dilution : 7 CH, toutes les heures au début.

• Votre rhume s'accompagne d'une petite fièvre avec saignements de nez, rougeur de la face, enrouement fréquent, toux sèche, spasmodique. Votre poul est mou, rapide.

Ferrum Phosphoricum

Dilution : 5 CH, toutes les deux heures.

Vous avez un écoulement nasal abondant au lever (après avoir ; nez bouché durant la nuit). Vous présentez des éternuements en salve le matin et vous sentez une amélioration à l'air frais. Vous avez souvent une toux sèche pendant la deuxième partie de la nuit. Les troubles sont dus à des excès alimentaire ou de boissons.

Recherchez les « signes digestifs » du remède : ballonnements, constipation, besoin d'une sieste après le repas.

Nux Vomica

Dilution : 5 CH, toutes les heures au début.

• Votre nez est bouché. Vous avez des difficultés à respirer, même la bouche ouverte. Votre enfant se frotte le nez pendant la nuit, il racle et renifle sans cesse. Il présente souvent une toux irritante la nuit, donnant mal à la tête.

Signe particulier : battements des ailes du nez. C'est souvent le remède du rhume qui « descend sur les bronches » ·

Lycopodium

Dilution : une dose de 9 CH, à renouveler éventuellement.

• Votre coryza s'accompagne d'une perte de goût et de l'odorat, avec nez bouché. Il apparaît tous les jours vers 10 h. Votre toux est sèche, irritante, elle donne mal à la tête. Le soleil aggrave vos symptômes. Vous avez envie de sel, vous êtes empreint d'un désir de solitude et vos symptômes s'aggravent si on vient vous consoler :

Natrum Muriaticum

Dilution : 7 CH matin, midi et soir, puis passez à 9 CH puis à 12 CH.

• Vous avez des frissons constants, une perte du goût et de l'odorat, le nez est sec et bouché le soir, il coule le matin. Les symptômes s'aggravent à la chaleur. Vous n'avez pas soif. l'écoulement nasal est jaune, épais, crémeux, parfois accompagné d'un enrouement. Il existe souvent une toux sèche la nuit et grasse le jour. Vous avez une aversion pour les aliments gras. Vous êtes facilement dépressif, mais tout cela se calme si on vous console :

Pulsatilla

Dilution : à déterminer avec votre thérapeute, remède difficile d'emploi en cas de problème d'oreille.

• Si vous présentez des éternuements spasmodiques avec écoulement nasal aqueux abondant, s'il existe un larmoiement, une hypersensibilité spéciale à l'odeur de l'ail, ce remède peut vous convenir. Vous ne pouvez supporter l'odeur des fleurs et des fruits. Vous avez une démangeaison qui vous oblige à coller la langue contre le palais pour éviter la crise d'éternuements. La fièvre est aussi un signe, avec l'absence de soif, l'amélioration en plein air, le désir de boissons chaudes :

Sabadilla

Dilution : 7 CH, toutes les deux heures, et espacez.

• Vous êtes faibles et anxieux. Vous maigrissez et vous avez des cernes. Vous avez des douleurs à la tête et aux sinus frontaux. Vos yeux sont larmoyants, les éternuements sont violents. Le coryza est abondant, brûlant, aqueux, avec perte de l'odorat. Vous vous réveillez avec la sensation d'étouffer. Vous avez une oppression avec besoin d'air frais, mais votre coryza est amélioré en chambre chaude :

Kalium Iodatum

Dilution : 5 CH, répétez souvent au début.

• Vous présentez un coryza aqueux avec éternuements, l'écoulement est excoriant, de goût salé. Vous avez une oppression immédiate après vous être couché, avec une inspiration pénible.

Point principal : aggravation dès que vous êtes couché, et par le moindre courant d'air.

Remède de l'asthme qui se manifeste avant minuit :

Aralia Racemosa

Dilution : 5 CH, toutes les deux ou trois heures.

• Votre nez est excorié, à vif, gercé et crevassé. Vous vous grattez constamment l'intérieur du nez jusqu'à vous faire saigner. L'écoulement est irritant, excoriant les ailes du nez et la lèvre supérieure. Vous avez parfois le nez bouché. Le plus souvent, votre rhume s'accompagne d'enrouement, aggravé en forçant sur la voix. Votre langue est à vif, « framboisée ». Vous salivez beaucoup :

Arum Triphyllum

Dilution : 5 CH, toutes les deux heures.

Les remèdes d'orientation anthroposophique

A prendre systématiquement dès le début d'un rhume ou d'une grippe :

Infludo : à raison de 8 gouttes toutes les deux heures, aide souvent à « couper » un état grippal débutant.

Le suc de citron et de coing : en injection, c'est un remède remarquable du rhume des foins ou de la rhinite allergique.

Gencydo : est une spécialité à badigeonner dans le nez, et qui a pour but de « tanner » les muqueuses nasales pour les rendre moins sensibles aux circonstances extérieures.

Voici mon dernier conseil en ce qui concerne l'homéopathie : *Oscillococcinum 200* à prendre systématiquement dès le début d'un état grippal.

Voyons maintenant la phytothérapie.

En médecine naturelle, il nous faut faire une distinction entre coryza, rhume des foins et rhume « coup de froid ». Les patients qui souffrent de rhume des foins allergique le savent : ils éternuent de façon périodique et le plus souvent au printemps ou au milieu de l'été au moment où l'on coupe les foins (d'où le nom du symptôme). Ils peuvent d'ailleurs être « allergiques » à tout autre chose qu'aux foins. Nous mettons « allergiques » entre guillemets, lorsqu'un malade nous dit « je suis allergique », intentionnellement nous répondons « je ne connais pas cette maladie ». Le diagnostic d'allergie est une solution de facilité. Lorsqu'un médecin n'arrive pas à guérir son patient, il déclare automatiquement qu'il s'agit d'une allergie, d'un rhumatisme, d'un virus ou d'une maladie psychique. Pas besoin d'une étude médicale, avec ces quatre possibilités, vous faites le tour de toutes les maladies possibles ! Quant à la spécialisation « allergologue », elle nous laisse tout bêtement pantois, les bras nous en tombent ! Il est bien évident que certaines odeurs peuvent déclencher des réactions de défense de l'organisme (réactions salutaires le plus souvent). Mais stopper ces réactions par une désensibilisation ne nous paraît pas être la solution. C'est un moyen de stopper l'allergie, mais cela ne nous explique pas pourquoi ce patient est « allergique ». Il est fréquent de voir en consultation des malades traités (avec succès !) pour une allergie au pollen... puis, un an après, arrive une allergie aux poils de chat... puis, six mois après, une allergie à la poussière... puis, etc...

Un de nos malades nous a dit un jour : « après deux ans de désensibilisation, je viens de m'apercevoir que je suis allergique à ma belle-mère ! J'ai posé la question au professeur, pas de vaccin possible ! » Il s'agissait bien sûr d'une boutade de quelqu'un qui avait fini par réaliser que son organisme était en état de déséquilibre et que l'allergie n'était qu'un symptôme de ce déséquilibre. Il convient donc, en cas de rhume des foins, de rechercher les causes profondes de ce symptôme et de composer un véritable traitement de terrain. Pour cela, une étude d'astrologie médicale nous sera souvent très utile. Il existe, en revanche, des moyens d'enrayer ou de prévenir les crises, mais ils ne peuvent constituer que des solutions d'attente. Ils ont par contre l'avantage de ne pas diminuer vos défenses immunitaires, comme le font la plupart des produits chimiques.

Quant aux rhumes « coup de froid », il faut lutter contre et très vite. Il peut s'agir d'un accident, d'un coup de froid ; prenez conscience quand même qu'on ne s'enrhume pas lorsqu'on est en bonne santé et que dans ce cas, le coup de froid passe toujours à côté !

I. REMÈDES DES CORYZAS, RHUME DES FOINS

1. Estragon

Des chercheurs se sont aperçus depuis peu que certaines plantes étaient douées de propriétés anti-allergiques. Ils ont étudié les formules chimiques des plantes médicinales et ont trouvé des composants connus pour leur pouvoir anti-allergique. Testées expérimentalement, ces plantes se sont révélées efficaces, surtout l'une d'entre elles : l'estragon.

Cette découverte, fort intéressante, a rassuré tous les praticiens des médecines naturelles qui l'employaient empiriquement. Il est toujours préférable de savoir pourquoi vos traitements donnent des résultats. Ne serait-il pas possible de procéder d'une façon qui nous semble plus logique : répertorier toutes les recettes de médecines populaires françaises et essayer d'en percer les secrets, plutôt que de les traiter par le mépris !

Pour profiter de cette découverte récente, il vous suffit :

— Pour prévenir les crises lorsqu'elles sont périodiques et rythmées par les saisons : un mois avant l'apparition du coryza, prenez 4 gouttes d'huile essentielle d'estragon par jour, de préférence dans une salade assaisonnée d'huile de sésame et de vinaigre de cidre.

— Toute l'année, prenez l'habitude de manger de l'estragon, au moins une fois par jour dans l'un de vos plats, toujours cru. Le basilic a des propriétés similaires, mais moins prononcées. Vous pouvez le mélanger à l'estragon. En cas de crises, respirez fortement un petit flacon d'huile essentielle d'estragon que vous aurez toujours à portée de la main.

2. Cure dépurative

Au début du printemps, trois semaines environ avant le début des éternuements, faites une cure de la tisane suivante :

Sommités de marjolaine	30 g
Sommités de thym	30 g
Racine de violette	20 g
Fleurs de sureau	20 g
Feuilles de plantain	20 g
Sommités de petites centaurées	25 g
Racine de chicorée	25 g
Fumeterre	25 g
Racine de pissenlit	25 g

Préparation idéale : laissez macérer 5 cuillères à soupe de cette préparation dans un litre d'eau froide pendant deux heures. Portez à ébullition trois minutes et laissez infuser dix minutes.

Préparation pratique : mettez les cinq cuillères à soupe dans un litre d'eau froide. Portez à ébullition pendant cinq minutes, laissez infusez quinze minutes. Boire dans la journée en trois ou quatre prises.

3. Marron rouge

En cas de crise, prenez vingt gouttes d'extrait fluide de marron rouge dans un peu d'eau avant les trois repas.

Attention : le marron rouge contient des saponines, substances très irritantes pour les muqueuses (estomac, intestins) ; il est d'ailleurs classé *tableau c* en pharmacie où il n'est délivré que sur ordonnance. Il ne doit être employé que sur prescription d'un praticien.

Nous vous rappelons que le rhume des foins signale un terrain en déséquilibre. Le symptôme d'un jour à l'autre disparaît de lui-même. C'est à ce moment qu'il faudrait être inquiet, car cela signifie que l'organisme, fatigué de manifester sa réaction, va être victime d'un symptôme plus grave. Ne prenez pas votre affection à la légère et commencez un traitement de fond le plus tôt possible. Une seule méthode de soins donne des résultats immédiats et durables au début de l'apparition des troubles : la sympathicothérapie ! Des touches nasales pratiquées avec une goutte d'huile essentielle d'estragon peuvent éliminer définitivement votre coryza, lorsqu'il s'agit uniquement d'un déséquilibre du système sympathique.

II. RHUMES DES FOINS, COUPS DE FROID

1. Suppositoires aux huiles essentielles

De toutes nos préparations au naturel, c'est sans aucun doute celle qui donne les résultats les plus rapides. Elle présente un inconvénient : votre pharmacien vous demandera peut-être deux ou trois jours s'il est débordé. A vous d'insister pour l'avoir plus vite !

a) Rhume avec écoulements nasals sans toux :

Huile essentielle de thym rouge	à 2 g
Huile essentielle de citron	à 2 g
Huile essentielle de niaouli	à 2 g
Huile essentielle de lavande	à 2 g

Excipient q.s.p. un suppo de 3 g. Un suppositoire matin et soir.

b) Rhume avec toux :

Huile essentielle de fenouil	à 2 g
Huile essentielle d'origan	à 2 g
Huile essentielle de thym	à 2 g

Excipient q.s.p. un suppo de 3 g. Un suppositoire matin et soir.

Ces suppositoires peuvent se conserver trois mois au réfrigérateur. N'oubliez pas de mettre un peu de vaseline sur les suppositoires avant de les introduire.

2. Bains de pieds

Les bains de pieds chauds sont également des traitements d'urgence. Utilisés dès l'apparition des symptômes, ils doivent stopper immédiatement le rhume.

Il existe trois formules :

• Bains de pieds à la farine de moutarde ;

Délayez dans un bol d'eau froide 30 g de farine de moutarde ; lorsque la farine est complètement délayée, versez le bol dans une cuvette d'eau très chaude.

• Bains de pieds aux cendres :

Si vous êtes amateur de feu de bois au coin de la cheminée, cette solution devrait vous séduire. Versez une pelle de cendres (elles peuvent être chaudes) dans une bassine d'eau bouillante.

• Bains de pieds au savon noir :

Délayez dans un peu d'eau chaude 5 cuillères à soupe de savon noir ; ajoutez cette préparation à une bassine d'eau très chaude. Ce bain est peut-être le plus efficace des trois.

Dans les trois cas, le bain ne doit pas durer plus de dix minutes. Ajoutez de l'eau chaude pendant le bain, de façon à ce que la température reste au maximum du supportable. Sitôt le bain terminé, allongez-vous, chaudement couvert, surtout les pieds.

3. Tisanes

Comme avec les huiles essentielles, nous discernerons deux cas .

a) Rhume avec écoulements nasals sans toux ;

Sommités de thym	30 g
Bourse à pasteur	15 g
Alchemille	15 g
Fleurs de sureau	15 g
Feuilles d'aigremoine	15 g
Tilleul	15 g
Racine de violette	15 g
Pétales de souci	15 g
Racine de chiendent	10 g
Feuilles de bouleau	10 g

Comptez une cuillère à soupe pour une tasse d'eau bouillante. Laissez infuser dix minutes. Boire, si possible, quatre tasses/jour.

b) Rhume avec toux :

Sommités d'origan	40 g
Feuilles de tussilage	20 g
Fleurs de spirée ulmaire	20 g
Sommités de bouillon blanc	15 g
Feuilles de houx	10 g
Bourgeon de sapin	20 g
Sommités de véronique	10 g
Fleurs de violette odorante	10 g
Capillaire de Montpellier	10 g

Faites bouillir cinq cuillères à soupe dans un litre d'eau pendant dix minutes. Laissez infuser dix minutes. Buvez dans la journée.

---

4. Décoction d'oignons

Rapide dans son action, et de goût plus agréable que vous ne pouvez le croire, la décoction d'oignons est une excellente recette à connaître car on a très souvent un oignon sous la main.

Faites bouillir l'équivalent de 30 g d'oignons coupés en morceaux dans un litre d'eau pendant quinze minutes. Filtrer, sucrer au miel et ajouter un peu de lait. Boire dans la journée. Sachez qu'une bonne soupe au lait, avec du bouillon de poireau et d'oignon pour tout dîner est le meilleur des conseils que nous puissions vous donner. Quand l'organisme a besoin de lutter contre une affection, il faut lui laisser toutes ses forces disponibles. Ne le surchargez pas de nourriture, il a bien autre chose à faire. De plus, le poireau et l'oignon sont fébrifuges, expectorants, diurétiques, bactéricides ! Que voulez-vous de plus ?

---

5. Bains complets aux huiles essentielles

Un des traitements d'attaque que nous préférons parce qu'il est particulièrement efficace, c'est le grand bain chaud avec un mélange d'huiles essentielles de citron, d'organe et de lavande.

On trouve parfois ces bains tout préparés, en pharmacie, sous la marque Kamiflore. Si vous n'en trouvez pas, faites-vous préparer :

Huile essentielle d'orange	5 ml
Huile essentielle de lavande	5 ml
Huile essentielle de citron	10 ml
Labrafil Codex	20 ml
Huile de pépins de raisin	60 ml

Prenez un bain très chaud, avec trois cuillères à soupe du mélange. Dès que vous sortez du bain, allongez-vous et enveloppez-vous chaudement pour transpirer.

Tous les traitements que je viens de vous indiquer ne sont pas forcément compatibles entre eux. Certains se marient, d'autres se contrarient.

Vous pouvez faire en même temps :

I 1. I 2. I 3.

II 1. II 2. II 3.

II 1. II 2. II 4.

II 1. II 3. II 5.

Vous ne devez pas faire en même temps :

II 1a et II 1b.

II 2. II 5.

II 3. II 4.

VI. VOUS AVEZ MAL AUX OREILLES

Le mal aux oreilles se voit nettement plus souvent chez l'enfant que chez l'adulte. Il se produit fréquemment après un rhume ou une sinusite, à cause de la communication existant entre les voies aériennes supérieures et l'oreille, par la trompe d'Eustache. Il est donc impératif de traiter le terrain chez un enfant qui a fait plusieurs otites. Nous avons des remèdes, parfois très rapides, parfois un peu plus lents, qui arrivent à diminuer considérablement la taille des végétations adénoïdes. On évite ainsi le rhume chronique qui infecte les oreilles.

S'il dure plus de douze heures, le mal d'oreille nécessite une visite médicale pour examiner le tympan et les ganglions dans le cou. L'oreille coule-t-elle ? Existe-t-il un même côté toujours atteint en premier ? Il faut apprendre à déterminer quel élément atmosphérique déclenche une otite ou un mal d'oreille. L'altitude peut provoquer aussi des douleurs d'oreille. Sachez que nous avons un remède aux maux dus à l'altitude.

Chez l'enfant, il est impératif de moucher le nez (avec un mouche-nez s'il est tout petit), sans forcer, une trop grande pression dans le nez ferait fuser des sécrétions dans la trompe d'Eustache. Vous pouvez aussi utiliser un « diabolo ». C'est un petit dispositif troué que l'on place à la partie inférieure du tympan, pour permettre l'écoulement des sécrétions qui proviennent du nez et se trouvent derrière le tympan. Il assure aussi l'assèchement de l'oreille. Sa mise en place ne contre-indique absolument pas le traitement de fond quel qu'il soit.

Dernières recommandations : pour les enfants qui présentent des rhumes ou des rhino-pharyngites répétés, il faut supprimer définitivement toutes sortes de sucreries, bonbons, sucettes, gâteaux... responsables de la chronicité des troubles dans la majorité des cas.

Parmi tous les liquides que l'on injecte dans le nez, nous trouvons absolument inutile d'utiliser des produits à base d'antibiotiques locaux et, encore moins, de cortisone locale. La mise en place de sérum physiologique, voire de produits à base de soufre (sans antibiotique) nous a toujours suffi pour nettoyer les fosses nasales. Il existe aussi un produit, en bombe, à base d'eau de mer stérilisée.

Les remèdes homéopathiques

• Vous êtes congestif, avec la face rouge, des douleurs dans les oreilles avec rougeur et inflammation : c'est l'otite aiguë. La fièvre est moyennement élevée, avec un pouls mou rapide :

Ferrum Phosphoricum
Dilution : 5 CH, toutes les deux heures, puis espacer.
• Les trompes d'Eustache sont obstruées par des mucosités blanchâtres revenant du nez. C'est le classique « catarrhe tubaire ». Il existe souvent une toux et la langue est chargée :

Kallum Muriaticum
Dilution : 5CH, toutes les deux heures.
• Mal d'oreille brusque, faisant suite à un coup de froid sec :

Aconit
Dilution : une dose en 9 CH (ou cinq granules).
• Après un séjour dans une atmosphère froide et humide, vous ressentez une douleur aiguë dans les oreilles, qui vous empêche de dormir. L'articulation de la mâchoire craque en ouvrant la bouche. Voici le remède de l'automne :

Dulcamara
Dilution : 7 CH, trois granules toutes les heures.
• Vous avez pris un coup de froid, vous êtes anxieux. La classique aggravation se produit de 1 à 3 heures du matin. La douleur est brûlante et la chaleur améliore votre état. Dès que vous buvez la moindre quantité d'eau, vous la rejetez :

Arsenicum Album
Dilution : 7 CH, au souper et au coucher.
• La douleur est derrière l'oreille, sur l'os appelé la mastoïde. Il faut impérativement un examen médical :

Capsicum
Dilution : 5 CH, toutes les heures.
• Il y a répétition d'otites avec rhino-pharyngites.

Autre remède de l'humidité :
Manganum
Dilution : 7 CH, matin et soir.

Dans une otite, ne pas toucher aux remèdes suivants sans l'aide d'un thérapeute : *Hepar Sulfur, Pulsatilla, Sulfur, Lycopodium*.

Avec la phytothérapie, votre mal d'oreille, s'il est occasionnel, sera rapidement soulagé — et guéri — par une des préparations que nous proposons. En revanche, les otalgies à répétition et, a fortiori, des otites demandent une visite très complète chez un praticien compétent. Ayez toujours présent à l'esprit deux causes de maux d'oreilles auxquelles les médecins pensent trop peu souvent et qui constituent pourtant les points de départ les plus fréquents des otalgies chez l'adulte, et des otites chez l'enfant.

Chez l'adulte, ces douleurs (ainsi que les sifflements d'oreilles), proviennent fréquemment d'un mauvais positionnement des dents. La mâchoire a une mauvaise assise, le mouvement d'ouverture-fermeture se fait mal et petit à petit, l'oreille en subit les conséquences. Nous avons même vu en clientèle des surdités disparaître grâce à un travail de remise en place physiologique de la mâchoire. Malheureusement, les médecins (même les oto-rhino) y pensent peu, car les dents concernent les dentistes et il ne nous vient pas à l'idée de nous plaindre des oreilles lors d'un détartrage. Il s'est créé, depuis peu, une spécialité en dentisterie dans laquelle les praticiens ne soignent pratiquement plus les problèmes de dents classiques, mais ne s'occupent que du rééquilibrage des mâchoires.

Chez l'enfant, les otites proviennent beaucoup plus fréquemment qu'on ne peut le croire d'une mauvaise assimilation des aliments et surtout d'habitudes alimentaires aberrantes. Il est certain qu'avant de vous précipiter sur les antibiotiques (qui n'ont jamais guéri définitivement des otites à répétition !), il serait beaucoup plus sage de supprimer toutes sucreries (y compris les boissons sucrées) et de consulter un naturopathe spécialisé en diététique.

1. Huile de lys

Cueillez à la bonne saison cent grammes de pétales de lys. Mettez-les, sans les faire sécher, dans un quart de litre d'huile

d'olive et laissez macérer une semaine. Choisissez un récipient en terre vernissée muni d'un couvercle. Après une semaine, faites chauffer cette macération trois heures au bain-marie.
Laissez reposer deux à trois jours. Filtrez. Prenez un petit coton imbibé de cette huile et placez-le dans l'oreille douloureuse.

2. Boulette de persil

Hachez très finement des feuilles de persil. Mélangez-les avec un peu d'huile d'olive et de sel, de façon à obtenir deux petites boulettes que vous placerez dans chacune de vos oreilles au moment de vous coucher.
Même si vous ne souffrez que d'un côté, prenez soin de mettre une boulette dans chaque oreille. Le persil est un excellent dépuratif et désintoxiquant qui « nettoie » rapidement les engorgements, quelle qu'en soit la nature.

3. Fumigation locale

Ce procédé semble, à première vue, peu pratique. Il est en fait très simple, à condition de savoir s'organiser. Tout d'abord, faites préparer chez votre pharmacien le mélange suivant :

H.E. Cajeput   10 ml
H.E. Thym rouge   10 ml
Labrafil   30 ml
Huile végétale codex   50 ml

Emplissez une théière d'eau bouillante. Ajoutez une cuillère à soupe de la composition. Fermez le couvercle et placez le bec à l'entrée de votre conduit auditif. Gardez la position (en évitant les torticolis !) tant que la vapeur s'en échappera.

Les remarquables propriétés antiseptiques du thym et du cajeput détruiront rapidement toute infection locale.

4. Bain de pieds chaud

Voici une méthode beaucoup plus efficace qu'elle n'y paraît.

C'est peut-être la seule que vous pourrez appliquer si votre douleur d'oreille survient, comme par hasard le dimanche soir, que votre pharmacien de quartier est fermé et que votre pharmacie personnelle ne recèle aucune des merveilles décrites dans ce chapitre.

Si cela vous arrive, ne vous désolez pas. Versez tout simplement de l'eau très chaude dans une bassine (42°) et baignez-y vos pieds pendant quinze minutes. Il est indispensable que la température reste constante ; vous serez donc obligé d'ajouter de l'eau chaude durant votre bain.

Le bain de pieds chaud calme non seulement toute douleur d'oreille, mais également les céphalées et les migraines. En faisant un appel de sang au niveau des pieds, la tête se décongestionne et la douleur se calme.

5. Vaporisation d'infusion de sureau

Prenez une poignée de fleurs de sureau séchées. Vous en trouverez facilement chez votre pharmacien. Jetez-les dans un demi-litre d'eau bouillante et laissez-les infuser dix minutes. Filtrez.

Emplissez un vaporisateur avec l'infusion encore tiède et vaporisez l'intérieur de l'oreille.

Le sureau est très intéressant car non seulement il est dépuratif, mais en plus, ses fleurs sont anti-névralgiques. Vous pourrez d'ailleurs les utiliser en cataplasme pour soulager n'importe quelle douleu

6. Instillation d'huile de camomille

En cas de douleurs, mettez quelques gouttes d'huile de camomille dans votre oreille et bouchez — celle-ci — avec un petit coton.

Vous trouverez de l'huile de camomille toute prête en pharmacie, mais elle n'est pas préparée avec de l'huile d'olive qui pourtant donne de meilleurs résultats. Il donc préférable que vous fassiez l'effort de la préparer vous-même :

10 cuillères à soupe de fleurs de camomille
pour 1/2 litre d'huile d'olive.

Faites chauffer un bain-marie pendant deux heures.

Passez une première fois en pressant les fleurs, puis une seconde fois avec une passoire très fine pour être certain qu'il ne reste aucune particule.

Tous les traitements que je viens de vous indiquer ne sont pas forcément compatibles entre eux. Certains se marient, d'autres se contrarient.

Vous pouvez faire en même temps :

1. 3. 4.

2. 5. 4.

Vous ne devez pas faire en même temps :

1. 2.

3. 5.

1. 6.

VII. VOUS AVEZ DES BOURDONNEMENTS D'OREILLES

Pour tout phénomène de bruit anormal et permanent survenant à l'oreille (sifflements, bourdonnements, bruit de machine à vapeur, etc.), vous devez d'abord faire établir un bilan spécifique. Surtout si l'apparition est soudaine et si le bruit persiste, accompagné de troubles de l'audition et de l'équilibre. Lorsque ce sera fait, vous serez certainement rassuré sur votre audition et sur votre oreille interne : tout est normal aux examens... mais le bruit continue ! Cette question de spécialité oto-rhino-laryngologique va nous permettre d'évoquer une réflexion d'ordre personnel. Nous donnerons d'abord un avis médical sur les traitements classiques pour les bourdonnements d'oreilles. On affirme dans le milieu médical que l'origine de ce symptôme est circulatoire. Nous admettons en partie qu'un certain effet peut se faire sentir au niveau circulatoire. Mais les traitements de choc allopathiques veulent « oxygéner », accélérer la circulation cérébrale et périphérique, et « vasodilater » (c'est-à-dire dilater les vaisseaux). Or, on sait actuellement qu'une artère un peu sclérosée n'est absolument pas dilatable (ce qui fait dire maintenant « oxygénateurs » cérébraux au lieu de « vasodilatateurs »). Tous ces traitements n'ont absolument aucun effet sur les bourdonnements d'oreilles. Certains patients nous affirment même que les symptômes en ont été aggravés.

D'ailleurs, une artériole du système de l'oreille interne (appelée « cochléo-vestibulaire »), ou une artériole des organes de perception auditive, est d'un diamètre infime. Elle ne peut donc pas être responsable d'un tel symptôme. Certains médecins l'ont compris, qui après un traitement sur les vaisseaux « infructueux » prescrivent avec succès des tranquillisants ou des anxiolytiques (pour combattre l'anxiété).

Alors comment continuer à croire que l'origine des bourdonnements d'oreilles est circulatoire si les tranquillisants les calment ? Il est dès lors logique de bien s'examiner pour comprendre le sens de ce symptôme, comme chaque fois que l'on décèle un signe d'origine nerveuse.

D'abord, vous remarquerez que les oreilles bourdonnent régulièrement la nuit, au moment de s'endormir, souvent lorsqu'on lit dans le silence. Cela signifie, en premier lieu, que le silence révèle le symptôme. Si l'on se trouve dans un bruit relatif, il faut lui prêter attention pour l'entendre. Ensuite, cela indique le moment où l'on se retrouve seul avec soi-même, le moment où, même inconsciemment, on fait une sorte de bilan de ce que l'on vit. Il faut analyser de façon simple et calme de quoi est faite sa propre vie, ce qui cause des perturbations dans l'entourage ou le travail, bref tout ce qu'on appelle « les soucis ».

Il faut comprendre une idée qui nous est chère : l'oreille est « impliquée ». Or, qu'est-ce que l'oreille, sinon la porte d'entrée des sons, l'ouverture vers les autres et la communication ? ! On a maintes fois affirmé que la surdité, chez certaines personnes, était une façon de se couper des autres, de ne plus « entendre » les autres, de s'isoler.

Pour éviter d'en arriver là, il faut être apte à « supporter », à entendre l'autre, donc à avoir déjà résolu certaines de ses propres difficultés de vie. Ici, nous évoquons une notion d'ouverture vers autrui, et forcément, de service rendu. Si je suis au service des gens, c'est soit que j'ai surmonté mes propres difficultés, soit que je les occulte et les mets dans un coin de ma tête.

Il est donc nécessaire de se retrouver face à soi-même une fois par jour, ne serait-ce que 10 à 15 mn, ou au moins une fois par semaine. Il est indispensable de faire un bilan annuel de ses propres activités. Il faut « rentrer un peu en soi-même » pour voir le chemin parcouru depuis l'année dernière, l'évolution opérée, et évoquer intérieurement les projets pour l'année à venir. En faisant ce travail d'introspection, on agit et on pense positivement. Tout ce qui est projet d'avenir, espoir d'amélioration, opère un travail constructif sur l'être humain.

Nous citerons Edward Bach, auteur d'un remarquable ouvrage sur les remèdes floraux. Atteint d'une maladie grave, il se savait perdu. Il s'est acharné sur un travail à finir, et qui devait rendre service à l'humanité.

Edward Bach s'est vu guérir de sa maladie ! Il avait mobilisé toutes ses forces sur une œuvre altruiste, sans l'idée intéressée de se guérir.

Nous citons cette petite histoire pour expliquer qu'un travail constructif effectué sur son évolution personnelle est positif ; le faire sans s'examiner narcissiquement le nombril est meilleur ; le réaliser dans un sens d'amélioration, afin d'être plus disponible pour autrui, est l'aboutissement.

Pour revenir au bourdonnement d'oreilles, nous émettons donc l'idée qu'il peut être le résultat d'un repli sur soi-même. Quitte à aller un peu à l'encontre des notions psychanalytiques, nous affirmons que, bien qu'il soit mauvais d'intérioriser des conflits (nous en parlons à propos du remède « Staphysagria », chap. « démangeaisons de la peau »), on peut tout de même faire une exception : supporter certains de ses conflits, en cessant de se tourner vers soi et en s'offrant au service d'autrui. A ce moment, toutes les idées d'altruisme prennent un sens médical.

• Il existe, néanmoins, des bourdonnements d'oreilles ayant une origine externe, notamment chez les personnes travaillant au bruit, y compris en bordure de rue à circulation dense. Voici un remède homéopathique pour mieux supporter le bruit :

Theridion que nous donnons en prise quotidienne en 5 CH au début, puis en 7 CH ou en 9 CH selon l'effet obtenu.

• Une autre cause peut être l'intoxication médicamenteuse à l'aspirine ou au sulfate de quinine que certaines personnes utilisent, ou ont utilisé, dans les états grippaux.

Natrum Salicylicum (le salicylate de sodium)
(l'aspirine étant l'acide acétyl-salicylique, un proche parent).

Dilution : en 5 CH, trois fois par jour.

• Si ce remède s'avère inefficace, prenez :

Chininum Sulfuricum (le sulfate de quinine)

Dilution : 5 CH, trois fois par jour, à espacer dès amélioration, ou à augmenter en dilution. Ici, chaque personne trouvera la dose et la dilution qui lui conviennent.

• Enfin, s'il s'agit réellement d'une sclérose vasculaire, nous avons toute une série de remèdes de sclérose que nous ne pouvons traiter ici, car leur choix se fait en fonction du terrain du patient. En revanche, il est utile de prendre une spécialité d'orientation anthroposophique à base de plomb et de miel :

Plumbum Melitum D12 trituration

que vous prendrez à raison d'une mesure trois fois par jour à sec sur la langue, pendant trois semaines. Puis vous consulterez pour juger de l'opportunité de la poursuite du traitement ou du passage en dilution plus élevée.

• Enfin, nous citerons deux remèdes qui sont à utiliser après Chininum Sulfuricum, si ce dernier n'a pas été efficace :

Cedron :
remède de choix dans les bourdonnements d'oreilles causés par la quinine. C'est un remède de névralgies ou de migraines revenant régulièrement à la même heure
Dilution : 7 CH, trois fois par jour.

Tanacetum :
bourdonnements d'oreilles survenant sur un vermineux ; encore un symptôme dû aux vers ! Vous avez une sensation d'oreilles qui se bouchent brusquement. C'est aussi un remède de convulsions dues aux vers.
Dilution : 4 CH, trois fois par jour.

Pour la phytothérapie, le bourdonnement d'oreilles est un symptôme on ne peut plus personnel. Voilà l'exemple type de la maladie « sonnette d'alarme » qui nous est chère. Il s'agit d'une fausse maladie, inguérissable par la médecine allopathique-symptômatique. Ceci est à ce point vrai qu'un de nos malades, journaliste chroniqueur médical, affligé de ce trouble, étant allé voir un « grand professeur » (le plus grand, bien sûr), s'est entendu répondre textuellement :

— « Bourdonnements ? Sifflements ? connais pas ! » et, montrant sa vaste bibliothèque : « vous ne trouverez aucune trace de cette maladie dans ces ouvrages ».

Ce professeur était honnête. Notre patient bien surpris. Ce n'est pas une maladie, mais bien un appel au secours d'un organisme perturbé. Ce symptôme nous fait toujours penser au sifflement de la cocotte-minute lorsque la pression interne devient trop forte.

Pensez-y !

Ceci dit, les bourdonnements peuvent être provoqués par une autre cause, un blocage articulaire au niveau des vertèbres cervicales, par exemple. Nous avons guéri, définitivement, de nombreux malades de ce symptôme par des manipulations vertébrales. Dans tous les cas, il s'agissait de troubles récents.

D'autres thérapies, agissant par voie réflexe, comme la sympathicothérapie, l'auriculothérapie ou l'acupuncture peuvent améliorer les bourdonnements. Il est rare (mais pas impossible) que la guérison soit totale et définitive. Les recettes naturelles que nous vous proposons ne sauront être que des traitements d'appoint. Comme vous vous en apercevrez, elles sont souvent destinées à agir sur votre état de tension nerveuse. Puisque les médecins utilisent de plus en plus de tranquillisants et d'anxiolytiques pour soigner ce trouble, il est peut-être préférable de suivre nos conseils. Au moins vous éviterez de vous intoxiquer, tout en détenant un résultat similaire.

1. Tisane sédative, stimulant la circulation

Pour les sujets anxieux, névrosés, dont les bourdonnements sont accrus au moment de dormir et la nuit :

Basilic feuilles	30 g
Hamamelis feuilles	20 g
Vigne rouge feuilles	20 g
Sommités de ballote	30 g
Aubépine fleurs	30 g
Aspérule odorante plante entière	30 g

Versez quatre cuillères à soupe de ce mélange dans un litre d'eau froide. Laissez macérer une heure, puis portez à ébullition. Faites bouillir une minute et laissez infuser dix minutes. Filtrez. Buvez deux à trois tasses par jour, dont une au coucher.

2. Mélange anti-spasmodique

Nous recommandons cette préparation aux personnes irritables, coléreuses, surmenées et ayant des problèmes cardio-vasculaires :

Teinture Mère de passiflore ⎤
Teinture Mère d'aubépine   ⎥
Teinture Mère de basilic   ⎬ àà 20 ml
Teinture Mère de mélisse   ⎦

Prenez 25 gouttes de cette mixture, mélangée à une cuillère à café de miel de fleurs d'oranger, matin et soir, dix jours par mois.

3. Bourdonnements d'oreilles, nervosisme et insomnie

Tisane calmante à prendre après le repas du soir :

Mélisse feuille	25 g
Calament plante entière	25 g

Valériane racine	10 g
Gentiane racine	20 g
Violette fleurs	20 g

Versez deux cuillères à café de ce mélange dans 1/4 de litre d'eau froide. Laissez macérer deux heures. Portez à ébullition une minute et laissez infuser dix minutes. Filtrez.

---

4. Bain de siège aux plantes

Ce bain doit immédiatement précéder votre coucher. Il doit se faire avec de l'eau froide. Sa durée est brève : pas plus de dix secondes. Renforcez son efficacité en lui ajoutant cette préparation refroidie.

Pour un litre d'eau :

une poignée de feuilles de mélisse

une poignée de feuilles de marronnier

d'Inde.

Laissez infuser quinze minutes et filtrez.

---

5. Pressions des doigts

Cinq ou six fois par jour, exercez des pressions sur les articulations des deux derniers doigts (auriculaire et annulaire) de chacune de vos mains. Ces pressions doivent être maintenues une à deux minutes au niveau de chaque articulation. Cette réflexothérapie luttera encore mieux contre vos bourdonnements d'oreilles si vous lui associez une huile essentielle.

Pour cela, avant d'exercer les pressions, enduisez légèrement vos articulations *d'huile essentielle de lavande*.

---

6. Bourdonnements d'oreilles et statique vertébrale défectueuse

Si vous souffrez d'une raideur de nuque, de « torticolis » fréquents, si une station assise prolongée, un travail de bureau ou bien encore la conduite automobile vous occasionnent des douleurs au niveau du cou, des épaules, faites matin et soir ces deux mouvements de gymnastique douce :

• assis sur une chaise, dos collé au dossier, mains posées à plat sur les cuisses, laissez « tomber » votre tête sur la poitrine, fermez les yeux et comptez lentement jusqu'à dix, en soufflant par la bouche et en inspirant par le nez. Cette posture assouplira la musculature de votre cou et notamment détendra les muscles trapèzes ;

• assis sur une chaise, dos collé au dossier, faites « rouler » votre tête d'une épaule à l'autre, en dessinant des cercles de plus en plus grands. Faites dix cercles dans chaque sens, très lentement, sans aller trop loin en arrière. En revanche, essayez de toucher votre épaule avec votre oreille à chaque passage. Petit à petit, vous gagnerez en souplesse et en force, et ce mouvement presque impossible au début deviendra vite pour vous une véritable détente.

Si les douleurs de la nuque et les bourdonnements d'oreilles persistent malgré cette gymnastique, adressez-vous à un praticien qui, s'il le juge nécessaire, pratiquera alors une manipulation vertébrale.

---

7. Remède populaire

Bien que simpliste, il a souvent rempli sa mission :

• placez dans l'oreille un coton imbibé de jus d'oignon frais. Les nombreuses propriétés de l'oignon, ce légume gage de santé, de longévité, qui est aussi antithrombosique, anti-infectieux et légèrement hypnotique, nous prêtent de toutes façons à croire le bien-fondé de ce vieux remède. Malheureusement, il vous faudra... dormir seul !

Tous les traitements que je viens de vous indiquer ne sont pas forcément compatibles entre eux. Certains se marient, d'autres se contrarient.

Vous pouvez faire en même temps :

    1. 4. 6. 7.
    2. 4. 5. 6. 7.
    3. 4. 6. 7.

Vous ne devez pas faire en même temps :

    1. 2. 3.

VIII. VOUS TOUSSEZ

La toux est un symptôme qui peut révéler de nombreuses affections. Il faut avant tout savoir pourquoi vous toussez, que ce soit une bronchite, une trachéite, une toux nerveuse, une toux réflexe ou une maladie des poumons (asthme, cancer, allergie, verminose).

La pollution atmosphérique est très fréquemment en cause. Encore une fois, l'organisme a de la patience, et la nature est bien faite, car respirer toutes ces impuretés et ne pas avoir plus de maladies pulmonaires est une gageure. Sachez en tous cas que le tabac est une des causes les plus fréquentes de rhino-pharyngites et de bronchites à répétition... des enfants !

Oui, des enfants ! Cela, à cause des atmosphères surchargées des lieux clos (appartements et voitures). On appelle cela « l'inhalation passive du tabac » ; les enfants deviennent aussi des fumeurs passifs. N'omettons pas les personnes travaillant dans un bureau où plusieurs collègues fument, et qui sont atteintes de troubles pulmonaires... sans fumer !

Dans l'espèce humaine, on trouve une sous-espèce très particulière qui devient une catégorie de « mutants » : les fumeurs ! Ces gens sont caractérisés par :

• une accoutumance féroce, voire agressive, avec un esclavage tel que plusieurs d'entre eux sont capables de faire des kilomètres, à deux heures du matin, si le petit paquet cartonné est vide. L'angoisse les prend alors à la gorge et le manque est là, souvent psychologique ;

• un sans-gêne total lorsque d'autres individus se disent gênés par l'odeur du tabac ; alors qu'ils pourront, par ailleurs, céder leur place dans l'autobus, ils sont pris d'un sourire agacé lorsqu'on leur dit d'éteindre leur cigarette. Pratiquement aucun ne le fait ; ou alors, ils rallument une autre cigarette cinq minutes plus tard.

Voici une série de symptômes gênants :

• Pour eux :
toux matinale, gorge irritée, essoufflement au moindre effort, troubles digestifs divers, mauvaise coordination cérébrale, trous de mémoire, faiblesse sexuelle, etc.

• Pour les autres :

mauvaise haleine permanente, pollution systématique des lieux privés et publics. Certains hommes m'ont dit qu'en embrassant leur compagne fumeuse, « ils avaient l'impression d'embrasser un routier musclé ». Si cela leur plaît...

• Pour la société :
une dépense gigantesque. D'abord le prix du tabac : plusieurs milliards de francs par an. Puis, le prix des maladies causées par le tabac : plusieurs dizaines de milliards de francs ainsi évaporés.

Par ailleurs, les femmes s'y mettent de plus en plus : nous assistons de plus en plus souvent à la scène de la mère qui donne à manger ou qui change son enfant avec une cigarette à la bouche.

Ces éléments posés, il est important de rechercher si, pour vous-même ou dans votre entourage, il n'existe pas une intoxication même passive par la fumée du tabac. Ce qui expliquerait déjà une toux chronique irritative. Autre cause connue : la toux vermineuse. Nombre d'enfants voient leur toux diminuer avec des remèdes qui agissent sur le terrain vermineux, sans prendre aucun remède spécifique de la toux.

Enfin, on peut tousser accidentellement et d'une façon limitée dans le temps, pour des raisons atmosphériques, de fatigue, de surinfection venue d'une rhume ou d'une angine. Quoi qu'il en soit, toute toux anormalement prolongée devra motiver un examen approfondi des bronches.

Les remèdes homéopathiques

Voici des symptômes que vous avez certainement déjà vécus ou remarqués chez autrui :

• Toux spasmodique, quinteuse, avec chatouillement dans la gorge, tendance suffocante et parfois imitant le chant du coq. Elle est aggravée la nuit en position couchée, s'accompagne de rougeurs de la face et de douleurs de la poitrine. « Le malade se tient la poitrine ou le ventre à pleines mains ». Il y a parfois rejet de mucosités, striées de sang.

Vous êtes agité, vous avez peur de la solitude, le lit vous paraît dur :
Drosera
Dilution : 5 CH.

• Un coup de froid sec. La température monte sans que le

sujet ne transpire. Peau chaude et sèche :
Aconit
Dilution : 7 CH

• Vous êtes abattu, vous transpirez et la fièvre vous fait délirer. Votre tête est congestionnée, chaude et douloureuse, vos yeux sont rouges, votre gorge est sèche et vous avez soif. Votre toux est sèche, aggravée le soir et avant minuit :
Belladonna
Dilution : 5 CH, toutes les 1/2 heures. 15 CH s'il y a abttement et délire.

• La toux a été provoquée par un temps froid et humide. Elle est sèche, s'accompagnant souvent d'enrouement. C'est la classique bronchite du touriste qui passe de la chaleur sèche de l'été à la fraîcheur humide d'une grotte, visitée en short et chemisette. Il y a parfois des mucosités dans la gorge, difficiles à expulser. Voici un remède des effets de l'humidité sur l'organisme : maux de tête, rhumatismes, névralgies, otites, angines, diarrhées, rhumes, urticaire... et toux :
Dulcarama
Dilution : 5 CH, toutes les deux heures. 9 CH à 15 CH, trois fois par semaine, pour « désensibiliser » l'organisme à l'humidité.

• Vous avez une toux sèche, violente, épuisante, avec une sensation de chatouillement au niveau de la gorge. C'est un remède de bronchite asthmatiforme et de congestion :
Sanguinaria
Dilution : 5 CH, toutes les heures.

• Vous avez une toux sèche, quinteuse. Le moindre mouvement, même celui causé par la toux, aggrave le mal à la poitrine et dans la tête. Vous tenez votre poitrine ou votre tête, comme pour limiter les secousses. L'action du remède est souvent localisée au poumon droit. Il existe souvent des symptômes digestifs (ce qui confirme, comme dans plusieurs autres remèdes, la relation très étroite qui existe entre les systèmes pulmonaire et digestif). Vous avez une langue sèche, une grande sécheresse des muqueuses avec soif intense, et vous êtes constipé :
Bryonia
Dilution : 5 CH, toutes les 1/2 heures.

• Votre toux est spasmodique, incessante, violent, suffocante avec une pâleur et parfois un saignement du nez ou un crachat strié de sang. Caractéristique : vous avez la langue propre. C'est aussi un remède de bronchite asthmatiforme, de nausée et de vomissement :

Ipeca

Dilution : 5 CH, toutes les heures.

• Votre toux est grasse, déchirante, aggravée le soir et vers 2 ou 3 heures du matin, suivie de crachats, de mucosités épaisses et filantes qui pendent hors de la bouche en longs filaments. C'est aussi le remède de sinusite infectée :

Kali bichromicum

Dilution : 5 CH, toutes les deux heures. 15 CH, si vous ressentez le mal de tête typique du remède : un point très précis, douloureux au-dessus du sourcil.

• Bronchite chronique avec toux grasse, oppression et expectoration jaunâtre, comme dans Pulsatilla, son remède le plus proche. (Merveille de l'homéopathie : les résidus de combustion de l'anémone pulsatille montrent une grande quantité de Sulfure de potassium (Kali-Sulfuricum), ce qui indique bien la parenté de ces deux remèdes et l'harmonie des éléments de la nature). La respiration est bruyante :

Kali Sulfuricum

Dilution : 5 CH, toutes les heures.

• Le patient est abattu et prostré, la température est élevée. C'est souvent un petit tuberculinique qui vient de prendre un coup de froid. Il a l'impression que tout est à vif dans sa poitrine lorsqu'il tousse. Il a souvent un coryza excoriant avec obstruction de la narine gauche. L'enrouement s'aggrave au fur et à mesure qu'il fatigue sa voix en parlant (à la différence de RhusTox, qui s'éclaircit la voix dès qu'il parle). Une caractéristique : les lèvres sont sèches, saignantes et il s'arrache les peaux jusqu'au sang. Il existe parfois de petites taches rougeâtres sur la peau et une langue « à vif » rouge-framboise. C'est aussi le remède le plus connu de l'extinction de voix :

Arum Triphyllum (le gouet à trois feuilles)

Dilution : 7 CH, toutes les heures.

• Vous respirez si bruyamment qu'on vous entend à distance. Vous crachez peu, mais on voit vos narines animées de mouvements rapides, comme si vous vouliez attraper un maximum d'oxygène. Vos sueurs sont froides, vous êtes anxieux. La toux est suffocante, en rapport avec l'absorption d'aliments. Elle est plus marquée à 3 heures du matin. Vous êtes si faible que vous ne pouvez rester assis. Vous glissez à gauche et à droite, et vous avez besoin d'être calé avec des coussins. Vous avez des symptômes digestifs tels que : nausée, vomissements, gaz, langue blanche, et vous réclamez des boissons acides (eau citronnée) :

Antimonium Tartaricum

Au fur et à mesure que nous avançons vers les remèdes plus graves (comme Antimonium Tartaricum), il est bien évident que l'auscultation par votre thérapeute devient indispensable. Vous pourrez commencer à prendre le remède en 5 CH, toutes les heures, en attendant sa visite.

• Vous êtes des plus frileux. Vous avez une toux systématiquement déclenchée en passant du chaud au froid. Une douleur déchirante au larynx vous donne la sensation de respirer de l'air froid :

Rumex Crispus (la patience sauvage).

Dilution : 5 CH toutes les 2 heures puis espacez.

• Voici un remède tiré d'un parasite de certaines plantes, qui se fixe comme une cupule marron sur les tiges et les feuilles. La préparation homéopathique de cet animal est un excellent remède de toux à condition qu'il y ait les symptômes suivants : vous présentez, au cours d'une rhino-pharyngite, une toux spasmodique, quinteuse et suffocante avec une rougeur pourpre de la face. Vous rejetez d'abondantes mucosités incolores, épaisses, visqueuses, filantes, qui pendent dans votre bouche. Les mamans diront : « l'enfant vomit des glaires ». Votre état s'améliore à la fraîcheur :

Coccus Cacti (la cochenille).

Dilution : 5 CH toutes les 2 heures puis espacez.

• Vous avez un coryza abondant. Vous toussez en position allongée. Vous êtes très sensible au courant d'air. Le moindre souffle d'air qui vous atteint aggrave votre toux ;

Aralia Racemosa (Aralie à grappes ou Salsepareille de Virginie).

Dilution : 5 CH toutes les 2 heures puis espacez.

• Votre toux est sèche, déchirante, suivie de crachats peu abondants. Vous êtes frileux, anxieux, vous avez peur de la mort. Votre état s'aggrave entre 1 heure et 3 heures du matin. Vous avez peur d'être empoisonné avec les remèdes que l'on vous donne. Vous désirez de l'eau, mais elle reste comme un poids sur l'estomac, puis vous la rejetez. Vous avez souvent des brûlures d'estomac calmées par des boissons chaudes :

Arsenicum Album

Dilution : 5 CH toutes les 2 heures puis espacez.

Les dilutions des remèdes de toux sont difficiles à définir. Commencez toujours par 4 CH ou 5 CH, toutes les 2 ou 3 heures, puis espacez ou déterminez avec votre thérapeute l'augmentation de la dilution.

Il existe des préparations de spécialités homéopathiques en sirop contre la toux. Elles sont souvent efficaces, mais variables selon les tempéraments. Il est donc utile de les essayer plusieurs fois pour déterminer lequel vous correspond le mieux :

      Sirop Stodal
      Sirop Drosetux
      Elixir contre la toux Weleda

Enfin, lorsqu'une toux est difficile à classer dans un remède précis (nous n'en avons cité qu'une infime quantité), il est utile de prendre la préparation d'orientation anthroposophique suivante :

      Aconit D3
      Bryonia D2
10 gouttes 4 fois par jour (3 à 5 gouttes chez l'enfant)
associée à :
      Phosphorus D5
      Tartarus D3
10 gouttes toutes les 2 heures (3 à 5 gouttes chez l'enfant)

Lorsqu'il y a enrouement :
Pimpinella Anisum D3
Pyrite D3   Trituration
Saccharum Tostum D3
1 mesure 3 à 5 fois par jour, à sec sur la langue.

A noter une excellente préparation en médecine d'orientation anthroposophique, pour toutes maladies respiratoires :

Arnica, Flos	0,25 %	
Camphora	0,125 %	
Ol. Aeth. Eucalypti	6,25 %	
Ol. Aeth. Petros	6,25 %	huile 100 cc
Ol. Aeth. Pini	82,5 %	
Ol. Aeth. Rosmarini	1,25 %	

que vous passerez sur la poitrine matin et soir, et avant le coucher. Cette préparation peut éviter bien des remèdes.

La tisane d'orientation anthroposophique :

Althaea	1 p
Cetraria Island	2 p
Pimpinella Anisum	1 p
Prunus Spin. Flos	3 p
Sambucus Nigra. Flos	3 p

sera une aide précieuse à raison d'une à trois tasses par jour que vous pouvez sucrer avec l'élixir contre la toux Weleda.

Pour le naturopathe, il faut distinguer deux genres de toux :
— la toux chronique ;
— la toux occasionnelle.

La toux chronique est d'apparition insidieuse ou consécutive à une toux occasionnelle mal soignée. Elle peut être due à une pollution : tabac, gaz d'échappement (pour le garagiste), produits toxiques inhalés régulièrement pendant le travail ou, tout simplement, pollution atmosphérique des villes que certains sujets particulièrement sensibles supportent mal. Nous voyons de temps en temps en consultation des toux devenir chroniques après une affection d'apparition brutale, traitée par antibiotique. Soit que l'antibiotique est mal choisi (cette fâcheuse tendance à les choisir à très large spectre, afin de ne pas avoir à réfléchir), soit que le malade, s'estimant guéri au troisième jour, ne juge pas utile de poursuivre le traitement jusqu'au bout, soit que le diagnostic est mal posé. Ceci peut arriver, par exemple en cas de coqueluche, si le praticien en stoppe l'évolution par des antibiotiques en pensant avoir affaire à une banale bronchite. Nous voyons aussi des toux causées à distance par un foyer infectieux, dentaire notamment. Ces toux chroniques sont toujours difficiles à soigner, et le traitement est long car une infection chronique entraîne toujours une perturbation au niveau du foie et des intestins. Il ne suffit donc pas de stopper la toux, il faut également soigner ces organes.

Dans ce chapitre, nous vous donnons les moyens d'arrêter cette infection. Mais c'est loin d'être suffisant, car si foie et intestins ne sont pas « nettoyés » et stimulés, votre toux reviendra, et vous vous préparerez des maladies beaucoup plus graves. Ne prenez pas ce symptôme à la légère. Nous pensons de plus en plus qu'il peut annoncer des maladies irréversibles s'il persiste.

Quant aux toux d'apparition brutale, qu'elles soient consécutives à un refroidissement ou à une atteinte microbienne, nous préférons nos méthodes douces qui aident l'organisme à combattre la maladie tout en respectant son évolution. Ceci nous évite de nous retrouver face à une maladie chronique, beaucoup plus difficile à traiter.

I. TOUX D'APPARITION RAPIDE

1. Sirop de radis noir

C'est notre recette fétiche, d'efficacité constante et prouvée. Non seulement elle stoppe rapidement la toux sans encombrer l'organisme comme les sirops du commerce, mais elle dynamise, grâce à la forte concentration en vitamines C du radis noir. De plus, c'est un fantastique cholagogue, et votre foie en sera rajeuni et vitalisé.

Lavez bien le radis noir sans ôter la peau. Coupez-le en tranches fines. Disposez-le dans un saladier avec du sucre candi ou du sucre roux cristallisé : une couche de tranches de radis, une couche de sucre, une couche de tranches de radis, etc… Ajoutez un jus de citron. Attendez deux à trois heures.

Buvez le jus à raison de six cuillères à soupe par jour en cas de toux rebelle.

2. Ecouvillonnage aux huiles essentielles

Indispensable en cas de toux, l'écouvillonnage vous évitera les sempiternelles prolongations rhino-pharyngées, avec les complications au niveau des oreilles, sinus, arrière-gorge, bronches, mais aussi leurs conséquences désastreuses (bien que souvent ignorées) au niveau du foie, des reins, des intestins et des organes génitaux.

En effet, en raison des correspondances réflexes entre la muqueuse rhino-pharyngée et tous les organes du corps, l'arrière-gorge se trouve être le point de départ de bien des grandes maladies infectieuses et de presque tous les états morbides. Ne parlons pas des cas d'impuissance que nous voyons quotidiennement en clientèle.

Utilisez un porte-coton légèrement recourbé (à défaut, le manche d'une cuillère). Recouvrez-le de coton imprégné du mélange suivant :

  1 cuillère à soupe d'huile d'amandes douces
  1 goutte d'huile essentielle de genévrier
  1 goutte d'huile essentielle de thym
  1 goutte d'huile essentielle d'origan
  1 goutte d'huile essentielle d'eucalyptus
  1 goutte d'huile essentielle de cajeput

Badigeonnez largement l'arrière-gorge en passant bien derrière la luette, en remontant un peu et en effectuant un léger raclage. L'écouvillonnage détruit les germes par l'action bactéricide des huiles essentielles de plantes et favorise le renouvellement de la muqueuse. Pratiquez-le tous les matins avant le déjeuner, surtout l'hiver et vous serez sûr de rester en pleine forme sans jamais tousser.

En cas d'angine déclarée, choisissez de préférence le mélange suivant :

  Huile essentielle de thym
  Huile essentielle d'origan déterpenée
  Huile essentielle de sauge
  Huile essentielle de lavande

Ou mieux encore, les huiles essentielles révélées par votre aromatogramme (dont vous trouverez un paragraphe explicatif dans l'introduction de ce livre).

3. Tisane expectorante et calmante

Buvez matin et soir une tasse de l'infusion suivante, sucrée au miel :

Bouillon blanc fleur
Primevère officinale plante entière
Lierre terrestre feuille
Fenouil semences concassées   àà 20 grammes
Violette fleur
Pommier fleur
Guimauve fleur

Comptez une cuillère à soupe par tasse d'eau bouillante. Laissez infuser dix minutes.

4. Massages réflexes

Dernier conseil en cas de quinte de toux, le massage réflexe n'est pas un moyen de guérir mais de calmer, voire de stopper une crise. Pour cela, trois points sont à masser en tournant dans le sens contraire des aiguilles d'une montre et en pressant fortement.

Entre le pouce et l'index, à la base des doigts.

A la base des doigts, sur la paume de la main.

L'arête du nez.

Le point précis est, à chaque fois, facile à trouver ; il est toujours plus sensible (voire même franchement douloureux) que la zone qui l'entoure. Vous obtiendrez de meilleurs résultats en massant les points des mains avec de l'essence de marjolaine.

II. TOUX CHRONIQUE

Pour les toux chroniques, le traitement de base consistera toujours à faire pratiquer un aromatogramme, à rechercher les huiles essentielles de terrain et à composer un traitement de longue haleine (deux/trois mois ou plus) sous forme de gélules. Cette médication sera renforcée par des remèdes homéopathiques si le médecin homéopathe le juge utile ou par des préparations de phytothérapie. Cette aromathérapie par voie interne sera toujours complétée par un écouvillonnage quotidien (cf. « Toux d'apparition rapide ») avec les huiles essentielles de terrain révélées par l'aromatogramme. De toutes façons, il est indispensable de suivre un traitement dépuratif du foie, des intestins et des reins.

Nous vous conseillons la tisane suivante ; elle remplira parfaitement la fonction dépurative et sera utilisée en complément du traitement approprié :

1. Tisane dépurative

Genévrier (baie)	20 g
Bruyère (sommités fleuries)	20 g
Chiendent (racine)	20 g
Menyanthe (feuille)	20 g
Noyer (feuille)	20 g
Bardane (racine)	20 g
Pensée des champs (fleurs)	20 g
Bouleau (feuille)	10 g
Bourdaine (écorce)	10 g
Chicorée (racine)	10 g

Cette tisane se prépare à raison de 4 cuillères à soupe à laisser macérer une nuit dans un litre d'eau froide. Le matin, vous portez à ébullition sans bouillir. Puis vous laissez infuser dix minutes. Vous buvez, à raison d'un bol le matin, à jeun de préférence. Vous devez boire cette préparation en deux jours.

2. Infusion de laitue

L'infusion de feuilles de laitue fraîche, comme toutes les recettes trop simples, est difficilement crédible. Nous insistons donc pour vous dire qu'elle nous a souvent donné d'excellents résultats. Non seulement elle calme la toux d'origine nerveuse, mais en plus elle soulage le foie, facilite l'écoulement de la bile et le transit intestinal. La préparation en est simple :
2 litres d'eau bouillante
200 grammes de feuilles de laitue.
Laissez bouillir à feu très doux pendant 15 minutes.
Buvez à raison de 3 verres par jour en ajoutant à chaque fois :
10 gouttes de Teinture Mère de lierre terrestre.

3. Complexe dépuratif expectorant

Ce complexe, un tout petit peu long à préparer, vous procurera une sédation durable car il est à la fois calmant, dépuratif et expectorant.

Faites préparer en pharmacie le mélange suivant :

Renouée des oiseaux (racine)	40 g
Bardane (racine)	40 g
Bourrache (feuille)	40 g
Thym (sommités fleuries)	50 g

Pour le préparer : comptez 4 cuillères à soupe pour un litre d'eau froide. Faites bouillir cinq minutes et laissez infuser cinq minutes. Buvez deux fois un quart de litre par jour en ajoutant à chaque prise une cuillère à soupe de sirop des cinq fleurs, que vous devez trouver en pharmacie.

Si votre pharmacien n'en a pas, en voici la recette :

Fleurs de violette
Fleurs de primevère
Fleurs de coquelicot   àà 20 grammes
Fleurs de mauve
Fleurs de mélilot

Ajoutez 500 grammes de sucre roux, cristallisé, 1/3 de litre d'eau ; chauffez à feu doux jusqu'à consistance de sirop.

Tous les traitements que je viens de vous indiquer ne sont pas forcément compatible entre eux. Certains se marient, d'autres se contrarient.

Vous pouvez faire en même temps :

I : 1. 2. 4.
I : 2. 3. 4.
II : 1. 2.
II : 1. 3.

Vous ne devez pas faire :

I : 1. 3.
II : 2. 3.

IX. VOTRE NEZ EST FACILEMENT BOUCHÉ

C'est un symptôme qui peut paraître d'une importance mineure.

Pourtant c'est un signe révélateur de plusieurs affections, depuis la rhinite dite « sèche » qui peut comporter des polypes nasaux, jusqu'aux troubles digestifs. En effet, par une action de surcharge et par la voie de l'anastomose porto-cave (de la veine porte à la veine cave), la mauvaise digestion peut amener un syndrôme congestif au niveau du visage et, en particulier, du nez. Ainsi pourrez-vous ressentir cette sensation d'obstruction après un gros repas, et le plus souvent en position allongée.

La surface des muqueuses des fosses nasales correspond aux différentes parties du corps humain, comme l'oreille représente tout le corps en auriculothérapie. Les trois cornets représentent les trois étapes du corps humain et il existe une technique de soins appelée la « sympathicothérapie » qui, par des attouchements dans le nez, soigne certaines affections accessibles par la voie sympathique (les nerfs sympathiques régulent presque tous les organes). Ainsi, les fosses nasales et les sinus ne sont pas seulement des voies de passage pour l'air.

Il est donc primordial de les traiter avec respect.

Le mouchage régulier est nécessaire. Mais voici mieux encore. C'est une technique de lavage quotidien des fosses nasales qui nous vient de l'Orient et de l'Inde. Cette méthode s'appelle le NETI : on utilise un récipient en porcelaine muni d'un bec, que l'on place contre l'orifice d'une narine ; le contenu (de l'eau salée, qui a la saveur de la salive) est aspiré, et suit tous les détours des fosses nasales pour ressortir par l'autre narine.

Cette eau salée va donc entraîner les impuretés que nous respirons, et aussi réaliser un massage tonifiant de tout l'organisme par voie sympathique ; ce qui provoque une sensation de bien-être après la séance. Tout cela dure deux minutes et s'effectue le matin au réveil ou le soir au coucher.

La première fois, vous ne ferez passez qu'un peu d'eau dans une narine, et vous pourrez même attraper un rhume. Mais il faut continuer, car lorsque la technique vous sera acquise, elle vous sera d'un grand secours, surtout si vous êtes sujet à des rhinites, à des obstructions nasales, à des sinusites ou à des rhumes permanents. Il est conseillé, lorsqu'un rhume débute, de rajouter 2 gouttes de bleu de méthylène dans le récipient, pour désinfecter les fosses nasales.

Les remèdes

Nous les classerons en trois types :
1. Les remèdes digestifs
2. Les remèdes de polypes
3. Les remèdes de rhinite.

1. Les remèdes digestifs

• Vous êtes d'un caractère coléreux, gros mangeur, sédentaire et constipé. Vous êtes bon vivant. Mais chez vous, nombre de symptômes surviennent après un gros repas, y compris l'obstruction nasale. Il vous arrive d'avoir le nez bouché la nuit et au lever, puisque la position allongée augmente la stase portale. A noter votre sensibilité hépatique, votre frilosité lorsque vous êtes malade et l'amélioration spectaculaire que provoque un court sommeil après le repas :
Nux Vomica
Dilution : 5 CH, après chaque repas et au coucher.

• Vous êtes compliqué et plus sensible que Nux. Votre nez se bouche la nuit, et vous souffrez depuis l'enfance de votre foie. Vous êtes parfois curieux de constater que tous ces symptômes vous font respirer d'une manière particulière : vous avez des battements des ailes du nez :
Lycopodium
Dilution : 7 CH, vers 18 heures.

• Votre narine droite est la plus souvent bouchée. Parallèlement, vous êtes sujet à une douleur sourde dans la région du foie : votre langue est chargée, vous avez un goût amer dans la bouche, vos selles sont décolorées et votre teint jaunâtre. Vous avez quelquefois les urines foncées et un désir d'aliments acides. Voici un remède de troubles du foié et de la vésicule biliaire :
Myrica (l'arbre à cire)
Dilution : 4 CH, trois fois par jour..

• Vous avez aussi un problème hépatique. Vous avez une

constipation opiniâtre, avec des selles dures, sèches, comme des « crottes de brebis ». Votre langue est chargée d'un enduit jaunâtre. Vous êtes anxieux, vous ne supportez pas le lait. Vous avez mal à l'estomac après les repas, vous êtes mal au temps marin, et vous aimez le mouvement, si possible au grand air.

Vos lèvres sont souvent gercées.

Pour le sujet féminin, il existe souvent des symptômes gynécologiques : règles abondantes avec des caillots, nervosité et mauvaise humeur. Votre hyperactivité vous fait faire le ménage en grand, au moment de vos règles (vous êtes angoissée si vous n'êtes pas occupée).

Le remède proposé est aussi une grande médication des nerveux qui présentent les symptômes suivants : engourdissement des bras au réveil, secousses électriques à travers le corps, vertiges au lever, palpitations, crampes la nuit, maux de tête :

Magnesia Muriaticum (le chlorure de magnésium utilisé homéopathiquement a d'autres indications qu'en allopathie).

Dilution : 5 CH, trois fois par jour. 15 CH, si les troubles s'accompagnent de nervosité.

Dans les symptômes digestifs, Magnesia Muriaticum est complémentaire de Ptelea, lequel a une alternance de constipation et de diarrhée (Ptelea est l'« orme à trois feuilles »). Une autre différence : Magnesia Mur voit ses symptômes aggravés lorsqu'il est couché sur le côté droit, alors que Ptelea les voit s'améliorer. De plus, Ptelea a la langue rouge.

2. Les polypes nasaux

Ils sont à soigner impérativement avec un traitement de terrain. Nous citerons les remèdes les plus courants.

• Vous présentez des troubles digestifs car vous êtes un gros mangeur qui digère lentement. Vous ne supportez pas le lait. Vos émonctoires habituels sont la peau (eczéma ou impétigo), l'appareil respiratoire (rhino-pharyngites fréquentes, angines), le système lymphatique (« enfant à ganglions »). Voici le remède du spasmophile qui a peur de devenir fou, le chef de file des remèdes carboniques. Souvenez-vous que c'est un remède de gros bébé, d'enfant au corps rond, trapu, aux membres courts mais larges et à la grosse tête ronde :

Calcarea Carb.

Dilution : à déterminer avec votre thérapeute.

• Vous avez une diminution de l'odorat ; mais lorsque celui-ci le permet, il y a une intolérance aux odeurs et en particulier aux odeurs de fleurs. Les polypes saignent facilement. Voici un remède que nous avons déjà vu pour les maux de tête. C'est aussi un remède d'irritation des muqueuses avec sensation de brûlure et de sécheresse :

Sanguinaria

Dilution : 5 CH, trois grains trois fois par jour.

• Vous avez une sensation de nez bouché la nuit, une rhinite chronique avec un écoulement nasal « comme de l'eau », mais des sécrétions épaisses à l'intérieur du nez :

Sanguinaria Nitrica

Dilution : 5 CH, trois grains trois fois par jour.

• Vous avez une rhinite avec tendance aux mauvaises odeurs dans le nez, démangeaisons et fourmillements dans les narines. La sensation d'obstruction est aggravée à la chaleur. Voici un remède qui est aussi contre les vers intestinaux (oxyures ou ascaris) :

Teucrium Marum (la Germandrée maritime)

Dilution : 5 CH, trois grains trois fois par jour.

• Vous avez une rhinite avec écoulement verdâtre et asthme secondaires à cette rhinite. Elle est purulente, fétide, avec des croûtes :

Lemna Minor (la lentille d'eau)

Dilution : 4 CH, trois grains trois fois par jour.

3. Les remèdes de rhinite

Nous avons classé les symptômes en fonction de la façon dont le nez est bouché au cours de la rhinite :

• Alternance d'obstruction et d'écoulement

Votre nez coule au froid :

Calcarea Phos

• Vous avez un désir de sel, un côté dépressif, vous êtes souvent maigre du haut du corps, vous présentez un larmoiement, votre heure d'aggravation est 10 heures du matin :

Natrum Mur

• Obstruction, surtout de la narine gauche. L'écoulement postérieur est épais. Quelquefois, une narine puis l'autre sont bouchées alternativement :

Sinapis Nigra

• La rhinite de la fin de l'été, qui s'aggrave à l'humidité :
Dulcarama

• Votre rhinite s'aggrave au froid. Vos sécrétions ont une odeur de « vieux fromage » :
Hepar Sulfur

• Vous êtes irrité et vous pelez vos lèvres jusqu'à les faire saigner :
Arum Triphyllum

• Votre nez est bouché et d'un coup se met à couler. Intolérance aux graisses. C'est aussi un remède de migraine :
Cyclamen

• Narine droite :
Myrica (déjà vu plus haut)

• Narine gauche :
Sinapis Nigra (ou alternant de côté)

• Enrouement :
Verbascum (qui présente une « toux trompette »)

• Croûtes :
Kali Bichromicum (remède de sinusite avec mal de tête)
Lemna Minor (déjà vu plus haut)

• Sécrétion d'abord comme de l'eau, puis épaisse. Quelquefois on retrouve une irritation des yeux. Parfois une perte de l'odorat :
Natrum Arsenicosum

• Aggravation à l'humidité :
Dulcamara
Calcarea Carb.
Lemna Minor

• Aggravation en chambre chaude
— Le glouton aux maux de tête :
Antimonium Crudum
—Ecoulement vert, constipation, mal à l'estomac :
Hydratis
Nux Vomica (déjà vu plus haut)
— Vous avez besoin d'air, tout en étant frileux si vous êtes sans mouvement. Intolérance aux graisses. Coryza chronique avec écoulement crémeux. Timidité :
Pulsatilla

● Perte de l'odorat :
Magnesia Muriaticum
Pulsatilla
Cyclamen
Natrum Arsenicosum
Lemna Minor
Kali Bichromicum
Alumina : sécheresse de toutes les muqueuses.
Teucrium Marum

Pour terminer, voici une préparation d'orientation anthroposophique pour muqueuses sèches. Il s'agit d'huiles :
Calendula Flos 1 %
Mercurius Sulfuratus Ruber D6
Oleum Aethereum Eucalypti 0,05 %
Oleum Aethereum Menthae Piperitae 0,05 %
Oleum Vegetabile
en application nasale.

Dans nos consultations de phytothérapie, il est extrêmement rare de recevoir un patient au nez chroniquement bouché, qui ne soit pas nerveux et qui ne se plaigne pas de troubles digestifs (digestions lentes, aérophagie, ballonnements, etc.). Ce problème du nez bouché s'accompagne très souvent, hélas, de déficience sexuelle. Il ne faut pas le prendre à la légère. La muqueuse nasale est une zone réflexe primordiale, en connexion avec tous les organes du corps. Sa congestion chronique signale toujours l'affection d'un organe que le praticien doit s'efforcer de diagnostiquer. Il ne doit pas se contenter, comme nous le voyons très souvent, de prescrire l'utilisation de ces nébulisateurs de produits chimiques à action vaso-constrictive, provoquant des dégâts considérables. La réaction au niveau de la muqueuse continuera tant que l'organe l'ayant provoquée ne sera pas soigné. Dans la majeure partie des cas, il s'agit de troubles de l'assimilation liés à une mauvaise alimentation. Pour vous soigner, vous pouvez utiliser plantes et homéopathie, mais il vous faut surtout adopter un régime approprié à votre terrain. Nous ne croyons pas aux régimes miracles valables pour tout le monde. Seul un praticien compétent pourra vous indiquer le vôtre. S'il est vraisemblable que certains produits comme le sucre, les excitants, l'alcool sont néfastes pour tout le monde, la majorité des aliments ne peut être déclarée bonne ou mauvaise qu'après avoir étudié le cas du patient.

Ce traitement de fond ne peut s'établir qu'avec l'aide d'un praticien et ne doit pas nous faire négliger le traitement propre à l'atteinte de la muqueuse nasale qui est tout aussi indispensable. En revanche, ce traitement spécifique, même miraculeux, apparemment, n'aura jamais d'action durable sans le rééquilibrage organique de fond.

S'il suffisait, pour vous, d'avoir une action locale spectaculaire, nous n'utiliserions que la sympathicothérapie qui « guérit » à 100 %.

1. Prévention

Si chez vous, le « nez bouché » est une tendance hivernale naturelle, il est préférable de prévenir que de guérir. Certaines personnes sont sensibles aux courants d'air (ce qui est une indication précieuse pour l'homéopathie. D'autres, travaillant en air climatisé, peuvent difficilement échapper à cet inconvénient. Sauf peut-être si elles suivent régulièrement le conseil suivant.

Consommez aux deux repas, midi et soir, pendant tout l'hiver une salade ainsi assaisonnée :

    1 cuillère à soupe de jus de citron
    3 cuillères à soupe d'huile de sésame
    4 gouttes d'huile essentielle d'estragon
    1 gousse d'ail hachée
    1 cuillère à soupe de persil haché

Les propriétés antiseptiques et bactéricides de l'ail, alliées aux propriétés anti-histaminiques (anti-allergiques) de l'estragon, renforcées par l'action anti-anémique, anti-fatigue (vitamine C) du persil et du citron, font de cette recette ultra-simple la meilleure de vos alliées pour lutter contre grippe et refroidissement.

Pour dissiper l'odeur de l'ail, renforcer l'action de la recette et stimuler votre digestion, vous pouvez croquer quelques semences de cumin après le repas.

2. Inhalation

Faites préparer en pharmacie le mélange suivant :

Huile essentielle de cajeput   5 ml
Huile essentielle de thym rouge déterpénée   5 ml
Huile essentielle de pin   5 ml
Huile essentielle d'eucalyptus   10 ml
Base hydrodispersante   35 ml

Cette préparation, relativement onéreuse, vous servira de nombreuses fois.

Prenez une cuillère à café pour un bol d'eau bouillante et utilisez en inhalation classique, à raison de deux ou trois par jour selon la gravité de l'affection.

3. Cataplasme d'argile

Préparez une décoction de thym :

    1 cuillère à soupe de sommités fleuries de thym

    1 grande tasse d'eau

Faites bouillir trois minutes et infuser sept minutes. Mélangez cette décoction à une tasse d'argile verte en poudre. Ajoutez éventuellement un peu d'argile de façon à obtenir une pâte épaisse. Ajoutez 5 gouttes d'huile essentielle d'eucalyptus. Pétrissez bien avec une cuillère en bois. Appliquez chaud le long des ailes du nez et sur le front. Laissez en place trente minutes.

C'est un excellent moyen de décongestionner vos sinus et de vous préparer une bonne nuit sans avoir besoin de vous coucher alternativement à droite puis à gauche pour « déboucher » le côté opposé.

4. Le jus de citron

Une petite recette bien simple et bien pratique qui vous rendra de grands services.

Quand vous avez le nez bouché, il vous suffit de 4 à 5 gouttes de jus de citron, quatre fois par jour, pour éviter d'avoir à acheter un nébulisateur en pharmacie (produit dont nous ne déplorerons jamais assez l'usage ; le nombre de cas d'impuissance, consécutifs à l'usage prolongé de certains vaso-constricteurs en oto-rhinolaryngologie, que nous avons pu constater en consultation vous ferait renoncer à vie à leur usage !).

5. Bains de pieds et massages réflexes

Le soir, avant de vous coucher, faites un bain de pieds chaud (47°) pendant vingt minutes. Vous en rendrez l'action encore plus remarquable si, ayant une cheminée, vous jetez dans la bassine des cendres (une petite pelle) de feu de bois.

Séchez vos pieds.

Ensuite, vous vous en massez la plante en insistant sur l'extrémité des orteils (au niveau des coussinets) et, au niveau du pied droit, sur une zone située à deux travers de doigt sous le petit orteil.

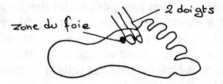

zone du foie — 2 doigts

Cette zone est celle du foie et vous serez surpris de constater qu'en le décongestionnant, votre muqueuse nasale en fait autant. Nous vous conseillons également cette recette en cas de crise de foie répétitive.

6. Angélique et huile essentielle

Ce traitement de choc est à suivre en période de crise, mais jamais plus de cinq jours de suite. La concentration en huile essentielle est très forte et risquerait de vous occasionner brûlures d'estomac et diarrhée.

Préparez une infusion de semences d'Angélique : une cuillère à soupe pour une tasse d'eau bouillante. Laissez infuser quinze minutes. Filtrez. Ajoutez une goutte *d'huile essentielle* de chacune des plantes suivantes :

Romarin

Sauge

Coriandre
Origan

7. Neti krya

Le Neti Krya, dont nous avons parlé en début de chapitre (partie homéopathie) est indispensable pour vous dégager les narines. Si le sel marin est utilisé le plus couramment, en cas d'inflammation de la muqueuse, celui-ci pourra être remplacé par d'autres produits plus actifs. Personnellement, nous préférons les mélanges d'oligo-éléments comme cuivre-lauthane-scandium qui nous donnent des résultats rapides et constants mais qui sont à prescrire par le praticien. Non pas qu'ils soient dangereux, mais les dilutions sont à choisir en fonction du terrain du malade.

Si vous voulez que votre « Netri Krya » soit plus efficace, nous vous conseillons de le faire avec une décoction tiède d'euphraise :
— une poignée de la plante entière que vous faites bouillir dix minutes dans un litre d'eau. Filtrez.

8. Cure de miel d'hiver

Si vous redoutez l'arrivée de l'hiver et que vous avez toutes les raisons de penser que votre nez sera le premier à en subir les conséquences, nous vous conseillons de vous préparer la cure suivante :

1 cuillère à café de miel de romarin dans lequel on ajoute trois gouttes du mélange suivant :

Huile essentielle de Persil	4 ml
Huile essentielle de citron	4 ml
Huille essentielle de thym rouge	4 ml
Huile essentielle de cannelle	4 ml
Huile essentielle de genièvre	4 ml

A prendre le matin à jeun pendant dix jours par mois.

9. Tisanes de stimulation

Comme nous l'avons expliqué en tête de ce chapitre, il faut essayer de traiter la cause du mal plutôt que le symptôme lui-même.

L'origine la plus fréquente est un mauvais fonctionnement des organes d'assimilation : foie, vésicule, intestins. Nous devons donc chercher à en améliorer le fonctionnement. Nous vous conseillons deux tisanes : la première pour stimuler foie et vésicule ; la seconde, foie et intestins.

Il n'y a pas de meilleur médecin que soi-même, à condition de savoir s'observer ; à vous de choisir la tisane qui vous convient le mieux.

A. Troubles hépato-biliaires

Sureau (fleurs)	10 g
Primevère (fleurs)	10 g
Plantain (feuilles)	10 g
Thym (sommités fleuries)	25 g
Chicorée sauvage (feuilles)	30 g
Artichaut (feuilles)	30 g
Coriandre (semences)	10 g

Compter quatre cuillères à soupe pour un litre d'eau bouillante, laissez infuser dix à douze minutes. Filtrez. Conservez au frais.

Cette tisane est à boire à raison d'une tasse après les repas du midi et du soir. Il est préférable de l'utiliser quinze jours par mois, en période de lune croissante (consultez votre calendrier).

B. Troubles hépathiques et intestinaux

Combret (feuille)	20 g
Mélisse (feuille)	20 g
Réglisse (racine)	15 g
Prele (plante entière)	30 g
Germandrée (sommités fleuries)	15 g

Quatre cuillères à soupe du mélange pour un litre d'eau que vous faites bouillir pendant dix minutes. Filtrez. Consommez à raison de trois à quatre tasses par jour, avant les repas.

Cette tisane vous permettra de rendre les traitements du symptôme beaucoup plus durables et améliorera notablement votre transit intestinal, si vous avez tendance à être constipé.

Tous les traitements que je viens de vous indiquer ne sont pas forcément compatibles entre eux. Certains se marient, d'autres se contrarient.

Vous pouvez faire en même temps :

    1. 2. 3. 5. 6. 7. 8. 9.

    1. 3. 4. 5. 6. 7. 8. 9.

Vous ne pouvez pas faire :

    2. 4.

X. VOUS AVEZ MAL A LA GORGE

Que de fois entendons-nous nos patients se plaindre de ce symptôme !

La gorge est une des muqueuses les plus vulnérables. Elle est aussi un témoin important du terrain de l'individu. Le système lymphatique est étroitement mêlé à ce que l'on appelle les « ganglions », et surtout les amygdales.

Avant d'aborder une liste de remèdes, nous allons vous expliquer ce qu'est « un mal de gorge ».

Tout d'abord, une perturbation du rachis cervical (arthrose, accident, déplacement ou contractures musculaires) peut donner des douleurs rapportées à la gorge. Bon nombre de manipulations cervicales font disparaître des maux de gorge répétés.

Ensuite, la maladie rhumatismale peut se manifester par des pseudo-angines. Appelons cela « angine-rhumatismale » (nous verrons que les remèdes sont apparentés à ceux des rhumatismes).

Il existe aussi des angines vraies, microbiennes ou virales.

Les angines microbiennes : voilà le grand « cheval de bataille » de l'allopathie lorsqu'elle critique l'homéopathie. Quel scandale, en effet, de ne pas donner d'antibiotiques lors d'une angine à streptocoque, surtout — n'ayons pas peur des mots — du groupe « beta hémolytique » : de quoi faire trembler le corps médical ! Quelle horrible bête qui peut aller donner une maladie cardiaque ou rénale !

Malgré cette attaque par la peur, nous ne laisserons pas dévier d'un iota notre théorie homéopathique, pour deux raisons :

— D'abord, un remède homéopathique choisi avec sérieux guérit une angine, la plus infectée soit-elle, souvent très rapidement.

— Ensuite, nous avons quelques cas de patients qui ont eu, malgré des antibiotiques bien choisi, sur un streptocoque bien choisi, une néphrite (atteinte du rein).

Sur une angine rhumatismale (ou de surcharge) ou sur une angine virale, l'antibiotique ne peut que surcharger le système digestif ; et nous avons vu son importante relation avec le système respiratoire.

Dernière observation : l'angine en relation avec le cycle hormonal. Il existe, en effet, des maux de gorge rythmés par les règles (avant, ou pendant le plus souvent).

Les remèdes

Nous diviserons cette partie en plusieurs sous-parties selon le mode de déroulement de l'angine. Il est évident que si les symptômes ne se calment pas rapidement, vous devez voir votre thérapeute.

1. Angine rouge

• Vous avez une douleur en avalant, qui irradie aux oreilles et est améliorée en buvant froid. A noter l'alternance de côté, une fois droite, une fois gauche. Le mal de gorge arrive souvent pendant les règles :
Lac Caninum
Dilution : 5 CH, 3 à 4 fois par jour.
• Angine avec gonflement (de la luette, des amygdales), souvent avec absence de soif et aggravation en buvant chaud :
Apis
Dilution : 5 CH, toutes les 2 heures jusqu'à amélioration.
• La gorge est extrêmement sèche, brûlante, rouge vif et la douleur est aggravée par les boissons chaudes :
Guaiacum
Dilution : 5 CH, toutes les 2 heures.
• La rougeur est vive, la langue est rouge. La douleur est aggravée quand on touche le cou, et peut passer aux oreilles. Vous êtes souvent très abattu et en sueur. Voici le remède fidèle de l'angine :
Belladonna
Dilution : 5 CH, toutes les 2 heures. 15 CH, si vous êtes très abattu.

2. Angine blanche

• Votre angine passe souvent de gauche à droite, la langue est enflée avec rougeur sombre de la muqueuse pharyngée et sensation d'étranglement au niveau de la gorge. Les aliments solides sont mieux avalés. A noter, l'aggravation générale par la chaleur :
Lachesis
Dilution : 5 CH, trois fois par jour.
• Votre langue est pâteuse, votre haleine fétide. Vous avez

souvent des sueurs visqueuses et vous salivez abondamment. La déglutition est très difficile. Voici le « roi de l'angine », à prescrire dans tous les cas. On peut lui adjoindre Belladonna ou un autre remède si la gorge est rouge :

Mercurius Sol
Dilution : 7 CH, toutes les 2 heures et espacez.

• Classiquement, l'angine passe de droite à gauche. De plus, vous avez un terrain hépatique et une congestion du nez qui est souvent bouché :

Lycopodium
Dilution : 5 CH, deux fois par jour.

A rajouter chaque fois en cas d'angine, le *Cuivre Oligosol* à 4 ampoules par jour, et la poudre-trituration d'orientation anthroposophique :

Apis 0,1 %
Belladonna 0,1 %
Eucalyptus 0,1 %
Bolus Alba QSP 100 %

Mettez 1/2 cuillère à café de cette poudre-trituration dans un verre d'eau chaude ; gargarisez-vous toutes les 2 heures et avalez la dernière gorgée. En cas d'angine plus sérieuse, saupoudrez-vous les amygdales avec cette médication.

Il existe également des injectables pour les cas graves, mais il vaut mieux consulter votre praticien.

Bons compléments :
Sirop Hippophan Weleda
3 cuillères à soupe par jour dans de l'eau.

Sirop d'Aubépine Weleda
3 cuillères à soupe par jour en cas d'angine plus grave ou de risque d'atteinte cardiaque.

3. Les maux de gorge pièges

• Vous avez un désir de lait froid. Votre voix est fréquemment atteinte et elle revient lorsque vous « échauffez » vos cordes vocales. Voici le remède de l'angine rhumatismale, mais aussi de l'angine herpétique :

Rhus Tox
Dilution : 5 CH, quatre fois par jour.

Pensez toujours que les maux de gorge d'origine rhumatismale devraient subir un traitement complet pour la colonne vertébrale, en particulier la zone cervicale.

Pour la phytothérapie, tout symptôme quel qu'il soit, et a fortiori toute inflammation, est une sonnette d'alarme, un appel au secours d'un organisme déséquilibré, même momentanément. Dans notre société occidentale, ce déséquilibre est dû le plus souvent à une surcharge toxinique, alimentaire ou médicamenteuse. Notre première réaction, en tant que naturopathe, sera donc de mettre notre patient à la diète, de donner en quelque sorte des « vacances » à son système d'assimilation, pour qu'il puisse consacrer toutes ses forces à l'élimination de ses toxines. Au sortir de ces cures d'élimination plus ou moins longues, le patient se sentira régénéré, en pleine forme, reposé, et pas le moins du monde affaibli. Alors qu'un traitement d'antibiotiques, comme chacun sait, laisse le malade épuisé, « patraque », souvent plus mal à l'aise après sa maladie que pendant.

Nous allons donc vous donner notre traitement, cure d'attaque de toute angine blanche ou rouge. Il est parfaitement compatible avec les remèdes homéopathiques qui précèdent. Il peut également s'employer seul, à l'exclusion de toute autre thérapie. Dans ce cas, il ne doit pas excéder trois jours.

Si en trois jours, le patient n'est pas totalement guéri, il faut absolument avoir recours à l'homéopathie. Les autres remèdes que nous conseillerons ne sont à prendre qu'en complément du traitement homéopathique, pour calmer les douleurs, décongestionner localement ou « nettoyer » la gorge (mis à part le traitement aromathérapique qui est une thérapie complète).

I. TRAITEMENT D'ATTAQUE : LA POMME

Pendant trois jours, mangez exclusivement des pommes très mûres et râpées. Vous aurez soin de bien les éplucher et d'ôter trognon et pépins avant de les râper.

Vous ne devez absolument pas prendre un autre aliment ! La quantité de pommes à absorber est uniquement fonction de l'appétit. En règle générale, la consommation quotidienne est de un kilo à un kilo et demi. Durant ces trois jours, vous boirez à volonté *une décoction* ainsi préparée.

— Emplissez à moitié une grande casserole en émail de pommes coupées en tranches et non pelées. Il faut choisir des pommes qui « se tiennent », ni trop pâteuses, ni trop mûres. Recouvrez d'eau (le maximum de ce que peut contenir votre récipient) ; faites chauffer et laissez bouillir cinq minutes, pas plus, à petits bouillons. Filtrez. Cette décoction se boit froide (pas glacée) tout au long de la journée. Cette cure de pommes a de nombreux avantages. La pomme est légèrement fébrifuge ; l'indication est donc intéressante pour ceux dont le mal de gorge s'accompagne d'un état fébrile, mais ce sont surtout ses nombreuses autres propriétés qui sont particulièrement adaptées à ce symptôme.

La pomme est laxative et dans tout état inflammatoire, il est primordial de libérer le tube digestif de toutes les impuretés qui peuvent y stagner. Les intestins constituent un organe d'élimination des plus actifs. Il doit être au mieux de sa forme pour remplir son rôle d'émonctoire. En plus, il n'est pas dit que votre mal à la gorge ne provienne pas d'une constipation chronique, et ne soit pas en rapport précisément avec ces fermentations intestinales. En fait, la pomme est un équilibrant des fonctions intestinales car elle est également le remède miracle des diarrhées ; il n'y a donc pas à craindre que son action soit trop laxative.

Elle est diurétique, et nous savons tous combien l'élimination des toxines par la diurèse est capitale en cas d'inflammation. La pomme est calmante, or qui n'est légèrement nerveux lorsqu'il souffre ? !

Elle aide aussi à l'expectoration des mucosités et a toujours été utilisée (surtout en décoction) pour lutter contre le mal de gorge, l'inflammation, liés à un dysfonctionnement hépatique (le foie est pratiquement toujours un peu fautif !) et l'enrouement (combien de chanteurs devraient pratiquer cette cure !).

Enfin, pour nous résumer, nous dirons que la pomme est un des plus merveilleux draineurs de toxines, ce qui explique son action dans des troubles aussi variés qu'affections pulmonaires, cardiaques, dermatologiques, articulaires, etc. Nous voudrions bien arrêter là cette énumération, ne voulant pas être taxés de parti-pris, mais nous ne pouvons nous empêcher d'ajouter à cette déjà longue liste une dernière indication majeure : la cure de pommes donne toujours d'excellents résultats dans les cas d'obésité liée à un état congestif.

Nous cesserons cette fois notre panégyrique, en espérant vous avoir convaincu !

Voyons maintenant quels sont les traitements locaux pour aider à juguler le plus rapidement possible un mal à la gorge.

II. GARGARISME A LA MYRTE

C'est de tous les remèdes locaux le plus remarquable. Vous faites bouillir de l'eau ; vous ajoutez, pour l'équivalent d'un bol d'eau, trois cuillères à soupe de teinture Mère de Myrte, et vous vous gargarisez avec, trois fois par jour. La vraie recette de médecine populaire consiste à faire bouillir pendant quinze minutes, une vingtaine de baies de Myrte fraîches dans un quart de litre d'eau. Si vous avez la chance d'habiter une région méditerranéenne, et que la Myrte pousse près de chez vous, n'hésitez pas ! Aucune recette ne sera plus efficace. Aucun mal de gorge, aucune angine prise au début ne résiste à la Myrte. Vous pouvez faire provision de baies de Myrte pour l'hiver pendant vos vacances. Il vous suffira de les laisser sécher à l'ombre. Elles se conservent très bien mais elles sont légèrement moins actives. Surtout, renseignez-vous bien avant de les cueillir car il existe de nombreuses autres baies noires qui sont du véritable poison. La Myrte possède des propriétés antiseptiques et astringeantes attestées par toutes les recherches scientifiques, ce qui explique parfaitement l'action de ce remède de « bonne fame ».

III. GARGARISME CITRON-SEL

Faites dissoudre, dans de l'eau en ébullition, une cuillère à soupe de gros sel de mer. Lorsque le sel est complètement dissout, ajoutez deux tranches de citron et laissez bouillir encore trois minutes. Attendez que l'eau revienne à bonne température, puis ôtez le citron et gargarisez-vous avec cette préparation. L'action décongestionnante et désinfectante de cette décoction, très facile à préparer, est étonnante. Elle est, à notre sens, supérieure à bon nombre de produits chimiques.

IV. GARGARISME DE PLANTES MÉDICINALES

Fleurs d'arnica	5 g
Fleurs de guimauve	5 g
Fleurs de sauge	5 g
Feuilles de sanicle	5 g
Feuilles d'hysope	5 g

Jetez la totalité du paquet dans 1/2 litre d'eau bouillante, et laissez bouillir quinze minutes. Filtrez et gargarisez-vous, trois fois par jour. Il vous faut faire préparer plusieurs petits paquets (10 environ) par votre pharmacien. Ce gargarisme est un excellent traitement d'appoint ; surtout lorsque les amygdales et les muqueuses de la gorge sont congestionnées et douloureuses. Il est particulièrement calmant et émollient.

V. ENVELOPPEMENT LOCAL

Faites préparer le mélange suivant :

Ronce	10 g
Plantain	10 g
Sureau	5 g

Jetez dans un litre d'eau et laissez infuser vingt minutes. Filtrez et réchauffez. Lorsque la décoction est bien chaude, trempez dedans un large morceau de coton avec lequel vous vous envelopperez tout le cou. Prenez bien soin d'ôter le linge dès qu'il se refroidit. Renouvelez autant de fois qu'il sera nécessaire pour calmer la douleur. Cette compresse donne de très bons résultats, surtout si vous combinez avec le traitement suivant.

VI. BAIN DE PIEDS À TEMPÉRATURE CROISSANTE

Faites préparer le mélange suivant :

Huile essentielle de romarin	10 ml
Huile essentielle d'eucalyptus	5 ml

Huile essentielle de cajeput 10 ml
Base hydrodispersante 20 ml
Huile végétale codex q.s.p. 100 ml

Préparez un bain de pieds avec trois cuillères à soupe de produit pour la quantité suffisante d'eau tiède. Ajoutez progressivement de l'eau chaude et dosez le débit de façon à ce que la température soit au maximum du supportable. L'eau doit arriver à la base des mollets en dix minutes. Essuyez les pieds sans rincer et allongez-vous bien au chaud.

Ne renouvelez pas le bain plus de deux fois par jour. Vous risqueriez une baisse — tout à fait momentanée ! — de votre tension artérielle.

Vous pouvez utiliser cette préparation galénique pure en frictions de la gorge et de la poitrine, non seulement en cas d'urgence mais également si vous toussez.

VII. BOISSONS

En cas de mal de gorge, buvez à volonté de la citronnade concentrée, sucrée au miel de thym ou de sapin. Il est préférable de boire de la citronnade que du lait au miel, souvent conseillé, car celui-ci a l'inconvénient de surcharger le foie et de ralentir son bon fonctionnement, toujours primordial en cas d'inflammation. En effet, outre son action dans le métabolisme de la digestion, le foie est l'organe le plus important dans la lutte contre l'infection, quelle qu'en soit l'origine.

VIII. HUILES ESSENTIELLES ET AROMATOGRAMME

Lorsqu'on traite une maladie inflammatoire en médecine naturelle, il est indispensable de faire référence aux huiles essentielles et à l'homéopathie, moyens les plus extraordinairement efficaces pour juguler un état infectieux (voir chapitre « aromathérapie, aromatogramme » en début d'ouvrage). Pour le mal de gorge, nous envisageons deux orientations totalement différentes :

1. Le mal de gorge chronique avec des poussées paroxystiques récidivantes. Pour ce cas, aucune hésitation, il faut établir un aromatogramme afin de déterminer les huiles essentielles de terrain. Ceci nous permettra d'obtenir une action rapide et durable dans le temps.

2. Mal de gorge accidentel mais qui se montre rebelle au premier traitement ci-dessus mentionné. Il faudra alors prendre le taureau par les cornes et utiliser les grands moyens : les huiles essentielles.

1. Le mal de gorge chronique

Nous utiliserons la voie orale, sous forme de gélules car c'est, d'une manière générale, la forme de prescription que nous préférons. Les anciennes méthodes qui consistaient à absorber les huiles essentielles après en avoir imbibé un sucre sont à proscrire. Non seulement le sucre est un aliment nocif mais prises de cette manière, les huiles essentielles risquent d'irriter les muqueuses de la bouche. De plus, la gélule se dissolvant lentement dans l'estomac, les principes actifs sont mieux véhiculés à travers tout l'organisme. Dans ce cas, elles seront faiblement dosées : 0,05 g par gélule, de façon à répéter les prises plusieurs fois par jour. En règle générale, une gélule pendant le petit déjeuner, deux à midi, une le soir.

Nous sélectionnerons cinq huiles essentielles, parmi les plus sensibles relevées par l'aromatogramme. Le mal de gorge chronique étant rarement un mal isolé, nous choisirons des huiles essentielles qui ont également une action sur les autres symptômes (foie, intestins, etc.).

Une infection de muqueuse n'étant jamais strictement locale, elle a en effet tendance à s'étendre, comme sur un papier buvard, à toutes les muqueuses. Il sera préférable d'ajouter dans la gélule une poudre de Propolis qui a une action antiseptique remarquable au niveau de la muqueuse intestinale.

Nous ne pouvons pas donner ici les huiles essentielles à incorporer puisqu'elles seront déterminées par l'aromatogramme.

La formule des gélules sera la suivante :

Huile essentielle de ....
Huile essentielle de ....
Huile essentielle de ....   ⎫
Huile essentielle de ...   ⎬ àà 0,01 g
Huile essentielle de ...   ⎭
Poudre de Propolis   0,10 g
Silice colloïdale quantité suffisante pour une
gélule   (q.s.p.)

Quatre gélules par jour, pendant les repas : une le matin, deux le midi et une le soir.

Le traitement d'attaque sera de un mois ; renouvelez si nécessaire.

2. Mal de gorge occasionnel

Dans ce cas, nous souhaitons avoir une action très rapide. Il sera préférable d'opter pour la forme « suppositoire » qui permet de faire absorber au patient des quantités d'huiles essentielles beaucoup plus importantes sans risque d'irritation. D'autant plus que la voie anale est celle qui donne les résultats les plus rapides en cas de maladies des bronches et de la gorge. Nous choisirons deux sortes d'huiles essentielles. Celles dont le pouvoir antibactérien, antiseptique est le plus marqué, et celles agissant électivement sur la gorge. Voici une formule qui donne toujours de bons résultats :

Huile essentielle de thym rouge   ⎫
Huile essentielle de sarriette   ⎬ àà 0,10 g
Huile essentielle de cajeput   ⎪
Huille essentielle de sauge   ⎭

Excipient q.s.p. un suppositoire de 3 g.

Un suppositoire matin et soir, après être allé à la selle.

Pour compléter ce traitement, il est souhaitable d'avoir également une action locale d'inhalations. Cette composition vous donnera satisfaction :

Huile essentielle de cajeput   ⎫
Huile essentielle de myrte   ⎬ àà 5 ml
Huile essentielle de citron   ⎪
Huile essentielle de lavande   ⎭

Base hydrodispersante   30 ml.

En inhalations, trois fois par jour, une cuillère à café dans un bol d'eau chaude.

Vous pouvez compléter ces soins par des gargarismes aux baies de myrte. Il serait peu vraisemblable qu'un mal de gorge puisse résister à un tel traitement... !

Voilà une partie des possibilités de la médecine naturelle ; il en existe bien d'autres que nous n'avons pas pu référencer ici, le mal de gorge ayant de tous temps stimulé l'imagination des guérisseurs.

Maintenant, si vous répugnez à avaler un remède quel qu'il soit, vous pouvez essayer les massages chinois qui donneront de bons résultats si votre gêne est due à une congestion (coup de froid) et qui de toute façon vous soulageront même si votre mal est d'origine infectieuse.

IX. MASSAGES CHINOIS

Deux points très importants sont à masser si vous souffrez. Le premier se trouve situé à la jonction du pouce et de l'index. Le second, à l'angle inférieur de l'ongle du pouce du côté de l'index.

Vous les trouverez facilement car ils seront tous deux douloureux. Si vous avez mal dans toute la gorge, vous massez les points aux deux mains ; si vous n'avez mal que d'un côté, vous massez la main correspondante.

Les deux points se massent dans le sens des aiguilles d'une montre, alternativement en appuyant jusqu'à la limite de la douleur et en relâchant progressivement. Vous arrêtez le massage quand la douleur a disparu.

Tous les traitements que je viens de vous indiquer ne sont pas forcément compatibles entre eux. Certains se marient, d'autres se contrarient.

Vous pouvez faire en même temps :

   I. II. V.

   I. III. V.

I. IV. V.
I. III. V. IX
I. II. VI. IX
I. IV. V. IX
VII est compatible avec toutes recettes.
Vous ne pouvez pas faire en même temps :
VIII. 1. et VIII. 2.
II. et III.
V. et VI.

XI. VOS GENCIVES VOUS FONT SOUFFRIR

Nous entendons très souvent des patients nous dire que les soins répétés pour les gingivites ne font rien. Malgré les bains de bouche avec des antiseptiques de plus en plus sophistiqués, des dentifrices spéciaux aux multiples composantes chimiques et... délivrés sur ordonnance (cela fait plus sérieux !), des pâtes diverses à badigeonner sur les gencives... rien n'y fait ! Les gencives sont douloureuses, saignent ou se « décollent » toujours... au mieux après une légère amélioration passagère.

Cela fait partie de la grande ligne de la médecine actuelle : le replâtrage systématique sans soigner l'individu, le badigeon externe sans consolider l'intérieur, l'anti-acide à action spectaculaire sur l'estomac sans soigner l'affaiblissement général et psychique du sujet.

Nous refusons catégoriquement ce genre de médecine aveugle, qui veut un résultat rapide pour sa meilleure crédibilité. Calmer la douleur d'un rhumatisant sans tenir compte de l'ulcère qu'on lui cause à l'estomac à force d'anti-inflammatoires est une attitude que nous refusons. Cela devient alors du ressort d'un autre spécialiste. Il est urgent, pour l'espèce humaine, de stopper net ce genre de pratique barbare.

Vous aurez beau « travailler » vos gencives de l'extérieur, vous n'obtiendrez que des résultats partiels, ou pas de résultat du tout. Sauf s'il ne s'agissait que d'un trouble court et passager qui aurait disparu de même sans aucun traitement. Pour nous, les gencives sont le miroir de l'état général, tout comme les dents, les cheveux ou les ongles. Nous établissons donc chaque fois un traitement de fond. Et, ici encore, nous prenons à contre-pied toutes ces techniques rapides de soins qui, sur l'être humain comme sur les plantes, se révèlent catastrophiques à long terme (voir des statistiques sur le nombre effarant de personnes hospitalisées ou soignées pour des troubles secondaires à des prises de médicaments : les « maladies iatrogènes »). Ainsi, l'agriculture emploie de plus en plus de traitements externes et chimiques parce qu'elle ne veut plus tenir compte du travail patient du terrain, comme elle le faisait autrefois.

Si les troubles des gencives durent anormalement, il faut alors traiter tout l'organisme et faire une recherche alimentaire soigneuse pour éliminer les aliments qui ne conviennent pas.

Les remèdes

• Vos gencives sont gonflées et roses ; la douleur est améliorée lorsque vous mettez de l'eau froide dans la bouche. C'est le début de la gingivite :
Apis
Dilution : 5 CH, quatre fois par jour.

• Votre douleur est surtout nocturne et la gencive est plus infectée. Le froid aussi bien que le chaud aggravent vos symptômes. La langue garde l'empreinte des dents :
Mercurius Solubilis
Dilution : 5 CH, quatre fois par jour.

• Vous avez des symptômes généraux (désir de sel, peur de l'orage...). Voici un remède qui réussit bien pour les gencives qui saignent facilement :
Phosphorus

• Vous avez des aphtes. Vos gencives donnent des impressions de chaleur :
Borax

• Douleurs des gencives, plus spécialement chez les enfants mangeant des sucreries :
Argentum Nitricum

• L'odeur fétide de votre haleine est caractéristique du remède suivant. Vous avez aussi des caries et des dents friables :
Kreosotum

• Vos gencives sont gonflées et décolorées, avec un déchaussement :
Ammonium Carbonicum

• Vous souffrez des gencives par déficit en vitamine C ou scorbut. Les saignements sont abondants :
Citric Acid

• Votre gingivite suppure :
Kekla Lava (à associer souvent à Pyrogénium et Silicea).

Tous ces remèdes sont à prendre en dilution basse, 4 ou 5 CH, trois ou quatre fois par jour, associés au remède de fond lorsque la gingivite devient chronique.

Une préparation agit souvent très bien en attendant le traitement de fond :

Hekla Lava
Sieges Beckia　　　　　　　 àà 3 X Trituration
Echinacea

Prendre à raison de trois mesures par jour, à sec sur la langue.

Sirop Hippophan Weleda

Deux ou trois cuillères à soupe par jour (dans de l'eau) ; c'est un complément indispensable.

• Rajoutez systématiquement des rinçages avec l'eau dentifrice Weleda, 15 à 20 gouttes pour 1/2 verre d'eau ; ou pur sur les gencives.

Pour ce qui concerne la naturopathie, nous vous proposons des recettes phytothérapiques testées depuis de longues, de très longues années, sur des gencives douloureuses. Nous vous garantissons ces recettes sans effets secondaires nocifs, sans action iatrogénique. C'est une garantie fort intéressante que ne peut vous offrir un dentifrice ou une pâte dentaire au nom chimique, quasi ésotérique. De plus, l'efficacité de ces recettes est prouvée depuis des dizaines ou des centaines d'années. Il n'y a aucun médicament chimique qui puisse se targuer de telles références. Alors, pourquoi hésiteriez-vous ?

Parce que nos conseils vous obligent à changer vos mauvaises habitudes, à trouver dix minutes pour en réaliser la préparation ? Dix minutes pour votre santé. Si vous pensez, comme nous, que cet effort est justifié, alors hâtez-vous de prendre connaissance de ce qui suit, en vous rappelant qu'il ne s'agit cette fois que de palliatifs et qu'il est indispensable d'entreprendre un traitement de fond que seul un praticien compétent pourra composer.

• Vos gencives sont douloureuses, saignent au brossage, elles semblent atones et vos dents se « déchaussent ». Avant tout, vous devez surveiller votre état général et votre alimentation. Très souvent, ces symptômes témoignent d'une hérédité neuro-arthritique, alors faites au plus vite un bilan général. De toutes façons, prenez tout de suite de bonnes habitudes d'hygiène de vie.

• Optez pour un régime le moins carné possible (pas de viande rouge, pas d'abat, un peu de volaille, des œufs, beaucoup de poisson, des céréales, du lait, des fruits et des légumes).

• Buvez au moins deux jus de citron ou d'orange frais par jour avant les repas. Très nutritifs, anti-infectieux, ces deux fruits renforcent les défenses de l'organisme et suppléent aux carences vitaminiques grâce à leur richesse en acide ascorbique. Ceci est surtout important dans les saignements abondants par manque de vitamine P.

• Voilà qui paraîtra évident à certains d'entre vous, mais nous sommes obligés de répéter ici qu'avant tout, il faut respecter une hygiène buccale stricte. Les dents et les gencives doivent être brossées soigneusement après chaque ingestion d'aliments et vous devez vous rincer ensuite la bouche avec, par exemple, un verre d'eau tiède auquel vous aurez ajouté une cuillère à café de gros sel.

• De plus, en cas de douleur, massez-vous matin et soir les gencives avec la pulpe d'un citron.

II. DENTIFRICE ANTISEPTIQUE

Faites macérer pendant quinze jours, dans un litre d'eau de vie :
un citron coupé en tranches
une cuillère à café de cannelle
deux cuillères à café de sauge
deux cuillères à café de menthe
Utilisez une cuillère à soupe de cet alcoolat pour un verre d'eau. Ajoutez quatre gouttes de Teinture Mère de cochléaria et quatre gouttes de Teinture Mère de benjoin.

III. BAIN DE BOUCHE CALMANT ET APAISANT

Racine de réglisse	50 g
Pensée sauvage (plante)	30 g
Ecorce de frêne	15 g
Racine de guimauve	15 g
Romarin (sommités fleuries)	20 g
Clous de girofle	5 g

Versez deux cuillères à soupe dans 1/2 litre d'eau froide. Amenez à ébullition. Laissez bouillir deux minutes et laissez infuser douze minutes. Filtrez. Laissez refroidir. Rincez-vous la bouche ə préparation après chaque repas. Une fois la bouche propre, gardez un peu de liquide au contact des gencives pendant deux à trois minutes.

IV. CARIES

Si vous suspectez une de vos dents d'être cariée, si elle est sensible au chaud et froid, au sucre, consultez immédiatement un praticien. Ne laissez pas évoluer l'infection si vous ne voulez pas vous exposer à de plus grands dommages (abcès, etc.). Pour calmer la douleur et désinfecter la dent incriminée en attendant de pouvoir consulter, nous vous donnons un remède calmant et antiseptique :

Potion à l'huile de cade et à l'huile essentielle de romarin. Préparez le mélange suivant :

Huile d'olive	1/2 part
Huile de cade	1/4 part
Huile essentielle de romarin	1/4 part

Massez doucement les gencives avec ce mélange matin, midi et soir, après avoir soigneusement brossé vos dents et rincé votre bouche. Puis, laissez au contact de la dent cariée un petit coton imbibé du même mélange.

V. LES APHTES

Sans être un mal de dents, ce petit problème des aphtes, apparemment insignifiant, agace prodigieusement ceux qui en sont souvent affligés. Nombre de nos patients s'en plaignent et c'est pourquoi nous vous indiquons ici la recette qui se révèle être la plus efficace.

Badigeonnez-vous l'intérieur des joues et les gencives avec la préparation suivante :

Teinture Mère de myrte	5 cl
Teinture Mère de ratanhia	5 cl
Huile essentielle de citron	10 gouttes
Huile essentielle de sauge	10 gouttes

VI. RAMOLLISSEMENT DES GENCIVES

Lorsque la racine de vos dents et vos gencives sont inflammées, douloureuses, et que votre mastication est difficile, préparez une décoction avec les plantes suivantes :

Tormentille (racine)	30 g
Sauge (feuilles et fleurs)	10 g
Thym (feuilles, sommités fleuries)	10 g
Saponaire (plante entière)	20 g
Bistorte (racine)	30 g
Aigremoine (feuilles et fleurs)	20 g

Versez quatre cuillères à soupe de ce mélange dans un litre d'eau froide. Amenez à ébullition. Laissez bouillir douze minutes. Filtrez. Utilisez ce mélange en gargarisme et rinçage de bouche après les repas, une fois les dents brossées.

VII. NÉVRALGIES DENTAIRES ET POINT RÉFLEXE

Pour calmer rapidement un mal de dent, c'est encore une fois le massage réflexogène qui sera, sinon le plus efficace, du moins le plus rapide, et que vous pourrez pratiquer n'importe où.

Le point réflexe est très facile à trouver : sur l'index, à peine en dessous de l'ongle, côté pouce. Exercez une pression assez forte sur ce point pendant deux à trois minutes, en commençant par l'index gauche ; puis « massez » de la même façon l'index droit Recommencez l'opération jusqu'à ce que la douleur cesse.

VIII. ELIXIR DENTIFRICE A LA GIROFLE

C'est celui que nous préférons car, grâce à l'huile essentielle de girofle qui entre dans sa composition, c'est un antiseptique puissant, un anti-inflammatoire et un calmant remarquable. Il est, en quelque sorte, la « modernisation » d'une pratique populaire très ancienne qui consistait à placer un clou de girofle sur une dent douloureuse.

Cet élixir vous sera précieux dans tous les cas où vous devrez attendre pour consulter un praticien :

Huile essentielle de girofle	5 g
Teinture de benjoin	5 g
Alcool à 45°	20 g

Tous les traitements que je viens de vous indiquer sont compatibles entre eux.

XII. VOUS AVEZ DES BRULURES D'ESTOMAC

Comme toujours, pour comprendre le symptôme, vous devez replacer l'organe-cible, ici l'estomac, dans son contexte général.

Tout d'abord, l'estomac est le réceptacle de dizaines d'aliments, de boissons, de médicaments, de produits plus ou moins toxiques (le tabac, entre autres...) et aussi du stress. Il reçoit ces éléments hétéroclites, souvent mal adaptés, en continuant patiemment son travail d'imbibation, de malaxage, d'acidification, jusqu'au jour où...

Le petit muscat, les cacahuètes, les petites saucisses, le fond de whisky (« allez... un petit dernier avant de passer à table ! »), les charcuteries poivrées, les entrées, les poissons, les viandes, les sauces moutardées ou au vin blanc ; puis, les fromages et les petits coups de rouge épais pour « pousser » (il faut ce qu'il faut !) ; et enfin, les « sorties » : crèmes glacées, gâteaux à la crème...

Qui a dit que cette boisson brûlante, à 40°, était « digestive » ? « Mais, c'est pour pousser le café ! »

C'en est trop ! La muqueuse de l'estomac ne demande qu'une chose : éteignez ce feu qui la brûle, mêmes après des heures ! « Vous comprenez, on ne pouvait pas vexer nos amis ; une pendaison de crémaillère, ce n'est pas tous les jours... » D'accord ! Mais le samedi précédent, c'était pareil : « un baptême, ça s'arrose ! »

La joie peut être dans les cœurs ou dans les bonnes histoires que l'on se raconte ; elle peut très bien ne pas forcément passer par l'estomac. Il est grand temps de réaliser que nous avons dépassé l'âge des cavernes, le Moyen Age, et que Rabelais est une lecture délicieuse, mais surtout pas un modèle.

Et puis, on peut parfaitement se délecter de certains plats sains, épicés et aromatisés, sans avoir besoin de litres de vin et de spiritueux pour les apprécier. L'estomac, donc...

En dehors de ce que l'on ingurgite par la bouche, il y a ce que l'on ingurgite par... la tête ! D'ailleurs, ne dit-on pas : « ça m'est resté sur l'estomac » ?

Ce qui nous amène à envisager le deuxième volet de ce chapitre sur les brûlures d'estomac. Après les troubles alimentaires, passons aux troubles nerveux, notamment le stress. Le plexus solaire est un centre nerveux et énergétique qui se situe au centre de l'organisme humain. Dans l'Arbre de vie, il s'appelle « Tiphereth », ou « centre de beauté ». Il fait partie du triangle, « grâce-justice-beauté » qui est dit « le siège de l'être spirituel et matrice de l'être divin ».*

Même si vous modifiez un tant soit peu votre alimentation, tout ne sera pas gagné pour autant : ce serait trop simple ! Il vous restera à vous « dénouer » sur le plan nerveux, et à cesser définitivement les excitants. Voici les « lames de rasoir » de votre estomac : café, tabac, alcool, mais aussi nervosité, anxiété, précipitation, manque de détente...

La respiration est le premier et le plus accessible des moyens de détente. Le yoga en est le vivant exemple. Avant de modifier votre mode de vie, nous vous suggérons une série de remèdes pour aider votre malheureux estomac régi par le signe du Cancer (le « crabe » pinçant l'estomac).

Les remèdes

• Après le menu cité en début de ce chapitre, il est de règle « d'avaler » du Nux Vomica, avant et après cette orgie alimentaire. Vous avez trop mangé. Vous allez vomir pour vous soulager. Le fond de votre langue est le témoin de vos excès : il est blanc et chargé. Votre foie « déborde de vitalité » et vous allez être obligé de sommeiller un court instant, après le repas, pour vous « retaper ».

Une ou deux heures après le repas, votre estomac brûle, « fait un nœud », il est lourd. Vous ne supportez pas que l'on pose la main sur votre estomac ; les acides et l'alcool que vous avez bu vous « rongent de l'intérieur » :

Nux Vomica

Dilution : 5 CH, avant et après le repas. 9 CH, s'il y a somnolence.

• Vous êtes un glouton, vous ingurgitez tant d'aliments que votre langue se charge d'un enduit blanc et épais.

* *Annick de Souzenelle : « De l'arbre de vie au schéma corporel »* Ed. Dangles.

Vous finirez par faire de la goutte ou des rhumatismes. Votre ventre semble plein, vous avez des gaz par le haut, par le bas, partout ! Votre vomissement n'améliore pas vos problèmes d'estomac. C'est l'embarras gastrique. Vous êtes maussade et hargneux. Les aliments vous dégoûtent, sauf peut-être les acides (les « pickles » ou « variantes ») ; ils vous donnent l'impression de digérer les excès qui vous ont mis dans cet état.

Caractéristiques liées au remède : enfant ou adulte, vous détestez être lavé à l'eau froide. Vous avez des cornes indurées sous les pieds, des alternances de goutte ou de troubles digestifs, et des ongles cassants, durs et épais :

Antimonium Crudum

Dilution : 5 CH, répété souvent en cas de brûlures. 9 à 30 CH, en dose répétée dès l'apparition des symptômes.

• Vous êtes irritable, vous ne savez pas ce que vous voulez. Vous salivez abondamment et vous avez des nausées avec des démangeaisons sur le corps. Vous avez l'impression que votre estomac chute. C'est l'enfant qui crie et qui pleure en mettant son poing dans la bouche. Voici un remède de nausées et de vomissements, avec une langue propre :

Ipeca (ou Ipecacuanha)

Dilution : 5 CH, toutes les heures.

• L'hyperacidité est ici caractéristique : votre œsophage et votre estomac brûlent, vous vomissez une « eau » acide qui vous « agace » les dents. Vos brûlures sont aggravées la nuit. Quelquefois, vous avez des douleurs aux intestins, et de la diarrhée.

Robinia Pseudo-Acacia

Dilution : 5 CH, toutes les heures.

• Vous avez soif, mais pas faim. Les vomissements sont très acides. L'œsophage et l'estomac brûlent. Paradoxalement, vous avez des envies d'alcool et de boissons chaudes. L'eau froide « glace » l'estomac, sauf si elle est mélangée à de l'alcool :

Sulfuricum Acidum

Dilution : 5 CH, toutes les heures, puis voir avec votre thérapeute.

• Vous avez des brûlures d'estomac, améliorées par des boissons chaudes. Mais votre malaise vous rend facilement anxieux et peureux. Vous vomissez l'eau dès qu'elle est réchauffée dans l'estomac. Vous avez froid, vous désirez être couvert, et votre état empire entre 1 h et 3 h du matin .

Arsenicum Album
Dilution : 5 CH, toutes les heures, puis espacez.
• Pour vous, tout brûle : de la bouche à l'anus. Vous avez toujours chaud, vous avez envie de sucre, et votre état est aggravé à 11 h du matin :
Sulfur
Dilution : 5 CH, toutes les heures, puis espacez.

Remèdes d'orientation anthroposophiques

Ils sont à prendre systématiquement avec le remède qui vous est propre. Si vous ne l'avez pas trouvé, les préparations d'orientation anthroposophique seront vraisemblablement suffisantes pour vous soulager, voire vous guérir.

Les gouttes amères :

Absinthium	0,5 %
Cichorium	2,0 %
Erythraea	0,25 %
Gentiana	1,5 %
Imperatoria	0,5 %
Juniperus communis	0,05 %
Millefolium	2 %
Salvia	1 %
Taraxacum	2 %

Prendre 15 à 20 gouttes, deux à trois fois par jour.
On peut ajouter une poudre trituration qui complètera bien .

Antimonium crudum D3	2 p
Belladonna D3	1 p
Bismuthum Subnitr D5	2 p
Chamomilla D3	1 p

Prendre une mesure, trois à quatre fois par jour, à sec sur la langue.

Pour la phytothérapie, les brûlures d'estomac, ces fameuses gastralgies qui vous conduisent à l'ulcère, sont toujours d'origine nerveuse.

L'ulcère d'estomac est l'un des trois symptômes que l'on retrouve toujours dans un état de stress. Nous ne croyons pas que les erreurs alimentaires puissent être seules à l'origine de l'hyperacidité gastrique. Il est certain que l'abus d'aliments épicés et irritants est un facteur favorisant ; mais jamais quelqu'un de calme ne souffrira de gastralgie, même s'il consomme exagérément des plats épicés.

En revanche, s'il consomme café, thé, alcool... il ne pourra rester calme longtemps. L'aliment, qui est dans ce cas un facteur favorisant l'énervement, a un rôle déclenchant secondaire. C'est le nervosisme provoqué par l'aliment qui est cause de la douleur et non pas l'aliment lui-même. Il faut malgré tout en tenir compte, et respecter les règles alimentaires que nous vous indiquons, mais aussi être conscient que la cause est autre. Nous obtenons alors en cabinet des résultats plus rapides, grâce à la sympathicothérapie, médecine anti-stress. C'est, sans conteste, la preuve de l'origine nerveuse du mal. Malgré tout, ce n'est pas suffisant et il faudra toujours consolider par un traitement de fond.

I. HYGIÈNE DE VIE

Les brûlures d'estomac (ou gastrites) qui débouchent presque invariablement sur l'ulcère si elles ne sont pas convenablement traitées, sont, nous l'avons dit, l'apanage du sujet nerveux, intériorisé, anxieux, souvent « agressé » par le monde extérieur. C'est donc une véritable rééducation du malade que nous envisageons dans ce cas-là. Si vous souffrez de gastralgie, respectez ces trois règles d'or :

relaxation journalière
sommeil équilibré
alimentation saine

1. Relaxation journalière : le Hara

Pratiquez matin et soir cette relaxation pendant dix minutes, et à chaque fois que les douleurs apparaissent. Cette technique, qui nous vient de la médecine orientale, vous guérira plus sûrement d'une gastralgie chronique que n'importe quel comprimé pris avant ou après votre repas.

Encore faut-il que le « pansement gastrique » que vous prenez certainement chaque jour ne soit pas aussi un « pansement psychique ». En effet, nombre de malades traduisent des conflits psychologiques par des douleurs stomacales, et ces somatisations (ces traductions physiques des douleurs psychiques) nécessitent alors des techniques de relaxation plus avancées, comme par exemple la sophrologie.

Respiration par le Hara :

Le Hara, qu'il faut considérer comme le point source de l'énergie de notre corps, se situe à trois largeurs de doigts sous le nombril. Allongez-vous dans le calme, bras et jambes détendus, fermez les yeux. Inspirez lentement par le nez, et imaginez que votre Hara « absorbe » les forces mêmes de la vie. Gonflez votre ventre de cette énergie nouvelle, laissez votre Hara s'en gorger avant de la répartir dans votre corps. Puis, expirez toujours par le nez, en rejetant hors de vous, non seulement l'air vicié, mais vos soucis, vos appréhensions, vos difficultés devant la vie. Laissez votre Hara faire la chasse à tous ces « tourmenteurs », et laissez la place nette pour une nouvelle inspiration.

2. Sommeil équilibré

Voici quelques conseils pour un sommeil paisible et rééquilibrant.

• Si vous travaillez ou vivez enfermé dans la journée, faites une promenade avant d'aller vous coucher. Marchez à grandes enjambées en respirant à fond, pendant au moins vingt minutes.

• Faites un dîner léger et buvez un grand verre de lait avant de vous endormir. Ou bien, prenez cette tisane :

Angélique (racine)	15 g
Aubépine (fleurs)	30 g
Oranger (feuilles)	20 g
Mélisse (feuilles)	30 g
Lavande (fleurs)	5 g

Une cuillère à café de ce mélange pour une tasse d'eau bouillante. Laissez infuser dix minutes et filtrez.

• Douche froide des mollets : commencez par le bord externe du pied droit, montez le long du mollet en tournant dans le sens des aiguilles d'une montre, puis redescendez. Passez ensuite à la jambe gauche. Faites cette douche pendant trois ou quatre secondes sur chaque jambe, juste avant de vous coucher.

---

3. Alimentation saine

Supprimez de votre alimentation les aliments excitants ou irritants : tous les épices, le café, le thé, le vin, l'alcool, sans oublier le tabac. Ne buvez pas pendant les repas. Entre les repas, consommez de préférence des jus de plantes crues : jus de pomme de terre crue ou jus de chou cru, à raison de quatre à cinq verres par jour, que vous pouvez diluer dans de l'eau en cas de soif plus importante.

Pour les tartines du matin, utilisez de la confiture de gingembre ou du miel de lavande cicatrisant et adoucissant. Prenez vos repas à heures régulières, mangez dans le calme et lentement. Ensuite, reposez-vous 1/2 heure en position couchée avec une compresse humide et chaude sur l'estomac. Pour une plus grande efficacité, trempez votre compresse dans le mélange suivant :

Cônes de houblon ⎫
Saule (écorce) ⎬ 1 cuillère à soupe de chaque
Serpolet (fleurs) ⎭

Chauffez le tout dans 1/2 litre d'eau pendant sept minutes à feu très doux. Filtrez.

• Cure de carotte-pommes : mangez 1 kg à 1,5 kg de pommes crues par jour. Il est préférable de manger la peau des pommes. Pour cela, lavez-les soigneusement pour les débarrasser de toutes traces de pesticides ou d'insecticides.

Répartissez la prise de ces fruits sur cinq repas et mastiquez-les bien. Buvez, entre les repas, 1/2 litre de jus de carotte dilué dans un litre d'eau.

Cette cure est à faire jusqu'à cessation de la douleur en cas de crise aiguë et en cure régulière de deux jours toutes les deux semaines, en prévention, dans les cas de douleurs chroniques.

II. L'ARGILE

Versez une cuillère à café d'argile dans un verre d'eau de Volvic. Laissez reposer la nuit. Vous prendrez cette préparation le matin, à jeun, après l'avoir bien remuée. Ceci est à faire pendant trois semaines consécutives puis vous stopperez pendant quinze jours.

Faites cette cure trois fois de suite. En absorbant l'argile de cette façon, avec des interruptions, vous éviterez les problèmes de constipation que l'on peut parfois noter. Ne soyez pas étonné par d'éventuelles réactions cutanées (prurits, eczémas, psoriasis) durant ce traitement. Cela prouvera, au contraire, la réaction saine de votre organisme qui, grâce à l'action de l'argile, se débarrasse de ses toxines. Ces réactions superficielles ne seront donc que momentanées. Si elles persistaient, nous vous conseillons de recommencer la cure trois fois de suite.

III. TISANE CALMANTE DES ETATS CONGESTIFS ET INFLAMMATOIRES DE LA MUQUEUSE STOMACALE

Ansérine (fleurs)	30 g
Mélisse (sommités fleuries)	30 g
Réglisse (racine)	5 g
Souci (fleurs)	30 g
Plantain (plante entière)	15 g
Chardon bénit (sommités fleuries)	20 g
Véronique (sommités fleuries)	20 g

Versez quatre cuillères à soupe de ce mélange dans un litre d'eau froide. Laissez tremper deux heures puis chauffez à feu doux. Faites cuire deux à trois minutes et laissez macérer 1/4 d'heure. Filtrez. Buvez cette préparation dans la journée, entre les repas. Tous les vingt jours, arrêtez la prise de cette tisane pendant dix jours.

IV. TISANE CICATRISANTE

Grâce à son apport en masse d'ions minéraux, vous emploierez avec succès, dans les cas d'ulcérations des muqueuses, la tisane suivante :

Acore vrai (racine)	15 g
Prêle (plante entière)	20 g
Absinthe (sommités fleuries)	10 g

Achillée (sommités fleuries) 20 g
Petite centaurée (sommités fleuries)   20 g

Versez quatre cuillères à soupe de ce mélange dans un litre d'eau froide. Laissez macérer dix minutes, puis faites cuire trois minutes. Laissez infuser quinze minutes avant de filtrer. Buvez une tasse avant chaque repas.

V. MASSAGE DU PLEXUS SOLAIRE

En cas de crise, massez votre plexus solaire (il est situé sous le sternum) dans le sens inverse des aiguilles d'une montre, pendant sept ou huit minutes.

Composez-vous cette huile de massage particulièrement calmante :

Huile essentielle bergamotier   5 ml
Huile essentielle de Verveine des Indes   5 ml
Huile essentielle de lavande   5 ml

Mélangez à 100 ml d'huile de paraffine.

Tous les traitements que je viens de vous indiquer sont compatibles entre eux.

XIII. VOS DIGESTIONS SONT TRÈS LENTES

Encore un des symptômes les plus fréquemment entendus en consultation, mais qui a besoin d'être précisé et discuté. En premier lieu, nous tenons à démentir formellement une théorie répandue dans certaines facultés de médecine, qui dispensent à leurs étudiants l'affirmation suivante : « Il n'y a pas de crise de foie ou de « malade du foie ; il n'y a que la cirrhose, le cancer, l'hépatite et quelques petites maladies du foie connues officiellement, comme la maladie de Gilbert ».

Encore une fois, nous devons nous élever vigoureusement contre cette affirmation gratuite qui montre l'incompréhension des symptômes exprimés si fréquemment. Il existe beaucoup de petites « insuffisances hépatiques ». Ce qui n'existe pas, ce sont les traitements allopathiques efficaces sur le foie. Nous connaissons aussi des « patraques digestifs » sans gravité, mais dont la vie est changée par les traitements homéopathique et phytothérapique. Après le traitement, ils nous affirment qu'ils peuvent manger des aliments qu'ils ne pouvaient pas supporter auparavant. D'autres patients, après le traitement, voient même leur organisme refuser spontanément une alimentation qui lui serait nocive : leur organisme devient capable, instinctivement, de choisir ce qui lui convient.

Autre remarque concernant les digestions lentes : le foie n'est pas toujours responsable. Il peut s'agir du pancréas (souvent oublié), ou de problèmes nerveux ou existentiels. Si je dis « je n'ai pas digéré » cette contrariété, ou « ce souci m'est resté sur l'estomac », j'emploie un langage figuré ; lequel signifie autre chose, lorsque le tube digestif est impliqué.

Il ne faut pas confondre digestion lente et ballonnements. Nous rencontrons un nombre impressionnant de personnes qui gonflent subitement, même sans manger, souvent sous l'effet d'un souci ou d'une émotion. Là, le processus digestif n'est pas directement impliqué, et il peut s'agir d'un élément tout autre qui met en cause « l'élément air ». Nous verrons dans la composition de certains remèdes de médecine anthroposophique que les ombellifères (anis, cumin, ...) sont souvent utilisés dans les cas de ballonnements. La relation de cette espèce végétale avec l'air est évidente. Il suffit de les admirer pour voir l'allure aérienne de ces plantes.

Avant de chercher un remède, regardez-vous manger. Votre digestion est-elle vraiment lente ou ne mangez-vous pas trop vite ? Sachez qu'un repas de moins de vingt minutes est un repas mal toléré. D'abord, la salive n'a pas le temps d'imprégner les aliments riches en amidon et de les pré-digérer ; ils vont donc fermenter dans le tube digestif. Ensuite, la sensation de faim viendra beaucoup plus tôt (alerte au régime !).

Enfin, sachez éliminer définitivement un féculent ou tout autre aliment dont vous aurez remarqué qu'il vous fait « ballonner ».

L'absorption d'un liquide chaud après le repas (un remède pris dans de l'eau chaude, par exemple) peut aider suffisamment la digestion avant de commencer un traitement. Pour vous résumer :

• Mâchez !

• Prenez votre temps pour manger.

• Mangez dans une ambiance détendue.

• Oubliez percepteur, produit national brut ou crise économique ; votre estomac et vos intestins s'en méfient plus que vous...

• Lorsque vous préparez un plat, essayez d'y glisser une bonne dose d'amour, en pensant que tout le monde va bien se régaler... même si ce sont des carottes râpées.

Les remèdes

• Vous êtes un gros mangeur, sédentaire, qui fait honneur à tous les plats et à toutes les bouteilles, de l'apéritif au digestif, en finissant par le café. Après un excès alimentaire, commence, pour vous, une période de somnolence irrésistible. Dix minutes de sieste, pas plus, ont sur vous l'effet d'un ballon d'oxygène sur un asphyxié. Vous vous réveillez en forme, « retapé », mais la digestion lente va commencer ses effets. Environ une demi-heure après le repas, vous gonflez, vous sentez une lourdeur qui vous oblige à desserrer votre ceinture. Vous avez une sensation de chaleur à la tête. Attention si vous êtes un V.R.P. et que vous conduisez après un relais gastronomique : la zone de repos sur l'autoroute est une obligation civile. Une lourdeur « cérébrale » est incompatible avec le travail au bureau ou la conduite automobile.

Votre langue se charge sur sa partie postérieure, et vous devenez nerveux, intolérant aux bruits et irritable (attention aux enfants qui jouent pendant que papa essaie de faire sa sieste !). Tout cela vous met de mauvaise humeur, jusqu'au réveil du lendemain matin où, encore vaseux, il n'est pas bon de vous adresser la parole. Une bonne colère à tout faire trembler vient « décharger » votre tube digestif et vous vous sentez mieux après l'explosion... jusqu'au prochain gros repas auquel vous pensez déjà ! Ainsi, en quelques mots, vit le « surmené des affaires », sédentaire mais très actif et qui oublie vite ses colères. Voici le remède le plus connu pour la digestion. Ayez-en toujours chez vous, vous ne pourrez que vous en féliciter :

Nux Vomica

Dilution : 5 CH, après un repas. 9 CH, ou plus s'il y a somnolence ou troubles mentaux.

• Vous avez moins de somnolence et de lourdeurs d'estomac que le sujet « Nux Vomica ». En revanche, vous avez beaucoup plus soif. Vous avez une sensation de vide dans l'estomac avant les repas et vous avez alors envie de sucre (le petit creux de 11 h). Vous êtes flatulent avec des gaz malodorants et des rougeurs aux orifices (nez, bouche, anus) :

Sulfur

Dilution : 7 CH, avant le repas ; à déterminer avec votre thérapeute.

• Vous avez des ballonnements et des gargouillements accompagnant des maux de tête. Vous êtes facilement sujet aux hémorroïdes. A force de bons repas, vous avez trop d'acide urique et vous devenez un bedonnant indolent, avec une face rouge, un nez turgescent et une mauvaise humeur latente :

Aloe

Dilution : 5 CH, trois fois par jour.

• Voici maintenant un remède qui se situe au même plan que Nux Vomica et Sulfur. C'est *Lycopodium*, un des plus gros remèdes digestifs. Il touche tout le tube digestif, de la langue à l'anus. Il faut apprendre à le distinguer de Nux Vomica à qui il ressemble beaucoup. Nous vous indiquons déjà quelques petits points de discordance entre les deux :

— Nux Vomica est pour celui qui adore la sieste.

— Lycopodium est pour celui qui s'en relève anéanti.

— Nux est pour le coléreux sans rancune.

— Lycopodium est pour le coléreux qui n'oublie pas.

— Nux est pour l'optimiste que la difficulté stimule, qu'il faut

— Lycopodium pour celui qu'il faut ménager et qui se décourage s'il ne se sent pas épaulé, voire aimé.

Lycopodium vous correspond si vos symptômes digestifs purs sont les suivants : une grande flatulence avec des gaz qui font gonfler surtout la partie inférieure de votre ventre. L'aggravation de ces symptômes se situe entre 16 h et 20 h. Vous ne supportez pas les féculents, le pain, les soupes, les oignons et les huîtres.

Dès que vous mangez, vous êtes vite rassasié et votre ceinture vous paraît serrée :

Lycopodium

Dilution : commencez en 5 CH, une fois par jour ; mais attention, ce remède est difficile à manier.

• Vous avez une douleur au niveau du foie, ou parfois sous la pointe de l'omoplate droite. Quelquefois, vous sentez une douleur pesante sur l'épaule droite. Votre langue est jaunâtre et pâteuse, vous avez un goût amer et une mauvaise haleine. Votre teint peut être légèrement jaune et vous êtes parfois constipé, parfois en diarrhée, avec souvent un mal de tête au front, endolorissant vos yeux ou votre nuque. Vous avez une tendance au cholestérol qui peut vous faire avoir des douleurs rhumatismales. A noter la comparaison classique du suc de la chélidoine avec la bile :

Chelidonium

Dilution : 5 CH, une à trois fois par jour.

Choleodoron : est un mélange de chélidoine et de Curcuma. Il se prend en gouttes (8 à 10) après le repas, dans un verre d'eau tiède. Il agit sur les voies biliaires et, secondairement, sur la constipation.

Pour ce qui concerne la phytothérapie, les anciens qui connaissaient les plantes certainement mieux que nous conseillaient, pour les digestions lentes, quelques remèdes « royaux ». Les voici :

I. LA TISANE DES 4 SEMENCES CHAUDES MAJEURES

Semences concassées de carvi
Semences concassées d'anis vert   à parts
Semences concassées de coriandre   égales
Semences concassées de fenouil

Vous utiliserez ce mélange à raison d'une cuillère à café pour une tasse d'eau bouillante et vous laisserez infuser dix minutes. À boire après les repas.

Vous pourrez parfaire l'efficacité de cette tisane, si vous êtes nerveux et que vous avez tendance à souffrir de maux d'estomac, en ajoutant une cuillère à café de *sommités fleuries de marjolaine*.

Si le foie est votre point faible, ajoutez une pincée de *feuilles et fleurs de romarin*.

Si vos intestins sont sensibles, douloureux et, à plus forte raison, si vous avez tendance à souffrir de rhumatismes, ajoutez une cuillère à café de *thym* (les sommités fleuries fraîches sont préférables si vous avez la chance de vivre à la campagne.

II. HUILES ESSENTIELLES DIGESTIVES

Pour ceux qui n'ont pas le temps (probablement une des raisons de leurs troubles digestifs !), il existe une solution tout aussi efficace et d'emploi plus simple. Après les repas, prenez trois gouttes, sur une cuillère à café de miel de romarin, du mélange suivant :

Huile essentielle de carvi   à parts
Huile essentielle de romarin   égales pour
Huile essentielle de coriandre   un flacon
Huile essentielle de marjolaine   de 15 ml

Surtout, ne prenez pas plus de trois gouttes ! Les huiles essentielles sont des produits extrêmement concentrés et vous risqueriez des crampes d'estomac en augmentant les doses.

Cette recette a l'avantage d'être rapide d'exécution et agréable au goût. Elle peut constituer une thérapeutique ambulatoire pour les hommes d'affaires se déplaçant beaucoup et soumis, pauvres esclaves de la civilisation, à ces fameux « dîners d'affaires » que tout le monde déplore et qui sont pourtant si répandus... allez comprendre !

III. MASSAGE DE L'ABDOMEN

Avez-vous une geisha de service, ou tout simplement un peu de courage ? Alors, voici une pratique extrêmement efficace, simple et particulièrement agréable, à condition de disposer d'un endroit calme et de quelques minutes après les repas...

En écrivant cela, je regarde la mer bleue, calme, scintillante, le lent balancement des feuilles de chêne liège, la force et la joie de vivre des arbustes du maquis corse qui se dressent vigoureusement vers le soleil et j'ai du mal à imaginer qu'à certains moments de l'année, il nous soit impossible de trouver quelques minutes de calme dans la journée. Je me demande, dans ces conditions, si une « recette » peut être réellement utile... mais puisque vous disposez d'un peu de temps, celle-ci vous rendra de grands services.

Massez-vous le ventre, en tournant dans le sens des aiguilles d'une montre et en appuyant fortement avec quelques gouttes de la préparation suivante :

Huile essentielle d'estragon
Huile essentielle de carvi   } à parts
Huile essentielle de genièvre   } égales
Huile essentielle de verveine
Huile de noyau hydrogénée 20 % du mélange
Huile végétale   60 % du mélange

IV. DEMI-BAIN FROID

Si vous voulez améliorer votre digestion, mais en même temps vous défatiguer et stimuler les forces vives de votre organisme, il vous faudra... un peu de courage ! Car le meilleur moyen est de vous adonner à la pratique quotidienne du demi-bain froid ; cela consiste à se plonger jusqu'à la taille, dans un bain d'eau à 12°.

La durée de cette ablution est de dix à quinze secondes, pas plus. Le moment le plus adapté est le soir, 1/4 d'heure minimum avant les repas. Il est indispensable de vous couvrir chaudement immédiatement après.

Cette pratique quotidienne, à laquelle on s'habitue très vite, offre de grands avantages. Non seulement les troubles digestifs disparaissent, donc plus de somnolence après les repas, mais ce bain froid améliore également l'aérophagie, la fatigue, les hémorroïdes, les troubles circulatoires des membres inférieurs.

A éviter, pour les femmes, pendant la période des règles.

V. VIN APÉRITIF

L'usage des vins apéritifs se perd et c'est bien dommage. Une tisane demande une préparation quotidienne, voire bi-quotidienne, alors qu'une macération de plantes médicinales dans du vin est très facile à réaliser. Vous pouvez l'utiliser par la suite pendant deux à trois mois selon le volume de vin employé. Ils sont, en général, délicieux et efficaces. Ils surprendront agréablement vos amis qui rentreront chez eux enchantés d'avoir si bien digéré un aussi bon repas !

Voici une formule qui nous a toujours donné d'excellents résultats. Laissez macérer, pendant sept jours, dans un litre de bon vin rouge biologique, le mélange suivant :

Absinthe (feuilles)	15 g
Genièvre (baies)	10 g
Rhubarbe (racine)	10 g
Angélique archangélique (racine)	30 g
Petite centaurée (sommités fleuries)	20 g

Filtrez et conservez bien bouché. Ce vin vous évitera les digestions trop lentes, les somnolences post-prandiales, les pesanteurs d'estomac et les crises d'aérophagie. Vous prendrez un verre apéritif avant les repas.

VI. GYMNASTIQUE

Deux groupes musculaires sont à travailler pour améliorer votre digestion : les abdominaux et les muscles intervenant dans la respiration avec, en priorité, le diaphragme. La tonicité des muscles abdominaux assure un massage vibratoire permanent des organes de digestion. Souvent, ils constituent un rempart dont la solidité va permettre au diaphragme, en s'abaissant pendant l'inspiration, de broyer, de malaxer les viscères. Vous n'avez peut-être pas conscience de ce travail de massage en profondeur qu'effectue votre diaphragme tout au long de la journée et de la nuit. Pendant l'inspiration, il appuie sur les organes d'assimilation. Pendant l'expiration, il se relâche et ceux-ci retrouvent leur volume normal. Ce brassage profond se renouvelle 12 fois par minute, 720 fois par heure, plus de 17 000 fois par 24 h !

Il est indispensable à la vie, primordial pour votre digestion. Si votre respiration est insuffisante si vos muscles abdominaux sont trop faibles pour contenir la masse des viscères, ce brassage devient inefficace, inexistant. Aucun remède ne parviendra à résoudre vos problèmes digestifs. Voici, pour vous aider, quelques mouvements simples à effectuer quotidiennement :

1. Allongé sur le dos, bras en croix, genoux pliés, pieds au sol :
— Inspirez à fond dans cette position en gonflant le ventre, puis la cage thoracique.
— Expirez en venant encercler vos genoux avec vos bras.
— Répétez le mouvement dix fois.

Si vous n'y parvenez pas, commencez jambes tendues, et venez expirer en tendant les genoux.

Attention : les pieds doivent toujours rester en contact avec le sol.

2. Allongé sur le sol, genoux pliés, pieds au sol, mains derrière la nuque :
— Inspirez bien à fond en gonflant le ventre puis la cage thoracique.
— Expirez en venant toucher les genoux avec les coudes.

Même si vous n'arrivez pas à toucher le genou, ce n'est pas grave. Il faut chercher l'effort maximum et surtout la rotation du buste de la plus grande amplitude possible.
— Répétez dix fois chaque mouvement.

3. Allongé sur le dos, jambes repliées, pieds au sol, bras en croix :
— Inspirez profondément, comme pour les deux exercices précédents.
— Expirez très lentement et le plus à fond possible, en ramenant les genoux jusque sous le menton.

Ces trois mouvements simples sont à effectuer le matin et le soir, quotidiennement. Mais le plus efficace de tous les exercices consiste à penser à rentrer le ventre, en permanence, toute la journée. Vous pensez peut-être que ce n'est pas possible ? Essayez, et vous verrez que cette habitude se prend très facilement. Non seulement vous digérerez mieux mais vous aurez probablement moins de douleurs de dos et vous vous sentirez plus calme.

Tous les traitements que je viens de vous indiquer ne sont pas forcément compatibles entre eux. Certains se marient, d'autres se contrarient.

Vous pouvez faire en même temps :

    I. III. IV

    II. III. IV

    IV. V.

    III. V.

Vous ne pouvez pas faire :

    I. II.

    II. V.

    I. V.

XIV. VOS ENFANTS ONT DES CRISES D'ACETONE

Ainsi nommée à cause de l'odeur de l'haleine, la crise d'acétone est une élimination d'origine plus particulièrement hépatique. C'est aussi une perturbation métabolique plus globale. En effet, la crise est le signe d'un travail effectué par le foie pour utiliser une combustion de graisses à la place de celle des sucres, insuffisants en réserve. Cela touche donc bien d'autres organes que le foie. Les crises se reconnaissent à l'odeur de « pomme reinette » de l'haleine et souvent à des nausées et des vomissements. Les malades sont très pâles.

Il est à signaler que la prise d'aliments sucrés calme la crise presque à tous les coups. Ouvrons une parenthèse pour dire que le désir de sucre chez un enfant peut être un excès de gourmandise catalysé par le matraquage publicitaire de délicieuses petites choses vues en gros plans sur le petit écran. Mais cela peut aussi signifier que son organisme a besoin, physiologiquement, de sucre. Ici, nous retrouvons les « sujets » homéopathiquement définis par Sulfur et Lycopodium (qui sont notamment des remèdes de diabète) chez qui le désir de sucré est un trouble pathologique.

Les remèdes

• L'enfant est fatigué, pâle, nauséeux, avec une diarrhée ou une constipation. On retrouve parfois de l'acétone dans les urines. Ce médicament est utilisé comme laxatif en allopathie :
Senna
Dilution : 4 CH, trois fois par jour.
Acétone
Dilution : 5 CH, une fois par jour.

• Voici un remède à donner en cas de nausées et de vomissements difficiles à arrêter. La langue de l'enfant est propre (signe distinctif de ce remède ; si la langue est « chargée », choisissez un autre remède) :
Ipeca
Dilution : 5 CH, une fois par jour.

• La langue est chargée. Un mauvais caractère et des colères

sont significatifs. A noter, une grande frilosité pendant la crise:
Nux Vomica
Dilution : 4 CH.

• Des vomissements sont déclenchés par la moindre prise d'eau. On dit que « l'eau est rejetée dès qu'elle est réchauffée dans l'estomac ». Ici, l'état général est beaucoup plus atteint : ce remède est réservé à des états avancés. Pour intervenir préventivement, il est difficile de recourir à un traitement de fond à déterminer avec le thérapeute :
Arsenicum Album
Dilution : 5 CH.

En attendant de trouver le bon remède, donnez une compote de pommes, sucrée avec du miel, ou un sirop « Quatres Baies » ou de prunelle, pour apporter une petite quantité de sucre naturel.

En dehors des crises, évitez les sucreries et privilégiez les céréales.

Pour le naturopathe-phytothérapeute, il est certain que la crise d'acétone est un symptôme d'élimination. L'organisme se défend violemment contre un état d'intoxication spécifique. Tous les émonctoires sont touchés, mais il est évident que le « leader » des revendicateurs est le foie. C'est lui qui vient en tête de la « manif ».

Comme dans tous les cas, il convient donc d'agir de deux manières. Tout d'abord, aider rapidement l'organisme à se purifier. Ensuite, faire un petit travail de réflexion pour connaître l'origine de la crise. Neuf fois sur dix, elle est liée à des aberrations de diététique. Le petit malade consomme trop de sucre, trop de boissons sucrées (véritables poisons !), mais aussi trop de farineux, de charcuterie ou tout simplement de viande. Quand on parle de sucre, il faut bien s'entendre. Il ne s'agit pas seulement de sucre blanc, de bonbons ou de chocolat, mais également tout ce qui est sucré : confiture, gâteaux, entremets, flan, yaourt aux fruits, etc. Il suffit quelquefois de très peu de chose pour déclencher la crise ; par exemple deux ou trois bonbons... mais qui arrivent à un moment où l'organisme est sur-saturé, et où le malade est un peu fatigué.

Il ne faut donc pas rejeter la faute sur l'enfant en disant : « ce petit est fragile, et il a encore mangé plus de friandises qu'il n'en peut admettre ». Dans la majorité des cas, les parents sont responsables du déséquilibre de régime. Il faudra donc, avec un praticien compétent, mettre en place une diététique saine.

I. TRAITEMENT D'ATTAQUE RAPIDE EN CAS DE CRISE

1. Diète

Mettez l'enfant à la diète stricte : bouillon de légumes.

2. Jus de radis noir

Prenez trois ampoules de radis noir par jour. Le meilleur jus de radis noir se trouve dans les maisons de régime. Si l'enfant n'en supporte pas le goût (insipide) et l'odeur, vous trouverez des globules de radis noir. Toutefois, l'efficacité est moins nette.

3. Tisane

Boire trois tasses par jour de :
Racine de pissenlit
Racine de chicorée amère
Ecorce de bourdaine
Feuilles de boldo $\rangle$ àà 20 g
Feuilles d'artichaut
Sommités de thym

Comptez 30 g pour un litre d'eau froide.
Portez doucement à ébullition. Laissez bouillir deux minutes et infuser quinze minutes.
Pour les enfants de plus de dix ans, ajoutez vingt gouttes de la préparation suivante (dix gouttes de cinq à dix ans) :
Teinture Mère de fumaria
Teinture Mère d'ononis spinosa $\rangle$ àà q.s.p. 60 ml
Teinture Mère de berbéris

Il serait réellement étonnant qu'une crise d'acétone résiste plus de deux jours à ce traitement. Si cela arrivait, écrivez-nous, le cas nous intéresse !

II. TRAITEMENT DE FOND

Le traitement de fond consiste, nous l'avons dit, à respecter une diététique appropriée à l'enfant. Toutefois, il peut arriver qu'un enfant ait déjà le foie, le pancréas et la rate fragiles. Il convient donc d'instituer un traitement sous forme de cure pour renforcer le terrain. Dans ce cas, il est souhaitable de respecter deux cures de trois semaines ; la première au début du printemps, et la seconde au début de l'automne.

1. Au début du printemps

Prendre tous les soirs une grande tasse de la tisane suivante :
Epine-vinette (écorce de racine)
Chardon bénit (feuilles)
Angélique (racine)
Centaurée (racine)   àà 30 g
Aspérule odorante (sommités)
Hépatique des fontaines
Romarin (sommités)

Comptez trois cuillères à café pour un grand bol d'eau froide. Portez à ébullition, sans laisser bouillir. Eteignez le feu et couvrez dix minutes.

2. Au début de l'automne

Le matin, boire un bol de :
Fumeterre (plante entière)
Buis (feuilles)
Pensée sauvage (feuilles)
Piloselle (plante entière)   àà 30 g
Thym (sommités)
Artichaut (feuilles)

La meilleure façon de préparer cette tisane consiste à en laisser reposer une grosse cuillère à soupe, toute la nuit, dans un bol d'eau froide. Portez le tout à ébullition. Filtrez dès les premiers bouillons.

Vous pouvez également éviter la macération à froid, en portant à ébullition et en laissant reposer dix minutes avant de filtrer.

Tous les traitements que je viens de vous indiquer ne sont pas forcément compatibles entre eux. Certains se marient, d'autres se contrarient.

Vous pouvez faire en même temps :

I.1. I.2.

I. II.

I.1. I.3.

Vous ne pouvez pas faire :

I.2. I.3.

XV. VOUS AVEZ LA DIARRHÉE

La diarrhée trouve souvent sa cause dans l'alimentation. S'il s'agit d'un cas d'exception, de nombreux remèdes sont à votre disposition, pour un traitement rapide et efficace. Toutefois, si cela devient une habitude, il faut rechercher la cause exacte du mal.

• **Les diarrhées émotives** tiennent une place importante : nous en verrons les remèdes pour les candidats au permis de conduire ou au mariage. Ce sont des moments où il vaut mieux prévenir, plutôt que d'être obligé de filer à l'anglaise vers les toilettes les plus proches !...

• **Les diarrhées alimentaires** sont, sans aucun doute, les plus fréquentes. Les erreurs diététiques grossières qui marquent notre siècle causent bien des déboires au point de vue intestinal. En premier lieu on peut citer les excès, très nuisibles quel que soit l'aliment, et plus particulièrement lorsqu'il s'agit de fruits ou de lait.

• **Les diarrhées infectieuses** n'ont d'infectieux que le nom. Bien sûr, il peut y avoir un staphylocoque, un candida, ou un virus, mais le plus important c'est le sujet lui-même. Qui n'a pas de microbes sur les doigts ou dans la bouche ? Si le sujet est sain et équilibré, il se défend, et le microbe vit sur lui sans l'agresser. Si les moyens de défense baissent, l'atteinte infectieuse se développe.

Une mention toute particulière pour les diarrhées infectieuses du nourrisson. En effet, étant donné son poids, il risque, si l'on n'y prend garde, une déshydratation grave.

Les diarrhées peuvent aussi être dues à un refroidissement, en particulier sur le ventre. C'est pourquoi il est utile de repenser aux heures qui ont précédé la diarrhée.

Les causes des diarrhées sont très nombreuses, depuis l'insuffisance hépatique ou cardiaque, jusqu'aux troubles biliaires ou pancréatiques.

Il faut savoir que la diarrhée fait aussi partie de ce que nous appelons plus haut les « éliminations ». Il arrive donc qu'elle soit une aubaine pour un organisme encombré. Elle agit alors comme un régulateur, et dans les limites du supportable. Il faut éviter de la traiter. Nous sommes persuadés qu'un sujet atteint de troubles bronchiques ou rhino-pharyngés est soulagé par une diarrhée, qui constitue pour lui une sorte de « purge de nettoyage ».

Les remèdes

1. Les diarrhées émotives
• Le trac vous envahit, vous êtes bloqué, inhibé, tremblant. Vos jambes flageolent, votre parole est coincée, c'est le trou noir devant l'épreuve. La diarrhée est impérieuse et ne vous calme pas.

La prise du remède en haute dilution délie la langue, calme les tremblements et arrête la diarrhée. Nous avons ainsi contribué à une légère augmentation des réussites au permis de conduire chez nos patients:

Gelsemium
Dilution : 15 CH, 3 grains une à trois fois par jour selon l'intensité des symptômes. 9 CH, tous les matins, pendant les dix jours précédent l'épreuve à titre préventif.

• Vous êtes émotif, mais cela ne vous bloque pas, au contraire. Vous êtes agité, excité, hyperactif, vous ne pouvez vous arrêter de marcher et de vous occuper. Vous agissez toujours avec hâte : vous parlez vite, vous marchez vite, vous mangez vite, et tout doit être vite terminé, comme si votre anxiété vous poussait à agir vite pour se libérer.

Votre diarrhée arrive au moment de passer un examen ou d'entrer en scène. Elle est classiquement verte, « éclaboussante », accompagnée de gaz bruyants et fétides:

Argentum Nitricum
Dilution : 5 CH toutes les heures puis 9 CH une fois par jour, en espaçant les prises.

• Le supérieur hiérarchique a vivement critiqué l'employé pourtant consciencieux qui prend son travail à cœur. Celui-ci a rengorgé sa colère et les effets ne vont pas tarder à se faire sentir. Littéralement plié en deux, il va éliminer sa colère par une crampe déchirante, améliorée en se tenant le ventre. La douleur est pinçante, elle peut être localisée à la vessie, à l'ovaire ou aux membres.

Vous êtes très irrité et coléreux, vous n'aimez pas qu'on vous parle lorsque vous avez mal:

Colocynthis
Dilution : 7 CH, tous les 1/4 d'heure.

• Vous avez eu une diarrhée, suite à une colère rentrée.

Staphisagria (cité dans le chapitre des démangeaisons de peau).

2. Les diarrhées alimentaires

Les aliments mal supportés ou de mauvaise qualité sont les causes évidentes de tels troubles. Il faut les rechercher si cela se produit souvent, pour éviter les aliments mal tolérés.

• Vous êtes pléthorique et votre congestion portale vous rend inapte à tout travail intellectuel. La diarrhée vous donne parfois des selles involontaires, tout de suite après avoir mangé ou bu, particulièrement de la bière. Vous avez des sueurs froides, vous vous sentez mal après la selle. Vous souffrez d'autant plus que les hémorroïdes sont saillantes:

Aloe

Dilution : 5 CH, quatre fois par jour.

• Vous êtes victime d'une intoxication alimentaire par une boîte de conserve malsaine ou par une eau impure. Votre diarrhée s'accompagne de vomissements. Vous avez soif, mais dès que vous buvez, vous vomissez. Vos selles sont irritantes, brûlantes, d'odeur putride et de couleur sombre. Votre état général est mauvais. Vous êtes parfois prostré. Vous êtes « empoisonné »… Arsenic oblige !

Arsenicum Album

Dilution : 5 CH, toutes les deux heures, puis augmenter la dilution en 9 CH une fois, et arrêter.

• Un excès alimentaire vous donne la langue très chargée d'un enduit blanc épais. Votre diarrhée est en partie solide, en partie liquide, avec des « coliques ». Si, en plus, vous avez pris un bain froid, le remède est tout trouvé:

Antimonium Crudum

Dilution : 5 CH, toutes les deux heures, et espacez.

• Votre état est grave (peut-être une intoxication par les huîtres). Vous êtes prostré avec des sueurs froides sur le front, vous avez les mains et les pieds glacés. La diarrhée est très abondante, évacuée énergiquement, avec des vomissements et des coliques excessivement violentes, suivies d'une extrême faiblesse:

Veratum Album (l'hellebore blanc)

Dilution : 5 CH, toutes les deux heures et espacez.

• Vous avez une diarrhée causée par un excès de sucre. La diarrhée est verte, « comme des épinards hachés », les selles sont fétides, avec des gaz importants. Voici un remède de diarrhée verte chez les bébés qui têtent, lorsque la mère mange beaucoup de sucreries:

Argentum Nitricum
Dilution : 5 CH, toutes les deux heures, puis espacez.

• Il arrive que ce soit l'excès de fruits qui donne les symptômes suivants : diarrhée avec beaucoup de gaz, selles jaunes contenant des aliments non digérés. La fatigue est ici un élément important. Voici le remède le plus classique de la diarrhée:

China
Dilution : 5 CH, toutes les heures, puis espacez.

• La diarrhée est aggravée le matin, les selles sont très abondantes, expulsées en jet, suivie d'une douleur et d'une sensation de vide dans l'abdomen. L'amélioration est nette lorsque vous êtes couché sur le ventre:

Podophyllum
Dilution : 5 CH, toutes les deux heures.

• La diarrhée est souvent nocturne, non douloureuse, avec des selles aqueuses et des bouffées de chaleur. La cause la plus fréquente est l'ingestion d'œufs :

Ferrum Metallicum
Dilution : 5 CH, toutes les deux heures.

3. Les diarrhées infectieuses

Lorsqu'on trouve un microbe dans les selles, il faut faire un traitement de terrain pour renforcer les défenses naturelles, et se livrer à une enquête alimentaire.

• La diarrhée est liquide, évacuée avec force en un jet bruyant. On la compare à un bruit de « barrique qui se vide ». Il y a beaucoup de gaz:

Jatropha
Dilution : 5 CH, toutes les deux heures.

• La diarrhée est abondante, sans douleur. Vous avez parfois des crampes dans les extrémités. Vos selles sont liquides, « en eau de riz »:

Ricinus
Dilution : 5 CH, toutes les deux heures.

• Votre diarrhée est acqueuse, écumeuse, expulsée avec force, et suivie de brûlures et d'irritation de l'anus. Elle est jaune-verdâtre. Les symptômes apparaissent souvent après avoir bu beaucoup d'eau froide en été. Voici un remède appelé « Herbe au pauvre homme », certainement parce que le psychisme des sujets concernés par ce remède est taciturne, triste, irrité par la moindre

contradiction et de mauvaise humeur:
   Gratiola
   Dilution : 5 CH, toutes les deux heures.
   • Votre diarrhée est aggravée après avoir mangé ou bu. Vous ressentez un violent besoin d'aller à la selle. Vous avez des bruits liquides dans le ventre. Vos selles sont jaunes, expulsées en jet:
   Croton Tiglium (remède d'intestin et de peau, eczéma des parties génitales).
   Dilution : 5 CH, toutes les heures.
   • Votre intestin est irrité, flatulent et douloureux. Les selles sont « café au lait » en jet liquide, d'odeur acide et irritant l'anus. Voici un remède pour les enfants agités la nuit, qui se réveillent et veulent s'amuser:
   Jalapa
   Dilution : 5 CH, toutes les deux heures. 9 à 15 CH, s'il y a agitation nocturne.
   • Votre diarrhée est brûlante et irritante, jaunâtre, expulsée en jet et aggravée le matin:
   Mercurius Sulfuricus
   Dilution : 4 CH, toutes les deux heures.
   • Vos selles sont glaireuses, parfois sanguinolentes, parfois verdâtres et mousseuses. Les douleurs sont fréquentes. Vous avez l'impression de « ne jamais avoir fini » malgré vos efforts. Votre langue est molle, saburrale, garde l'empreinte des dents. Les sueurs sont grasses, le foie est souvent atteint. Vous avez soif:
   Mercurius Solubilis
   Dilution : 7 CH, toutes les deux heures.
   • Vous avez une diarrhée verte avec envies constantes, mucosités sanguinolentes, fortes irritations brûlantes de l'anus:
   Mercurius Dulcis
   Dilution : 5 CH, toutes les deux heures.
   • Votre diarrhée est visqueuse, sanguinolente, avec des douleurs au ventre. La soif est peu marquée. Les selles sont vertes, parfois mousseuses, parfois visqueuses. Vous êtes pâle et votre état général est aggravé par le mouvement:
   Ipeca
   Dilution : 5 CH, toutes les heures.
   Il existe d'autres remèdes pour les diarrhées graves, il est alors préférable de consulter votre thérapeute dans ces cas un peu « limite ».

Il est souvent utile de compléter le traitement par des levures et une alimentation excluant le lait, les fruits, et insistant sur le riz blanc.

Pensez que plus on perd de liquide, plus il faut en boire !

Préparation d'orientation anthroposophique pour la diarrhée :

Antimonium Crudum D2	10 %	
Carbo Vegetabilis	50 %	Trituration
Chamomilla Radix D1	4 %	
Excipient q.s.p.	100 %	

Une mesure 4 à 8 fois par jour à rajouter à votre remède.

Si vous avez la diarrhée, le naturopathe ne peut que vous dire : « quelle aubaine » ! Voici le signe que votre organisme élimine de lui-même, manifestant ainsi, peut-être un peu vivement, sa volonté de s'épurer de toutes les toxines dont vous l'avez comblé. Une diarrhée est bien souvent un « ras-le-bol » alimentaire, que ce soit chez l'enfant ou chez l'adulte. Laissez donc vos intestins s'auto-guérir, sans intervenir.

En cas de diarrhée, la première des précautions à suivre est de ne plus ingérer d'aliments solides et se mettre à la diète totale, mais en buvant beaucoup d'eau. Il serait même nettement préférable de boire des bouillons de légumes, de façon à s'assurer un apport substantiel en oligo-éléments. Lorsque la diarrhée s'arrête, reprenez toujours votre alimentation par une soupe de carottes ; c'est le seul moyen pour être sûr d'avoir un transit intestinal régulier. Dans bien des cas, après une importante élimination, l'organisme a du mal à se rééquilibrer, et il s'ensuit de longues périodes où alternent diarrhée et constipation. La soupe de carottes vous évitera ces inconvénients. Surtout après une crise de diarrhée, faites votre examen de conscience. Votre alimentation est-elle aussi équilibrée qu'elle le devrait ? N'abusez-vous pas des viandes, des graisses, de charcuterie et surtout, poison entre les poisons, de sucre ? N'avez-vous pas tendance à être trop nerveux, à faire les choses trop vite, ne vous faites-vous pas à tort du mauvais sang ?

La débâcle intestinale est bien souvent le reflet d'une débâcle psychique. Ne vous acharnez pas sur votre intestin quand la cause est ailleurs. Peut-être est-il nécessaire d'aller consulter un praticien qui vous aidera à faire le point. Nous vous laissons réfléchir !

En attendant, nous vous indiquons le moyen de mettre un terme à ce trouble. Nous diviserons les remèdes en deux parties : ceux conseillés pour une diarrhée occasionnelle, et ceux en cas de diarrhée chronique.

I. DIARRHÉE OCCASIONNELLE

1. Eau de riz

Tellement classique qu'elle en devient banale. On a toujours tendance à croire que les vieilles recettes ont fait leur temps et qu'elles ne sont plus efficaces, alors qu'à l'évidence, ce ne peut être que leur efficacité qui leur fait traverser le temps sans prendre une ride.

Pour le préparer, il vous suffit de faire bouillir une cuillère à soupe de riz dans un litre d'eau pendant une demi-heure. Passez le riz. Buvez un verre toutes les demi-heures.

2. Cataplasme d'argile

Mélangez de l'argile verte en morceaux avec de l'eau froide de façon à obtenir une pâte épaisse. Appliquez froid sur le ventre, et conservez deux heures.

Attention : un cataplasme d'argile ne se retire que lorsqu'il est sec, jamais humide. Si vous n'avez pas, au moins, vingt-quatre heures devant vous, choisissez une autre méthode. Le cataplasme d'argile est particulièrement indiqué lorsque le ventre est douloureux.

3. Lavement astringent

Prenez 5 g de racine de ratanhia et 5 g de racine de tormentille.

Faites bouillir deux minutes et infusez dix minutes dans un litre d'eau. Filtrez et utilisez en lavement, en conservant le liquide le plus longtemps possible. Les propriétés astringentes et hémostatiques de ces deux racines permettent, non seulement de stopper rapidement les diarrhées les plus rebelles mais également de calmer l'irritation de la muqueuse intestinale, toujours très importante pendant les diarrhées.

4. Macération de graines de coings

Laissez macérer toute la nuit une cuillère à café de graines de coings concassées dans un verre d'eau de Volvic. Buvez le matin à jeun.

Cette recette est très intéressante dans les cas de désagréments intestinaux légers. Son action douce ne perturbe pas le transit intestinal et permet d'en rééquilibrer le fonctionnement, sans risquer de voir s'installer une constipation opiniâtre qui, quelquefois, succède à une diarrhée traitée trop violemment.

5. Tisane astringente

Grand plantain (plante entière)	10 g
Consoude (racine)	10 g
Renouée des oiseaux (racine)	10 g
Fraisier (racine)	10 g
Angélique (racine)	10 g

Faites bouillir ce mélange pendant quinze minutes dans un litre d'eau. Filtrez. Buvez dans la journée en cinq prises. Evitez de sucrer.

Cette tisane qui donne toujours de bons résultats en cas de diarrhée occasionnelle est également intéressante dans les diarrhées chroniques. Dans ce cas, il suffit d'en boire une tasse le matin à jeun. Vous pouvez l'utiliser d'une façon continue sans aucun risque.

II. DIARRHÉE CHRONIQUE

Trois causes fondamentales sont à l'origine des diarrhées chroniques :
— psychologique : le stress

— infectieuse
— surchage alimentaire et alimentation mal équilibrée.

La logique la plus élémentaire veut que nous trouvions trois remèdes adaptés chacun à l'une des situations données.

---

1. Situation : le stress

Si quelque chose vous perturbe de façon permanente, que ce soit le bruit de vos voisins, les brimades de votre chef de service, les week-ends chez belle-maman, vos horaires de travail (travail de nuit ou les « 3 huit »), la pollution atmosphérique particulièrement intense dans votre rue, votre vie trop trépidante, certaines rancœurs accumulées qui vous font « ruminer », bref tout ce qui met en danger votre équilibre psychologique, vous avez toutes les chances d'être en état de « stress ». Quelque chose, quelque part dans votre organisme, va réagir, va manifester son « ras le bol » ou va craquer. Si l'intestin est votre organe-cible, ce sera une diarrhée. Croyez-nous, c'est un moindre mal ! Certains, dans la même situation et avec le cœur comme organe cible, réagiront par un infarctus.

Comment savoir si vous êtes stressé ?

Simplement en prenant une petite heure pour faire le point. Vous n'avez pas le temps… ? Vous êtes en état de stress ! Etes-vous irritable, insomniaque, avez-vous de l'aérophagie, des migraines ? Oui ? Vous êtes vraisemblablement stressé. Encore, ne s'agit-il là que d'une petite liste, les symptômes du stress sont bien trop nombreux pour être tous énumérés. Parvenez-vous à rester une demi-heure avec plaisir sans bouger et en relâchant tous vos muscles ? Non ? Vous êtes sans aucun doute en état de stress… Dans ce cas, la meilleure solution pour vous guérir définitivement est d'utiliser le cocktail sympathicothérapie-sophrologie. Quelques touches sur des points bien précis à l'intérieur du nez pour rééquilibrer votre système sympathique remédieront à votre diarrhée chronique. Quelques séances de sophrologie pour apprendre à connaître votre corps et à vous mettre en état de relaxation profonde vous permettront de vous prendre en charge et d'éviter que votre symptôme ne se réinstalle. Vous apprendrez à sentir les tensions s'installer en vous et à les supprimer immédiatement. Croyez-nous, bien souvent la seule solution pour remédier à une somatisation (c'est-à-dire la répercution organique d'une perturbation au début psychique) est l'apprentissage de la sophrologie. La sympathicothérapie, quant à elle, permet simplement d'accélérer la guérison.

2. Situation : l'infection

Qu'elle soit d'ordre parasitaire, microbien ou mycologique, la solution consiste à nettoyer l'intestin de ses hôtes indésirables qui irritent la paroi et provoquent cette réaction salutaire mais combien désagréable et éprouvante.

La première des décisions à prendre est de faire pratiquer une analyse des selles et un aromatogramme. Ce dernier nous permettra de connaître les huiles essentielles les plus adaptées pour juguler cette infection. Si l'analyse des selles révèle la présence de parasites intestinaux, il faudra conjuguer aromathérapie et homéopathie (voir chapitre « vos enfants ont des vers »).

Peut-être même sera-t-il nécessaire de demander au pharmacien d'avoir la gentillesse (c'est très ennuyeux à fabriquer) de préparer des gélules « entériques », gélules qui ne se dissolvent que dans l'intestin. Mais seul un praticien peut en décider car elles sont très délicates à manier.

En l'absence de praticien et d'aromatogramme, essayez une formule qui donne d'excellents résultats :
Huile essentielle de thym rouge déterpéné
Huile essentielle d'origan d'Espagne déterpéné
Huile essentielle de carvi   ãã 0,01 g
Huile essentielle de fenouil
Poudre de propolis   0,10 g
Silice colloïdale   q.s.p. 1 gélule
Vous prendrez deux gélules pendant le repas de midi et une gélule pendant le repas du soir. Ceci jusqu'à cessation des troubles. Le traitement peut durer deux ou trois mois. Il serait nécessaire d'analyser les selles après le traitement pour objectiver le résultat.

Nous vous conseillons, pendant le temps de prise des gélules, de consommer de 8 à 10 comprimés de super-levure, par jour. Elle a des propriétés dépuratives et calmantes très utiles pour parfaire l'action, un peu violente, des huiles essentielles.

3. Situation : surcharge alimentaire

Dans ce cas, un seul traitement, le plus efficace, s'impose :
* la cure de pommes

Pendant deux jours, ne mangez exclusivement que des pommes crues, très mûres, finement râpées sans adjonction de sucre.

Jusqu'à 8 ans : 500 g

De 8 à 15 ans : 1 kilo

Après 15 ans : 1,5 kilo par jour.

Il serait sage de s'abstenir de boire.

En cas de soif excessive, il est permis de boire un peu de tisane de thym, sucrée à la saccharine.

Après deux jours de traitement, vous arrêtez mais vous ne vous nourrissez que de galettes de céréales préparées de cette façon :

Prenez des pétales de blé (en maison de régime)

Vous les faites gonfler pendant 30 mn avec un coulis de tomate.

Vous ajoutez ensuite à la pâte obtenue des oignons hachés, du persil et du sel.

Vous faites dorer à la poêle des galettes (environ quatre minutes de chaque côté).

Vous mangez deux galettes matin et soir, en continuant à boire des tisanes de thym.

Si en deux jours la diarrhée n'est pas stoppée, vous reprenez la cure de pommes deux jours en buvant cette tisane :

Mauve (fleurs)

Guimauve (fleurs)   à parts

Camomille (fleurs)   égales

Violette (fleurs)

Vous la préparez en laissant infuser deux cuillères à soupe dans un demi-litre d'eau bouillante pendant quinze minutes. Vous reprenez deux jours de nourriture céréalienne.

La diarrhée doit être totalement stoppée.

Dans certains cas de surcharges graves, il y a lieu d'entreprendre une cure de pommes beaucoup plus longue mais seul un praticien peut en décider.

De toutes façons, il est utile de consulter pour mettre votre régime au pas. Il n'y a pas de hasard : si vous êtes en surcharge, vous devez en connaître la cause.

Tous les traitements que je viens de vous indiquer ne sont pas forcément compatibles entre eux. Certains se marient, d'autres se contrarient.

Vous pouvez faire en même temps :

I.1. I.2. I.3.

I.2. I.3. I.4.

I.2. I.3. I.5.

Vous ne pouvez pas faire :

I.1. et I.4.

I.1. et I.5.

XVI. VOTRE ENFANT A DES VERS...
VOUS AUSSI PEUT-ÊTRE

Ce chapitre nous tient particulièrement à cœur, car s'il est un domaine où la médecine officielle est critique envers nos théories, c'est bien celui des verminoses.

Les vers ont diverses origines. Leur cycle passe généralement par les légumes, les animaux et se termine chez l'homme. Nous ne parlerons pas du ver solitaire ou ténia, qui découle d'une des plus grandes aberrations du siècle : surabuser de viande dans l'alimentation, et qui plus est, de viande crue ou presque crue. De par les nombreuses toxines renfermées dans la viande, il y a un risque de rendre le terrain intestinal propice aux verminoses. Il peut s'ensuivre des diarrhées chroniques, des constipations chroniques et souvent des troubles de l'appétit. Les vers les plus courants sont, sans aucun doute, les oxyures, petits vers blancs filiformes d'un centimètre environ, et que l'on voit bouger dans les selles... ou à la marge de l'anus.

En effet, la femelle de l'oxyure vient pondre à la marge de l'anus, selon un rythme souvent mensuel, lunaire. Cela explique un des symptômes majeurs de la verminose : la démangeaison anale. Chaque fois qu'un enfant (ou un adulte) aura une démangeaison anale persistante, à plus forte raison si elle est rythmée par les changements de la lune, il faudra faire un traitement anti-vers ; surtout si cela s'accompagne d'autres symptômes de verminose que nous allons vous·décrire.

Les vers peuvent en effet causer :
- Une agitation extrême ; l'enfant ne tient pas en place, il se tortille... « comme un ver ».
- Des insomnies avec cris ou terreurs nocturnes et grincements des dents la nuit.
- Une mauvaise humeur avec refus qu'on approche ou qu'on touche l'enfant. Quelquefois, il ne supporte même pas qu'on le regarde. Il est hargneux, maussade, « insensible aux caresses ».
- Des convulsions (nous avons l'expérience de convulsions guéries par un traitement anti-vers).
- Des tics du visage (surtout des yeux).

• Des toux sèches, chroniques, appelées « toux réflexes vermineuses ».

• Des rhino-pharyngites

• Des démangeaisons du nez (le sujet se frotte le nez avec l'index).

• De l'incontinence d'urine (le « pipi au lit »)

• Des coliques abdominales (souvent ces enfants qui rentrent de l'école avec un mal au ventre, situé vers le nombril).

• Du strabisme.

Le symptôme le plus courant reste tout de même l'agitation avec sommeil troublé.

Devant ce fatras de symptômes, il est très important de penser aux vers, car le terrain vermineux ne cède pas si on ne sait pas qu'il existe. Nous avons souvent supprimé des tranquillisants donnés à tort, chez des enfants vermineux (la médecine allopathique en distribue aussi aux enfants !). Nous en profitons pour élever une vigoureuse protestation et dénoncer ce scandale national : dès le berceau, on abreuve la population de « matraques chimiques » qui assomment les gens afin de ne plus ennuyer la famille et le médecin. A l'échelle d'un pays, nous avons pu remarquer, avec le recul, un grand nombre de troubles psychiatriques vers l'âge de vingt ans, présentés par des enfants ayant reçu des sirops dits, mensongèrement, « inoffensifs », en fait de véritables tranquillisants. Il s'agit souvent de sirops antitussifs qui contiennent des tranquillisants « pour calmer l'enfant pendant la nuit », surtout employés, répétons-le, pour calmer les parents et les médecins. Encore une fois, la vraie prise en charge est esquivée par la famille et le corps médical, et fait partie de ce qu'il est à présent convenu d'appeler « la démission des parents » et des éducateurs (médecins compris). Quittons cet accès de colère passionnel pour revenir aux vers. Outre les remèdes que nous allons vous indiquer, il sera indispensable de faire traiter le terrain de l'enfant par votre praticien. Les remèdes n'agiront que si on modifie le terrain d'une manière préventive.

Il est tout aussi indispensable de faire respecter des règles d'hygiène simples, telles que couper les ongles à ras, bien laver les mains, rincer soigneusement les légumes. Voici un conseil utile : la dernière eau de rinçage des légumes doit être additionnée de quelques gouttes de vinaigre.

Les remèdes

• Noblesse oblige, voici d'abord le maître-remède homéopathique de la verminose. Il agit sur la quasi totalité des symptômes que nous avons décrits plus haut. C'est la « semence » contre les vers (ou Semens contra vermes). Nous avons pour habitude de le donner systématiquement à tout enfant qui a des vers, même s'il est justiciable d'un autre remède. Nous le donnons les cinq jours avant la pleine lune et la nouvelle lune :

Cina

Dilution : 5 CH, trois fois par jour.

Il arrive qu'il soit nécessaire de le donner hors de ces deux fois cinq jours, il arrive aussi que nous le donnions en doses-globules en 15 CH ou en 30 CH, lors de troubles psychiques plus importants. Mais il vaut mieux consulter alors votre praticien, c'est plus sûr.

Pour l'oxyurose, nous le complétons avec les doses d'*oxyurus* 7 ou 9 CH, la veille des changements de lune.

Nous vous invitons ici à participer à nos recherches personnelles concernant la relation entre les poussées de vers et les mouvements de la lune. En effet, la majeure partie des cas de verminoses a lieu à ces moments précis du mois. Bien sûr, certains échappent à ces dates ; mais il s'agit probablement de « types » de personnes différents.

Si vous avez un enfant vermineux, reportez-vous à ce que nous vous avons décrit en début de ce livre sur le « type physique » homéopathique, et notez sur une période d'environ 4 à 6 mois (voire 1 an), les dates de poussée de vers. Après cette période, vous nous enverrez vos constatations, les dates et le type de l'enfant. Ceci a un double but. D'abord, éviter l'éternel monologue de « ceux qui écrivent des livres », et favoriser la communication vraie, c'est-à-dire celle qui décrit le vécu, ce que l'on observe, ce que vous observez.

Le deuxième but est de faire progresser la médecine par l'observation de la nature plus que par spéculation intellectuelle. A notre avis, rien ne vaut l'observation pour compléter le travail mental.

Il existe plus de vingt remèdes homéopathiques de verminoses à part Cina. Nous vous citons les plus courants, en n'oubliant pas de renforcer leur action par le remède de fond de l'individu que l'on traite.

• Vous présentez une douleur autour du nombril avec démangeaison de la paume des mains et boulimie (gros appétit) :
Granatµm (la grenade)
Dilution : 5 CH, trois fois par jour.

• Vous présentez une forte douleur d'estomac :
Natrum. Phos.
Dilution : 5 CH, matin et soir.

• Le remède suivant complète bien Cina en ce qui concerne l'incontinence d'urine ; mais ici, les urines ont une odeur forte :
Viola Odorata
Dilution : 5 CH, matin et soir.

• Le remède suivant complète bien Cina chez les enfants qui se rongent les ongles :
Dilution : 7 CH, matin et soir.

• Vous présentez des maux d'estomac avec nausées et éructations, ou des maux de « ventre » autour du nombril. Vous avez parfois la sensation d'un ver qui monte à la gorge, et vous avez des palpitations. Vous avez faim car vous avez des nausées si vous restez à jeun :
Spigelia
Dilution : 5 CH, trois fois par jour.

Les remèdes de fond seront trouvés par votre praticien, car leur maniement est plus difficile.

Dernier conseil : n'oubliez jamais les effets bénéfiques de l'ail sous toutes ses formes, cru, en décoction, bouilli dans du lait, en suppositoires, en gélules...

Pour la phytothérapie, lorsqu'il est question de verminose, l'ail est toujours présent.

I. CATAPLASME D'AIL ET D'ABSINTHE

Hachez trois gousses d'ail très fin et mettez-les à macérer pendant une journée dans 1/4 de litre de lait. Le soir, faites bouillir le lait en y ajoutant une poignée de feuilles d'absinthe séchée (ou mieux, fraîche). Appliquez tiède sur le nombril, entourez la taille d'une flanelle et conservez, si possible, toute la nuit. Il est quelquefois nécessaire de pratiquer l'application trois fois consécutives pour obtenir un résultat complet. C'est là un inconvénient majeur.

II. FRICTION AUX HUILES ESSENTIELLES DE PLANTES

Faites préparer le mélange suivant en pharmacie :

Huile essentielle d'estragon   3 g
Huile essentielle de carotte   2 g
Labrafil codex   20 ml
Huile de pépins de raisin codex q.s.p. 90 ml

Frictionnez le ventre, tous les soirs, cinq jours avant les changements de lune, en tournant dans le sens des aiguilles d'une montre pendant dix minutes. L'efficacité de ce traitement est remarquable. Il est toutefois préférable de le compléter avec un traitement homéopathique.

III. LAIT A L'AIL

Laissez macérer cinq gousses d'ail, hachées menues, dans un litre de lait froid pendant toute la nuit. Buvez ou faites boire à votre enfant par petits verres dans la journée. Un litre de lait et une journée de traitement suffisent généralement pour « nettoyer » complètement un tube digestif. Il arrive pourtant que certaines personnes aient du mal à terminer la journée, car le goût d'ail est quelquefois difficile à supporter.

IV. VIN APÉRITIF

Ce vin est, bien entendu, réservé aux adultes.

Si après un traitement homéopathique ou phytothérapique, les hôtes indésirables (les oxyures !) ont de nouveau fait leur apparition, il est préférable d'entreprendre une cure à plus long terme, à raison d'un verre apéritif de ce vin avant chacun des principaux repas.

Vous le préparerez de la façon suivante :

— prenez 20 g de semences de carottes broyées, et mettez-les à macérer avec 75 g de sommités fleuries d'armoise, dans un litre de très bon vin blanc doux de Bordeaux pendant trois jours, en prenant soin de secouer plusieurs fois la bouteille.

— Filtrez après trois jours ; le goût est agréable et la cure a, de plus, une action stimulante des fonctions digestives.

V. JUS DE CHOU

Tous les matins à jeun, buvez 1/2 verre de jus de chou vert frais. Si le goût vous est peu agréable, vous pouvez ajouter un peu de jus de citron qui, par ailleurs, en renforcera l'efficacité. Cette cure dépurative est à effectuer de la pleine lune — dès le lendemain — jusqu'à la vieille lune , c'est-à-dire en période de lune décroissante. Elle peut être renouvelée trois mois de suite sans inconvénient, mais pas plus, car votre intestin pourrait se rebeller.

Les doses indiquées sont administrables à partir de 7 ans.

Avant cet âge, diminuez-les de moitié.

La cure de jus de chou frais est tout particulièrement indiquée aux enfants anémiés et fatigués. C'est un excellent stimulant de l'organisme.

VI. POUDRE DE RACINE DE RHUBARBE

Le terme « racine » est inexact, car il s'agit en fait d'un rhizome. C'est une querelle de botaniste. Sachez que le rhizome est... la racine de la rhubarbe !

Pendant 5 jours, après chaque changement de lune, prenez le matin à jeun 2 g de poudre de rhizome séché, dans une cuillère à café de miel de thym (de préférence).

Pour les enfants de moins de 7 ans, ne donnez qu'un gramme de poudre. Continuez jusqu'à disparition des troubles.

VII. DÉCOCTION DE GRENADIER

Ce remède est un peu plus complexe, mais son efficacité est remarquable. Attention, il est réservé aux adultes !

Laissez macérer 60 g de racine de grenadier dans 1/2 litre d'eau, pendant 24 heures. Faites ensuite bouillir 1/4 d'heure. Filtrez. Conservez au réfrigérateur. Lorsque le liquide est très froid, buvez en trois fois, en espaçant les prises d'une demi-heure. Attendez trois heures et prenez une purge à l'huile de ricin (en pharmacie).

Tous les traitements que je viens de vous indiquer ne sont pas forcément compatibles entre eux. Certains se marient, d'autres se contrarient.

Vous pouvez faire en même temps :

I. III.

II. III.

II. III. ou IV. ou V. ou VI. ou VII.

Vous ne pouvez pas faire :

I. II.

III. IV

III. V.

VI. VII.

XVII. VOUS ETES CONSTIPÉ

Véritable maladie de civilisation, la constipation est une affection en relation avec un terrain qui élimine mal ses toxines. Elle fait partie de la série des maladies de rétention. Elle est aggravée par une mauvaise alimentation contenant beaucoup de graisses animales, de sauces, et peu de légumes et de fruits. L'intestin (et son bon fonctionnement) a une très grande importance pour le bon état de la santé. Il peut, s'il est surchargé ou « paresseux », entraîner une mauvaise humeur, une fatigue, puis, secondairement, une atteinte des autres organes digestifs. Il est nécessaire de traiter le foie, voire le pancréas, lors d'une constipation. De plus, l'usage de laxatifs est dangereux. Pensez aux aliments complets (riz, blé, céréales diverses et pain complet), essayez de muscler vos abdominaux et de vous présenter aux toilettes régulièrement, en prenant votre temps, et buvez !

Luttez, des années s'il le faut, mais luttez contre votre constipation, et mangez sainement !

Les remèdes

• Vous avez fait des excès et vous avez de faux besoins, c'est-à-dire des envies sans pouvoir aller à la selle. Il y a souvent eu excès de médicaments allopathiques, y compris les laxatifs (nous pensons particulièrement aux gens qui ont « abruti » leurs cellules cérébrales et leur intestin avec des tranquillisants). Comme dans de nombreux troubles digestifs, prenez :

Nux Vomica
Dilution : 5 CH, trois fois par jour au début.

• Vous avez toujours envie de rajouter du sel dans les aliments, vous avez des herpès au soleil. Vous avez un grand désir de solitude et vous êtes agacé quand on tente de vous consoler. Votre constipation est dite « en crottes de brebis », c'est-à-dire en petites boules rondes :

Natrum Muriaticum (le sel marin)
Dilution : 5 CH, matin et soir ; puis faire un traitement de fond.

• Vos selles sont en « crottes de brebis », mais ici, morcelées et peu colorées :
Magnesia Muriatica (le chlorure de magnésium)
Dilution : 5 CH, trois fois par jour.

• Voici un remède de constipation et d'hémorroïdes, surtout pendant la grossesse :
Collinsonia Canadensis
Dilution : 5 CH, trois fois par jour.

• Vous avez des moments d'indifférence à ce qui vous entoure. Vos symptômes s'aggravent quand vous buvez du lait, et vous avez une constipation sans besoin. Vous avez la sensation d'un amas, d'une boule dans le rectum, qui ne disparaît pas après la selle. Il est parfois nécessaire d'effectuer une opération manuelle ou mécanique pour faire sortir une selle. Voici le remède de constipation de grossesse :
Sepia (l'encre de sèche)
Dilution : 5 CH, deux à trois fois par jour et faire un traitement de fond.

• Votre constipation s'accompagne d'un manque d'appétit et de coliques. Les selles sont pâles, dures, en morceaux, accompagnées de mucosités épaisses. Voici un remède à prendre pour la constipation après l'accouchement :
Hydrastis Canadensis
Dilution : 5 CH, deux fois par jour.

• Vous êtes sujet à une insuffisance hépatique qui vous rend sensible et susceptible. Vous avez des spasmes douloureux dans l'anus. Vos selles sont en effet dures au début et molles à la fin :
Lycopodium
Dilution : à déterminer avec votre thérapeute.

• Vous êtes un coléreux hépatique, à bouche et à muqueuses sèches. Vos selles sont dures et grosses. Votre rectum et votre anus sont secs et ne favorisent pas l'élimination. Vous avez soif :
Bryonia
Dilution : 5 CH, trois fois par jour.

• Vous avez une congestion du foie et des selles dures :
Carduus Marianus
Dilution : 5 CH, trois fois par jour.

• Vos selles ont une particularité : elles sont décolorées et flottantes. Voici notre grand remède de foie et de bile :
Chelidonium

Dilution : 5 CH, trois fois par jour.

• Vous avez les muqueuses si sèches que vous devez faire des efforts importants, même lorsque vos selles sont molles :
Alumina
Dilution : 5 CH, trois fois par jour.

Remèdes d'orientation anthroposophique

Vous devez les prendre en même temps que votre remède de fond, car celui-ci peut mettre un certain temps avant d'agir.

• **La tisane Clairo Weleda**

Très efficace, mais il faut souvent plusieurs jours pour trouver la bonne dose, qui va déclencher des selles sans coliques ni diarrhées.

• **Le mélange en trituration :**

Achillea Millefolium	9 %
Carum Carvi	4,5 %
Cayophylli	4,5 %
Erythraea cent.	7 %
Mentha piper	7 %
Nec. Hoyae	0,01 %
Pimpinella Anis	13 %
Senna	45 %

A prendre, à raison de 3 à 6 mesures par jour, à sec sur la langue.

Le naturopathe, lui aussi, voit nombre de malades qui viennent le consulter en se plaignant : « je suis constipé, je ne vais à la selle qu'une fois par jour ». Si vous allez à la selle une fois par jour, c'est bien, deux fois, c'est peut-être très bien. En fait, cela dépend de votre propre rythme biologique.

Ce qui est sûr, c'est que moins d'une fois, et d'une façon chronique, ce n'est pas tout à fait normal. Il est préférable d'essayer une de nos recettes en vous souvenant, toutefois, que les intestins sont des émonctoires. Donc, si vous éliminez mal, c'est qu'il y a perturbation quelque part dans votre organisme, et il faut faire le point avec un praticien.

I. SON DE BLÉ

Prendre une cuillère à café de *son de blé*, le matin à jeun, dans un yaourt.

Cette vieille recette est toujours d'actualité, mais il existe dans les commerces de diététique, des gélules à base de son, d'orge et de fibres d'oranges déshydratées qui semblent d'action plus douce et plus durable.

II. SIMAROUBA ET ARGILE VERTE

Prendre le matin à jeun 1/2 cuillère à café de *poudre de Simarouba* et 1/2 cuillère à café d'*argile verte en poudre* dans un verre d'eau de Vittel ou Volvic.

Cette combinaison est remarquablement efficace mais d'un goût... douteux !

Si vous avez du mal à absorber cette mixture, vous pouvez faire préparer les gélules suivantes en pharmacie :

Poudre de Simarouba $\left.\right\}$ àà   0,20 g
Argile verte poudre   0,20 g

Vous en prendrez à raison de deux gélules après le repas de midi et une gélule après le repas du soir. Si votre constipation ne cède pas, faites ajouter 0,10 g de poudre d'Agar-Agar par gélule, ce' qui nous donnera la formule suivante :

Poudre de Simarouba $\left.\right\}$ 0,20 g
Poudre d'Agar-Agar   0,10 g
Argile verte poudre   0,20 g

La Simarouba est une plante exotique qui n'a pas d'action laxative, mais qui calme les inflammations de la muqueuse intestinale. Le mélange Argile-Simarouba a une action anti-inflammatoire très nette. La majorité des constipations est liée à une irritation de la muqueuse du tube digestif qui se « spasme » par action réflexe et refuse de fonctionner. Si vous utilisez des laxatifs en permanence, vous irritez davantage l'intestin et vous aggravez le pronostic final.

III. MASSAGE CHINOIS

Massez-vous un point situé entre le pouce et l'index. Ce point, que les Chinois appellent *Sam-Tsienn*, est douloureux en cas de constipation. Vous le trouverez donc facilement.

Vous massez avec le pouce de la main opposée, en tournant

dans le sens contraire des aiguilles d'une montre. Effectuez le massage sur les deux mains. Le déblocage intestinal est souvent très rapide, mais le massage doit durer dix bonnes minutes.

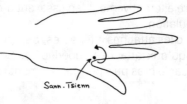

Sann-Tsienn

IV. CURE D'ANANAS

Mangez une tranche d'ananas frais après chaque repas. L'ananas contient un enzyme qui favorise la digestion. Il faut l'utiliser frais et non pas en conserve. Cette recette est particulièrement efficace pour les personnes souffrant d'un dysfonctionnement pancréatique.

V. BAIN DE SIÈGE FROID

Prendre un bain de siège à température de 12° environ avant les principaux repas. Ce bain doit être assez bref : 3 à 4 minutes. Il n'est évidemment pas toujours aisé de pratiquer les bains de siège mais la recette mérite d'être essayée car elle donne des résultats très rapides. Ceux-ci seront d'autant plus probants si vous acceptez de pratiquer non pas le bain de siège mais des « demi-bains » froids. Il faut alors vous immerger dans une baignoire d'eau froide jusqu'à la taille pour une durée de 5 secondes.

Non seulement les demi-bains améliorent la constipation mais ils traitent également les aérophagies.

VI. CONSTIPATION DE LA FEMME ENCEINTE

Traitements compatibles :
    II. III. V.
    I. III. V.
Traitements incompatibles : I. II.

Mouvements de gymnastique :
- Travail lent des abdominaux en statique.
- Brassage abdominal : debout, mains sur les genoux. Sortez et rentrez le ventre alternativement, en essayant d'effectuer un mouvement d'ondulation.

Rentrez d'abord les attaches inférieures, puis progressivement en remontant jusqu'aux attaches supérieures. Sortez le ventre en commençant par le bras puis progressivement jusqu'à l'estomac.

XVIII. VOUS AVEZ SOUVENT MAL AU VENTRE

Nous serons, ici, contraints de ne pas faire de réponse synthétique car les origines peuvent être fort différentes. Nous verrons :
- les douleurs gynécologiques
- les douleurs intestinales
- les coliques néphrétiques
- les douleurs traitées dans d'autres chapitres (« vous êtes constipé », « vos enfants ont des crises d'acétone », « vos digestions sont lentes », « vous avez des vers intestinaux »).

1. Les douleurs gynécologiques

Nous les divisons en douleurs ovariennes et douleurs utérines.

a) Les douleurs ovariennes :
Elles imposent, **sans exception aucune**, un examen gynécologique et un examen échotomographique. Il est hors de question de passer à côté d'une maladie plus importante de l'ovaire.

Ceci étant fait, nous aurons deux possibilités : soit un (ou des) kyste(s) ovarien(s), soit des douleurs d'ovaires rythmées par l'ovulation ou les règles.

Les douleurs de kyste d'ovaire sont à surveiller de près. Il existe en effet plusieurs formes de kystes. Il n'est pas question pour nous d'améliorer un peu la douleur. Nous devons faire disparaître le kyste et éviter l'apparition d'autres kystes. Le traitement homéophytothérapique est remarquable pour cette affection dans la grande majorité des cas.

Les remèdes

- Votre douleur est piquante, le ventre est tendu. Elle est aggravée en levant les bras. Voici un remède qui agit mieux sur les kystes de l'ovaire droit :
Apis

• La douleur est aggravée debout, aux vibrations des pas. Elle est améliorée en fléchissant la cuisse droite, donc par la pression. L'ovaire droit est plus souvent atteint. Un symptôme psychique particulier et très fréquent :

vous aimez être admirée, flattée en société. Vous ne supportez pas qu'on ne fasse pas cas de vous.

Voilà un remède qui agit plus sur la douleur elle-même :

Palladium

• Vous ressentez une douleur à l'ovaire droit dont la caractéristique est une aggravation formelle par le moindre mouvement, même celui de la respiration. Les symptômes ressemblent à ceux de la pelvi-péronite sur ovarite droite. Une amélioration relative est obtenue par pression large sur la zone douloureuse :

Bryonia

• Votre douleur est améliorée lorsque vous vous pliez en deux. L'ovaire gauche donne une douleur importante. La cause de cette douleur est souvent une colère ou une contrariété :

Colocynthis

• Vous avez une douleur, plus souvent à gauche. Vous êtes loquace (vous aimez parler beaucoup) et vous avez les bouffées de chaleur typiques de la période pré-ménopausique ou ménopausique :

Lachesis

• Vous avez un ovaire gros, dur, qui provoque une douleur irradiant jusqu'au dos et à la cuisse. L'ovaire gauche est le plus souvent atteint. Régulièrement, l'utérus présente un col enflammé

Argentum Metallicum

Nous pourrions vous conseiller aussi Thuya, mais sans votre thérapeute son utilisation est difficile et réclame des symptômes précis. Pour l'ovaire gauche, nous citerons encore :

Zincum, Platina, Ovi Gallinae Pellicule, Xanthoxylon et Lilium Tigrinum.

Comme adjuvant, il est souvent utile d'employer l'organothérapie : *Ovarinum* 7 CH, quotidien, puis tous les deux jours ; encore que son usage seul ne puisse en aucun cas constituer un traitement efficace.

Nous conseillons souvent, en accord avec votre thérapeute, et seulement dans quelques atteintes gynécologiques avec formation de kystes, d'adjoindre le remède d'orientation anthroposophique « Argentum Metallicum Praeparatum D8 » : 10 gouttes, matin et soir par cure de 21 jours par mois (en excluant, par exemple, la période des règles). Enfin, une régularisation du cycle peut être consolidée par la préparation d'orientation anthroposophique :

Achillea Millefolium	4 %
Capsella Bursa Pastori He	3 %
Majorana Herba + Fruct.	6 %
Quercus Cortex	5 %
Urtica Dioica	2 %
Excipient Q.S.P.	100 %

15 gouttes matin et soir, sauf pendant les règles. N'hésitons pas à nous répéter : il faut une grande prudence pour ce genre d'affection, et un contact régulier avec votre thérapeute.

b) Les douleurs de l'utérus :

Un bilan gynécologique complet doit être envisagé ici aussi. Il faut en effet savoir qu'il s'agit de spasmes ou d'atteinte de l'utérus : fibrome, kyste, tumeur ou autre. Le traitement est différent selon l'origine.

Pour les douleurs spasmodiques, il faut se référer aux douleurs intestinales que nous traiterons ci-après.

Pour les douleurs du fibrome, nous faisons suivre régulièrement l'évolution par un examen gynécologique et une échotomographie qui renseigne sur les dimensions exactes du fibrome et de l'utérus.

Les remèdes

• La congestion vous donne une sensation de lourdeur au bas-ventre et vous avez des pertes blanches liquides. Voici un remède classique du fibrome utérin :

Fraxinus Americana (le frêne blanc)

• Le fibrome est ici plus souple, avec des hémorragies et des douleurs souvent avant les règles :

Lapis Albus (silico-fluorure de calcium)

• Votre utérus est dur mais pas douloureux. Vos règles sont peu abondantes. Ce remède est plutôt utilisé chez des femmes célibataires, dont le système glandulaire n'est pas « utilisé » de manière totale...

Voici un remède que Socrate a rendu célèbre ; vous trouverez presque toutes ses indications homéopathiques en lisant dans « Le

Phédon » de Platon la description de l'empoisonnement de Socrate :
Conium (la ciguë !)
• Vos ovaires et votre utérus sont congestionnés et enflés. Les tissus sont très durs, et il y a peu d'hémorragies :
Aurum Muriaticum Natronatum
• Vous avez les mêmes symptômes que précédemment, mais sur des hémorragies plus nombreuses :
Aurum Muriaticum Kalinatum
• Vous avez des hémorragies ou des règles très abondantes dues au fibrome. Le moindre mouvement aggrave l'hémorragie (une promenade, un trajet en voiture) :
Sabina
• Voici un autre remède d'hémorragies répétées ; de plus vous avez un désir de sel, une aggravation avant l'orage et des problèmes hépatiques ou rénaux :
Phosphorus
Dilution : 9 CH à 15 CH.

Lors d'un traitement de fibrome, il faut établir un traitement de fond long et suivi. Il est utile, dans certains cas, de rajouter un remède de fibrose tissulaire (arthrose, fibrome, etc...) qui est : Tuberculinam Residuum (en dose ou en granules, à voir avec votre thérapeute).
Le traitement d'orientation anthroposophique du fibrome est composé de :
Berberis Fruct. D2
Tormentilla D2   àà
Urtica Dioica D2
15 gouttes, trois fois par jour. Et selon les cas, ajoutez Argentum D8 : 10 gouttes, deux fois par jour.
Ce traitement doit être pris avec l'accord de votre thérapeute. Nous donnons aussi *Uterus* 7 CH, un suppositoire (ou une ampoule), trois fois par semaine, jusqu'à amélioration.

2. Les douleurs intestinales

L'origine de ces douleurs peut-être une « colite » (ou inflammation du colon), des spasmes intestinaux, des vers intestinaux, des problèmes nerveux ou dépressifs, une alimentation mal adaptée, des troubles de certaines vertèbres dorsales ou lombaires de la musculature paravertébrale... Nous ne citerons donc que les remèdes de douleurs, tout en conseillant une grande prudence pour éviter tout simplement une appendicite aiguë ou une autre affection chirurgicale.

Les remèdes

• Vos symptômes sont violents : le ventre est dur, sensible au toucher, la douleur est améliorée en appliquant une bouillote ou un linge chaud sur le ventre et, paradoxalement, en buvant froid. Vous avez parfois une diarrhée.

Voici le « remède-roi » de la crampe :

Cuprum (le cuivre)

Dilution : 5 CH à 7 CH.

• Vous présentez une douleur aussi violente que précédemment avec la sensation que les intestins sont serrés et momentanément soulagés en évacuant un gaz. Vous pouvez ressentir un besoin urgent d'aller à la selle et une pâleur de la face avec parfois des nausées et des vomissements. Votre état s'améliore lorsque vous êtes plié en deux :

Colocynthis (la coloquinte)

Dilution : 5 CH, toutes les deux minutes. 15 CH, si l'origine est une colère ou une indignation.

• Vos douleurs sont aiguës, améliorées par la chaleur locale (en buvant chaud et par la pression). Ici aussi, vous vous sentez mieux lorsque vous êtes plié en deux :

Magnesia Phosphorica

Dilution : 5 CH, toutes les dix minutes.

• Vous cambrez votre corps en arrière lorsque vous avez mal. La douleur est très vive, aggravée si vous vous penchez en avant :

Dioscorea (l'igname)

Dilution : 5 CH, toutes les dix minutes.

• La douleur est aggravée après le repas et améliorée par la pression. Vous êtes un « intériorisé ». Voici un remède qui s'applique aussi aux refoulements d'émotion, de chagrin, de vexation :

Staphysagria

Dilution : 5 CH, toutes les dix minutes. 15 à 30 CH lorsque le psychisme est très concerné.

Il existe des dizaines de remèdes de douleurs intestinales, selon qu'il y a ballonnement ou pas et selon les circonstances d'aggravation ou d'amélioration. Il faut les rechercher avec un répertoire.

Nous pouvons toutefois indiquer un traitement d'orientation anthroposophique de la colite :

Mercurius Vivus D4	10 %
Nasturtium Off.	5 %
Stannum D14	10 %
Excipient q.s.p.	100 %

Trituration : une mesure le matin, midi et soir, à sec sur la langue.

Si vos crises douloureuses sont intenses, avec sensation de torsions intestinales (comme si l'intestin était attiré vers le dos), aggravées dès le moindre toucher, même de la peau du ventre, et si vous êtes constipé, il s'agit d'une « colite de plomb ».

Prenez *Plumbum D8* Trituration.

Le plomb étant en relation avec la planète Saturne, l'intoxication des ouvriers qui travaillent le plomb s'appelle « le Saturnisme ». Beaucoup de médecins (dont moi-même) n'avaient pas fait le rapprochement durant leurs études médicales. Pourtant, le nom est assez évocateur...

3. Les coliques néphrétiques

Le diagnostic doit être fait par votre thérapeute, avec une analyse d'urine et une radiographie des reins.

Voilà une affection très difficilement accessible par les remèdes homéopathiques en granules. Si la crise est très douloureuse, nous avons souvent recours au traitement d'orientation anthroposophique. Nous affirmons une supériorité écrasante, et sans comparaison possible, du traitement homéopathique sur le traitement allopathique, lorsqu'il s'agit du « travail » de fond qui permet de prévenir les crises. Nombre de sujets « à calculs rénaux » en sont débarrassés pour de nombreuses années, parfois définitivement, par le traitement homéopathique **préventif.**

Il est du devoir de chacun d'informer toute personne faisant des coliques néphrétiques, répétées et éprouvantes, et qui ignore cette médecine.

Les remèdes

• Votre douleur est en général à droite et suit le trajet habituel de la colique néphrétique : du rein, elle descend dans les lombes, puis passe devant le ventre pour descendre à la vessie qui donne une impression de spasme. Voici un remède (la prêle) que nous plaçons en premier pour la richesse de cette plante. Riche en silice, elle aide aussi bien l'humain avec ses pouvoirs médicaux, que la nature, puisqu'elle est utilisée en agriculture bio-dynamique :

Equisetum (la prêle)
Dilution : 5 CH, répété, puis passer à 7 CH et à 9 CH.

• La douleur est en relation avec la miction (l'acte d'uriner). Vous avez mal à la fin et après la miction. Vous préférez uriner debout, c'est la position la moins douloureuse. Vous avez parfois de faux besoins d'uriner :

Sarsaparilla

• Vous présentez une colique néphrétique droite, mais ici la douleur est localisée le long de l'uretère droit (le conduit qui va du rein à la vessie). Vos urines sont troubles à dominantes rouge-brun et vous avez des vomissements répétés :

Ocimum Canum (le basilic blanc)
Dilution : 5 CH, tous les quarts d'heure.

• Vous avez une insuffisance hépatique, votre mal s'aggrave de 16 h à 20 h, et vous êtes d'un caractère plutôt coléreux et sensible. Votre rein droit est le plus souvent atteint. Vous êtes un individu maigre et très vif, explosant facilement de colère :

Lycopodium

• Votre douleur est souvent située à gauche et ressentie comme un « bouillonnement » au niveau du rein. C'est une douleur qui irradie dans toutes les directions comme les rayons qui partent d'un axe de roue. La douleur va donc à la vessie, à l'uretère, à la cuisse gauche, à la hanche gauche. Voici un remède complémentaire de Lycopodium :

Berberis (l'épine vinette)
Dilution : 5 CH, toutes les dix minutes, puis augmenter la dilution et espacer.

• Le plus souvent à gauche, la douleur va vers l'uretère et la vessie, et vous éprouvez le besoin fréquent d'uriner de petites quantités. Vous ressentez des douleurs intenses aggravées par le moindre mouvement :

Hedeoma
Dilution : 5 CH, toutes les dix minutes.
• La douleur est irradiée à l'uretère (plutôt à gauche), et s'accompagne parfois de nausées :
Ipomea (le liseron)
Dilution : 5 CH toutes les dix minutes.
• Vous ressentez une douleur battante, congestive, par accès aigus, aggravés par le mouvement ou les secousses. Le ventre est chaud, très sensible, tendu et vous avez soif :
Belladonna
Dilution : 4 CH, toutes les dix minutes, puis augmenter la dilution dès amélioration.

Enfin, le traitement d'orientation anthroposophique des coliques néphrétiques se fait en injections sous-cutanées, et sera donc effectué en *relation avec un thérapeute*. Son efficacité est remarquable. Il existe également un traitement préventif, une fois la crise passée. D'une manière générale, en cas de douleur aiguës, il vous sera salutaire, et immédiatement efficace, de faire poser des ventouses sur les zones douloureuses du dos. Ceci permet de calmer les douleurs avant de soigner.

Pour la naturopathie, les origines des douleurs du ventre sont nombreuses, variées et très complexes à déceler. En cas de *douleurs vives et répétées*, il est *nécessaire de consulter un praticien* pour effectuer les examens appropriés. Notre but n'est pas, par conséquent, de décider ici de l'étiologie, mais de vous offrir un éventail de recettes simples et rapides qui peuvent, par exemple, compléter un traitement homéopathique de fond.

Nous nous attachons aussi à vous faire connaître le « truc » qui vous permettra de diminuer ou de stopper la douleur en attendant de consulter. Vous serez d'ailleurs certainement le premier surpris de constater que bien souvent, ce petit « truc » vous dispensera d'une consultation, la douleur ayant cessé. Cela vous incitera, nous l'espérons, à vous tourner vers ces remèdes naturels, qui ont fait leurs preuves, pour lutter contre les douleurs du ventre, tant gynécologiques qu'intestinales.

I. LES DOULEURS D'ORIGINE GYNÉCOLOGIQUE

1. Douleurs violentes

Si votre ventre est tendu, dur, voire impalpable, faites ce geste apparemment simple, mais dont le résultat sera spectaculaire : serrez très fort dans chacune de vos mains un peigne, en exerçant une pression des dents contre la paume pendant deux ou trois minutes, puis contre le bout des doigts, y compris du pouce, pendant également deux à trois minutes.

Recommencez ces deux gestes, alternativement, jusqu'à la cessation complète de la douleur.

2. Douleurs d'un ovaire

Irradiant dans tout le ventre au moindre mouvement, mais apaisée par une pression douce. Ces douleurs ovaro-utérines sans causes précises sont très fréquents au milieu du cycle pendant l'ovulation, ou bien encore dans la semaine qui précède la venue des règles.

Lorsque vous vous serez assurée que ces douleurs ne présentent aucun caractère alarmant, faites cette cure de *Teintures Mères*.

C'est une formule classique qui, à chaque fois que nous la prescrivons, fait merveille dans tous les cas de congestions pelviennes, utérines ou ovariennes.

Teinture Mère de Cyprès   15 gouttes
Teinture Mère d'Hamamélis   10 gouttes

A prendre dans 1/2 verre d'eau, midi et soir avant le repas, pendant les quinze jours précédant la date probable des règles.

L'action bénéfique décongestive et antispasmodique de cette préparation sera encore renforcée si vous la prenez dans une tasse d'infusion de *menthe pouliot* :

Versez une cuillère à café de menthe pouliot dans une tasse d'eau bouillante.

Laissez infuser dix minutes.

Filtrez.

Cette tisane présente l'avantage non seulement d'être un excellent calmant des douleurs, mais également de régulariser les règles et de stimuler le foie. Nous la recommandons donc aux femmes affligées de douleurs gynécologiques, de congestions hépatiques et d'atonie de la vésicule biliaire. Prenez ce remède à raison de trois tasses par jour entre les repas. En cas d'anémie ou d'asthénie, prenez cinq tasses par jour.

3. Douleurs du fibrome de l'utérus

Teinture Mère de Persicaire
Teinture Mère d'Estragon
Teinture Mère de Pervenche
Teinture Mère d'Hydrastis canadensis
Versez cinq gouttes de chaque teinture dans un 1/2 verre d'eau. Prenez ce remède midi et soir avant chaque repas, pendant les dix jours consécutifs après la fin des règles. Les dix jours suivants, placez chaque soir une ovule gynécologique ainsi composée :
Huile essentielle de Thuya   3 gouttes
Huile essentielle de Cyprès   2 gouttes
Huile essentielle de Girofle   3 gouttes
Excipient gélatineux q.s.p.

Vous stoppez, bien évidemment, la prise de ces ovules dès l'apparition de vos nouvelles règles, même si celles-ci survenaient avant la fin des dix jours.

L'association de ces deux remèdes est particulièrement indiquée pour tous les états congestifs du corps et du col utérin, car leurs propriétés sont complémentaires (elles sont, l'une vaso-constrictive et l'autre, hémostatique).

En revanche, si aucune amélioration notoire ne survenait à l'issue des trois mois de traitement, consultez votre gynécologue pour effectuer avec lui de nouveaux examens.

4. Douleurs de l'utérus avec hémorragies

« Griffez » doucement le dos de chacune de vos mains avec les ongles de l'autre main pendant plusieurs minutes. Cette réflexothérapie ne peut bien sûr avoir son entière indication dans les cas d'écoulements bénins. De toute façon, une hémorragie importante doit toujours être un *signal d'alarme* : si vous êtes dans ce cas, *consultez immédiatement votre médecin.*

---

5. Douleurs du ventre à l'époque de la ménopause

Hamamélis feuilles   30 g
Passiflore feuilles   20 g
Lamier blanc feuilles   30 g
Sauge feuilles   10 G
Persicaire plante entière   10 g

Versez une cuillère à soupe de ce mélange dans une tasse d'eau bouillante. Laissez infuser dix minutes. Filtrez. Ajoutez cinq gouttes de Teinture Mère de Marron d'Inde et cinq gouttes de Teinture Mère d'Aubépine.

Prenez trois tasses par jour entre les repas, chaque mois à partir du 10e jour du cycle jusqu'au retour des règles.

Cette préparation régularise la circulation, améliore l'élasticité des veines. Elle est particulièrement intéressante à prendre en période pré-ménopause, car elle combat définitivement tous les « problèmes » qui en découle : bouffées de chaleur, varices, hémorroïdes, ulcères des jambes et nervosité.

---

6. Bain de pieds progressif

Trois ou quatre jours avant vos règles, pendant celles-ci et chaque fois que vous ressentez des douleurs, nous vous conseillons de faire un bain de pieds. Celui que nous vous indiquons favoriser la menstruation, améliore la circulation.

Commencez votre bain de pieds avec de l'eau à 35° et, en un quart d'heure (durée totale du bain) augmentez progressivement la température de l'eau jusqu'à 45°. Pour plus d'efficacité, ajoutez à l'eau du bain une décoction de *vigne rouge* (deux poignées de feuilles pour un litre d'eau froide, que vous ferez bouillir pendant cinq minutes, puis que vous laisserez infuser pendant dix minutes. Après filtrage, ajoutez cette décoction à l'eau du bain).

II. DOULEURS SURVENANT OU AUGMENTÉES APRÈS UNE CONTRARIÉTÉ, OU UNE FORTE ÉMOTION

Allongez-vous dans le noir, au calme et pratiquez une respiration abdominale de la façon suivante :

Installez-vous confortablement sur le dos, un gros coussin sous les genoux, un plus petit sous la nuque.

Inspirez très lentement par le nez en gonflant le ventre puis la cage thoracique. Pendant cette inspiration, appuyez très fort vos ongles contre la paume de vos mains. Puis expirez toujours par le nez en laissant la cage thoracique s'affaisser. Votre ventre se creuse et vos mains se relâchent, « s'abandonnent ».

Faites en sorte que le temps d'expiration soit le double du temps d'inspiration. Dans un premier temps, ne vous étonnez pas que votre expiration soit courte et que vous sentiez « asphyxiée ».

Entraînez-vous chaque jour à ce mode respiratoire ; une fois bien maîtrisé, il vous sera d'un grand secours dans toutes les circonstances où douleurs et nervosismes sont liés.

III. DOULEURS SPASMODIQUES
Le massage en virgule

C'est un massage du ventre, très lent, très doux, très superficiel. Agissez du bout des doigts, en dessinant des « virgules » : commencez à la hauteur du nombril en décrivant de petits cercles agrandis progressivement. Puis dessinez la « queue » de la virgule en glissant doucement vers l'aine. Recommencez plusieurs fois cette manœuvre à droite et à gauche du nombril. Le massage doit durer au moins 1/4 d'heure. Vous serez étonnée de sentir rapidement la peau de votre ventre, indurée, s'assouplir et vos muscles se détendre. Le résultat sera encore plus spectaculaire si vous employez pour ce massage l'huile suivante :

Huile essentielle de Marjolaine	5 ml
Huile essentielle de Lavande	5 ml
Huile essentielle de Verveine	10 ml
Huile de paraffine	60 ml
Huile de noyau hydrogénée	20 ml

IV. DOULEURS D'ORIGINE INTESTINALE

1. Tisane anti-aérophagie

Si vous êtes sujet à des colites chroniques et à de l'aérocolie, si vous êtes en plus nerveux dépressif, avant tout mangez calmement et à des heures régulières. Ne buvez pas en mangeant,
mais une heure avant le repas et deux heures et demie à trois heures après. Proscrivez les épices, les féculents, l'alcool, le sucre,
les confitures, les bonbons. Prenez les fruits, les légumes riches
en cellulose et les agrumes en entrée et non en dessert : ils deviennent alors une surcharge néfaste.

Ne mangez pas au même repas viande et fromage, mais seulement l'un ou l'autre. Après chaque repas, buvez une tasse de l'infusion suivante, tiède :

Anis verts semences	30 g
Cumin semences	10 g
Coriandre semences	30 g
Fenouil semences	20 g
Sarriette sommités fleuries	10 g

Versez quatre cuillères de ce mélange dans un litre d'eau froide.
Laissez macérer une heure. Portez à ébullition, mais sans laisser
bouillir, puis faites infuser un quart d'heure. Filtrez. Buvez dans
la journée, en quatre prises entre les repas.

2. Tisane calmante et anti-spasmodique

Bugle rampante sommités fleuries	30 g
Feuilles de ronce	30 g
Pensée des champs fleurs	30 g
Hysope sommités fleuries	20 g
Coquelicot pétales	10 g
Millefeuille sommités fleuries	10 g

Versez quatre cuillères de ce mélange dans un litre d'eau froide.
Laissez macérer une heure. Portez à ébullition, puis laissez infusez un quart d'heure. Filtrez. Buvez dans la journée en quatre prises entre les repas.

3. Traitement aux huiles essentielles de plantes

Les huiles essentielles sont sédatives, mais aussi désintoxicantes, bactéricides, antifermentation et antiseptiques :
        Huile essentielle de citron
        Huile essentielle d'estragon
        Huile de sauge
        Huile essentielle de marjolaine
Mélangez une goutte de chacune de ces huiles essentielles avec une cuillerée à café de miel de romarin.

Ce traitement est à prendre midi et soir, après votre repas, dix jours par mois en période de lune croissante. Vous stimulerez ainsi votre foie, vos intestins, vos organes digestifs, tout en luttant contre les ballonnements, les spasmes, les douleurs.

4. Décontraction du plexus solaire

• Friction du buste : frictionnez-vous, matin et soir, pendant cinq minutes, tout le buste (des épaules à la taille) avec un gant imbibé de la lotion suivante :

Huile essentielle de verveine   6 gouttes
Huile essentielle de citron   6 gouttes
Huile essentielle de marjolaine   4 gouttes
Huile essentielle de girofle   4 gouttes

Ajoutez à ces huiles essentielles, 1 dl d'alcool à 45°. L'alcool à 45° n'est rien d'autre qu'un mélange à parts égales d'alcool à 90° et d'eau.

• Ponçage de la plante des pieds : commencez par le pied gauche. C'est lui, en effet, qui « reçoit » le mieux les impulsions du massage réflexe et qui, par conséquent, est le plus apte à transmettre les « messages » aux organes intéressés. De plus, il est étroitement lié au système lymphatique, véritable gardien de notre santé, puisque son rôle est de « nettoyer » notre organisme en drainant les toxines et bactéries, et en empêchant leur dissémination.

Vous trouverez facilement le point correspondant au plexus solaire (dans la partie antérieure du pied), car en cas de crise douloureuse, il sera particulièrement sensible, et vous sentirez sous la peau comme des petits cristaux. Mais ne vous contentez pas de masser ce point précis, « travaillez » plutôt toute la région qui l'entoure, en progressant toujours des orteils vers le talon.

Massez en exerçant une pression du pouce et un mouvement de rotation dans le sens des aiguilles d'une montre. Continuez votre massage jusqu'à ce que vos pieds deviennent souples et indolores (cela vous prendra au moins cinq à dix minutes pour chaque pied, surtout au début).

Joignez à l'action du massage réflexe celle des huiles essentielles, vous obtiendrez des résultats plus rapides et plus durables :

Huile essentielle de lavande   10 gouttes
Huile essentielle de romarin   5 gouttes
Huile de pépins de raisins   3 cuillères à soupe

5. Le demi bain froid

Pratiquez ce bain 1/2 heure avant le dîner. Immergez-vous jusqu'à la taille dans une baignoire remplie d'eau à 16° environ. Ne restez pas plus de quinze secondes, et frictionnez-vous vigoureusement en sortant.

Ce bain est particulièrement efficace chez tous les sujets tendus, spasmés, intériorisés. Son action sera favorablement renforcée si vous le faites suivre d'une demi-heure de repos, allongé au calme.

6. Le stretching

Cette technique d'étirement global favorise le passage de l'énergie dans votre corps, permet un équilibrage des tensions tant au niveau musculaire qu'articulaire ou organique. Les douleurs du ventre sont bien souvent représentatives d'un blocage de cette énergie, ou d'un engourdissement des défenses naturelles. Nous voyons trop souvent dans notre clientèle des personnes souffrant depuis des années, sans qu'aucune médication ne soit parvenue à les calmer. Physiologiquement, au vu des analyses et des examens, ces personnes sont « saines », pourtant elles ressentent « réellement » la douleur. Notre « politique » médicale est alors de rendre ces pseudo-malades autonomes, de leur apprendre à devenir leur propre médecin, à s'occuper d'eux-mêmes. L'important pour nous, et ce que nous espérons pouvoir leur communiquer, c'est le désir de chacun de perpétuer « sa » vie. A l'origine, l'« instinct » nous donnait les réflexes nécessaires pour le faire, mais petit à petit, la civilisation a émoussé ces instincts. Pour nous, le stretching est une bonne méthode pour apprendre à les retrouver, et pour lutter contre les délabrements physiques.

Une séance de stretching ne nécessite que deux ou trois minutes et peut se faire n'importe où, au bureau, à la maison... Mais elle doit être répétée souvent (au moins 5 à 6 fois par jour) pour être efficace.

- Le stretch des douleurs du ventre :
Allongez-vous sur le sol, jambe droite repliée, main droite posée à la naissance de la cuisse. Le stretch consiste en un étirement simultané du bras et de la jambe gauche. On alterne en changeant de bras et de jambe à chaque stretch.

V. SACHEZ LIRE VOTRE VISAGE

Votre visage vous donnera de précieux renseignements, car il est en quelque sorte la carte représentative de chacun de vos organes internes. Si vous souffrez de douleurs du ventre persistantes èt fréquentes et que les examens médicaux restent négatifs, interrogez votre visage. Les rides, les enflures de certaines zones vous feront connaître vos points faibles. Il vous sera alors aisé de stimuler les organes paresseux ainsi dénoncés. Agissez par massage réflexe avec l'aide des précieuses huiles essentielles. Vous masserez les parties intéressées de votre visage au bout des doigts par petits cercles et dans le sens des aiguilles d'une montre. Faites ce mélange matin et soir, pendant trois minutes, en utilisant le mélange d'huiles essentielles que nous vous indiquons pour votre cas. Ce geste doit devenir pour vous un rite, au même titre que le brossage des dents par exemple ; à ce titre, il sera un des garants de votre bonne santé.

1. Ride verticale entre les yeux

Surveillez votre foie et votre vésicule biliaire.
Votre mélange d'huiles essentielles :
Huile essentielle de romarin   10 gouttes
Huile essentielle de thym   10 gouttes
Huile essentielle de citron   10 gouttes
Huile de pépins de raisin   1 cuillère à soupe

2. Entre l'œil et le nez

Si cette zone est enflée ou indurée, si elle présente une peau épaissie avec des boutons ou des dartres, vous souffrez certainement de troubles digestifs. Les responsables sont votre estomac, votre pancréas et votre rate.
Votre mélange d'huiles essentielles :
Huile essentielle de carvi   10 gouttes
Huile essentielle de citron   10 gouttes
Huile essentielle de genévrier   5 gouttes
Huile essentielle de thym rouge   5 gouttes
Huile de pépins de raisin   1 cuillère à soupe

3. Pli nasogénien accentué

(pli entourant la bouche de la base du nez aux commissures des lèvres).
Il indique des troubles intestinaux et principalement une déficience du gros côlon.
Commencez votre massage à hauteur de la commissure des lèvres du côté droit, remontez vers le nez, continuez par le côté gauche du nez et redescendez vers la commissure gauche des lèvres.
Votre mélange d'huiles essentielles :
Huile essentielle de carotte   10 gouttes

Huile essentielle de sauge   10 gouttes
Huile essentielle de thym   10 gouttes
Huile essentielle de thuya   5 gouttes
Huile de pépins de raisin   1 cuillère à soupe

---

4. Entre la base du nez et la lèvre supérieure

Cette zone correspond aux organes génitaux. Vous y découvrez des rides verticales, une peau très sèche, mal irriguée : cela signifie un appauvrissement, un vieillissement précoce des organes génitaux, une prédisposition aux kystes, aux fibromes.

Votre mélange d'huiles essentielles :
Huile essentielle d'ylang-ylang   10 gouttes
Huile essentielle de cyprès   10 gouttes
Huile essentielle de sarriette   10 gouttes
Huile de pépins de raisin   1 cuillère à soupe

— Une ride horizontale : vous êtes alors sujette à des règles irré
gulières et douloureuses. Votre mélange sera :
Huile essentielle de cyprès   10 gouttes
Huile essentielle de sauge   10 gouttes
Huile essentielle de lavande   10 gouttes
Huile de pépins de raisin   1 cuillère à soupe

Affection extrêmement gênante et douloureuse, les hémorroïdes sont, elles aussi, un signal d'alarme dénonçant erreurs alimentaires et surchage digestive. L'interprétation classique de ce symptôme se fait par une explication circulatoire mécanique.

En effet, comme il s'agit de veines, il est aisé de dire qu'elles manquent de « tonus », qu'elles sont fragiles, et donc qu'elles gonflent.

Bien sûr, une fragilité vasculaire et veineuse est possible ; elle est probable dans une majorité des cas. Mais alors pourquoi la veine est-elle fragile, et en tous cas, quelle est la raison qui la fait gonfler par période et par crise ? Première constatation : l'importance déterminante de l'alimentation, et en particulier des excitants, sur la « sortie » d'hémorroïdes. Alcool, café, poivre, épices, moutarde, aliments lourds et graisseux (surtout graisses animales) et charcuteries sont à bannir du régime alimentaire. Deuxième constatation : un métier assis, dit sédentaire, et surtout la position assise en voiture, sont des éléments aggravants.

Troisième constatation : l'élément nerveux. Nous remarquons parfois la sortie immédiate d'hémorroïdes lors d'une contrariété ou d'une colère. De nombreux patients nous ont signalé des poussées hémorroïdaires lors de soucis prolongés. Le plus important à retenir, c'est qu'il faut considérer l'hémorroïde comme, encore une fois, une soupape de sécurité du physique, une « élimination » naturelle qui peut éviter des troubles plus profonds. C'est pourquoi nous avons une aversion farouche pour les interventions chirurgicales à ce niveau, car qui sait où se fera la prochaine élimination lorsqu'on aura opéré ? Il faut vraiment que la taille de l'hémorroïde soit impressionnante, qu'elle ne rentre jamais ou qu'il y ait des thromboses répétées pour que nous soyons d'accord avec l'opération. Et cela, uniquement quand le traitement n'a eu aucun effet... ce qui peut arriver.

Les remèdes

A part les remèdes locaux que nous allons étudier, les

hémorroïdes imposent une recherche soigneuse des traitements de fond et de terrain, et une recherche psychologique, si nécessaire.

• La stase (circulation sanguine ralentie) est telle que vous vous sentez lourd physiquement et intellectuellement le matin. Si vous faites beaucoup d'exercice, votre état s'améliore. La congestion portale se révèle par l'alternance des troubles hémorroïdaires... et pharyngés : la gorge est le siège de brûlures, de rougeurs, de sécheresse avec douleurs dans les oreilles. Les hémorroïdes sont brûlantes, piquantes, avec sensation de plaie. Le rectum semble « rempli d'aiguilles », les hémorroïdes sont pourpres, saignent et s'accompagnent d'une douleur lombaire basse battante. Il existe parfois une constipation. Le remède de fond du « sujet Aesculus » est sulfur :

Aesculus Hippocastanum (le marronnier d'Inde)
Dilution : 4 CH, trois fois par jour.

• Comme précédemment, il y a là une congestion portale qui provoque une fatigue physique et intellectuelle. Vous êtes un sédentaire gras qui n'aime pas remuer. Votre habitat naturel est l'Afrique, sur les terrains secs et brûlants des régions tropicales. Loi de la nature oblige, l'état du « sujet Aloe » est aggravé lorsque le temps est chaud et sec. Vous avez une sensation de pesanteur de congestion, dans le bas-ventre et le rectum, qui vous donne des besoins constants, et quelquefois de la diarrhée. Les hémorroïdes sont brûlantes, très douloureuses au contact et « saillantes comme une grappe de raisin ».

L'amélioration se fait par le bain de siège froid. Il peut exister, ici aussi, des lumbagos. Le remède de fond du « sujet Aloe » est souvent sulfur :

Aloe
Dilution : 5 à 9 CH, trois à quatre fois par jour.

• Chez vous, tout « brûle ». Vous avez souvent des rougeurs et des alternances de symptômes. On retrouve la même douleur lombo-sacrée, avec douleurs au bas du dos en se relevant, qui vous oblige à soutenir vos « reins » avec vos mains. L'anus est rouge, excorié, avec des démangeaisons, parfois des éruptions autour de l'anus, et surtout des brûlures.

Vous avez chaud et vous cherchez souvent une place fraîche dans le lit :

Sulfur
Dilution : remède de fond à déterminer avec votre thérapeute.

• Vous avez des varices bleuâtres partout, même dans la gorge, et des saignements de sang noir. Les hémorroïdes vous donnent des douleurs battantes, des brûlures et saignent du sang noir, ce qui vous fatigue beaucoup :

Hamamelis
Dilution : 4 CH, trois fois par jour (ou plus en cas de crise).

• Vos hémorroïdes s'accompagnent de douleurs intolérables dans l'anus avant et après la selle. Vous pouvez avoir des ulcérations anales qui suintent, ou une diarrhée avec brûlures de l'anus.

Voici un remède à action sélective sur l'anus :

Paeonia (la pivoine)
Dilution : 4 CH, toutes les heures si vous êtes en crise.

• Vous êtes un sédentaire coléreux qui a tant mangé et bu que des hémorroïdes douloureuses, démangeantes, brûlantes sont sorties, ou plus souvent, ont gonflé intérieurement. Votre constipation n'arrange pas les choses...

A noter votre somnolence après le repas, l'amélioration par un court sommeil et la sensation de froid dès que commencent les troubles :

Nux Vomica
Dilution : 5 CH, au début après chaque repas, puis déterminer avec votre thérapeute.

• Vous avez des hémorroïdes bleuâtres avec douleurs constrictives et battements de l'anus. A rappeler : bouffées de chaleur, intolérance au col et à la ceinture serrés, troubles ménopausiques avec alternance d'excitation et de dépression. Aggravation de l'état général au réveil, après la stase circulatoire de la nuit. Voici un remède circulatoire par excellence :

Lachesis
Dilution : à déterminer avec votre thérapeute, ce remède étant d'un emploi délicat.

• Vous présentez des hémorroïdes très douloureuses améliorées par des bains très chauds. Il existe parfois des excoriations qui saignent. Voici un remède longuement décrit dans les troubles digestifs :

Lycopodium
Dilution : basse - 4 CH, pour les hémorroïdes ; haute - 9 à 30 CH

espacées pour l'ensemble du tableau Lycopodium.
- Vous avez un « resserrement » de l'anus. Les selles demandent un gros effort pour sortir. Les douleurs sont vives et brûlantes, et se prolongent des heures après la selle. Vous avez parfois une fissure anale, des suintements et des vers, et votre rectum paraît « rempli d'éclats de verre » ;
Ratanhia
Dilution : 4 CH, quatre fois par jour.
- Votre anus est le siège d'eczéma suintant avec démangeaisons et douleurs piquantes, aggravées par les selles et la position assise. Les hémorroïdes peuvent saigner. Vous êtes un malade gras, frileux, apathique et sujet aux eczémas :
Graphites
Dilution : 4 CH, au début trois à quatre fois par jour, et monter progressivement selon amélioration.
- La constipation est opiniâtre. le rectum parait « rempli d'aiguilles ». Les hémorroïdes saignent. Vous avez souvent des palpitations. Voici un des remèdes de constipation de la grossesse avec hémorroïdes :
Collinsonia
Dilution : 4 CH, trois à quatre fois par jour.

Il existe de nombreux remèdes homéopathiques d'hémorroïdes à rechercher avec un répertoire. Si votre remède est difficile à trouver, nous rajouterons :
— Sulfur n° 12 complexe
Croquez deux comprimés, trois fois par jour. Mais ceci ne peut être qu'une solution d'attente.
Voici un des remèdes d'orientation anthroposophique :
Achillea Millefolium 10 %
Aesculus Cortex D3
Antimonit D8   àà
Gentiana Radix D3
Hamamelis Cortex D3
20 gouttes, trois fois par jour.
A prendre systématiquement avec le remède le mieux indiqué, et en attendant le traitement de fond.
Les suppositoires d'orientation anthroposophique :
Aesculus Cortex   1 %

Antimonium Met	0,4 %
Hamamelis	0,5 %
Excipient QSP	100 %

sont à mettre après la selle, une à deux fois par jour, en crise, et une à trois fois par semaine, en entretien.

Pour le phytothérapeute, la maladie hémorroïdaire est, de toute évidence, la conséquence d'une déficience de la circulation veineuse. Tout le monde le sait et l'accepte comme une fatalité. Toutefois, nous remarquons en consultation que certaines fragilités veineuses se traduisent plus volontiers, par exemple, par des varices aux membres inférieurs, sans qu'apparaissent d'hémorroïdes. Pourquoi ? Tout simplement parce que le psychisme du sujet n'est pas le même. Les hémorroïdes « signent » des tempéraments anxieux, introvertis, angoissés. Il ne suffit donc pas de traiter la circulation pour voir le symptôme disparaître. Il faut également rééquilibrer le psychisme, apprendre aux malades à se détendre par la sophrologie, au besoin les y aider, au début, en utilisant la sympathicothérapie.

Nous avons vu des hémorroïdes disparaître définitivement après un traitement de sympathicothérapie, preuve que le système nerveux est peut-être encore plus important dans l'apparition de la maladie que le système veineux.

Si les malades veulent être guéris définitivement, il est donc indispensable qu'ils apprennent à se détendre.

Deuxième point important : il est illusoire d'envisager d'améliorer la circulation locale, il est primordial de mettre sur pieds un traitement général.

Nous allons donc commencer par vous indiquer le traitement phytothérapique global qui nous semble le plus intéressant avant de vous donner quelques recettes pour vous soulager en cas de crise. Ayez toujours présent à l'esprit qu'il n'est pas suffisant d'avoir fait « passer la crise » pour être satisfait ; la prochaine sera toujours plus grave et plus douloureuse. Ne l'attendez pas, agissez !

I. TRAITEMENT GLOBAL

1. Tisane

Hamamelis (écorce et feuilles)	20 g
Tormentille (racine)	20 g
Millefeuille (sommités)	20 g
Bourse à pasteur (plante entière)	20 g
Vigne rouge (feuilles)	20 g
Aubépine (fleurs)	15 g
Nénuphar (rhizôme)	15 g
Violette (racine)	15 g
Houblon (cône)	15 g
Oranger (fleurs)	15 g

Comptez une cuillère à soupe pour une grande tasse. Portez à ébullition sans laisser bouillir. Laissez infuser dix minutes. A raison d'une tasse tous les soirs, buvez chaud en sucrant, si nécessaire, avec du miel de romarin. Cette préparation améliorera votre circulation tout en vous relaxant, et vous préparera au sommeil. Elle est à prendre par cures de trois mois ou à l'année.

2. Bains aux huiles essentielles

Prenez trois fois par semaine un grand bain chaud avec cette préparation :

Huile essentielle de cyprès	10 ml
Huile essentielle de marjolaine	5 ml
Base hydrodispersante	30 ml
Huile végétale	50 ml

Deux cuillères à soupe sont suffisantes pour un grand bain qui doit être pris le plus chaud possible, sans toutefois que vous y soyez mal à l'aise. Le bain sera suivi obligatoirement par une douche froide et rapide des jambes et du bassin. La durée de cette douche sera d'environ une minute ; celle des bras, de dix à quinze minutes.

Ce bain aux huiles essentielles stimulera votre circulation, et tout particulièrement celle des capillaires où se trouvent les 2/3 de la masse sanguine générale. Si cette circulation périphérique est ralentie, vous ne pouvez pas espérer améliorer celle de vos veines.

L'hydrothérapie constitue un véritable traitement de fond, à notre avis le plus rapide et le plus efficace de tous.

II. RECETTES EN CAS DE CRISE

1. Compresses

a) Eau de coing : prenez une poignée de graines de coing. Ecrasez-les au fond d'un récipient en terre vernissée. Ajoutez un demi-verre d'eau et laissez macérer une demi-heure. Mouillez des compresses de coton dans cette eau mucilagineuse et appliquez localement.

L'eau de coing est calmante et émolliente. La douleur locale disparaîtra rapidement, et les hémorroïdes dégonfleront plus rapidement.

b) Eau de vie + lait : mélangez un demi-verre d'eau de vie avec un demi-verre de lait cru (de plus en plus difficile à trouver). Utilisez comme précédemment.

Cette recette est particulièrement indiquée pour les hémorroïdes s'accompagnant de démangeaisons.

2. Bains de siège

La première chose à faire, en urgence, en cas de crise hémorroïdaire, est de prendre un bain de siège avec de l'eau la plus froide possible. L'eau froide provoque une vaso-constriction locale et calme rapidement la douleur. L'action n'est certes pas durable, mais un soulagement, ne serait-ce que passager, est toujours le bienvenu ! De plus, le bain froid, s'il est pris au tout début des douleurs, peut souvent désamorcer la crise. C'est un excellent remède si vos crises ne sont pas fréquentes. En revanche, si vous souffrez fréquemment, si vos veines hémorroïdaires sont légèrement gonflées de façon latente, si la marge de l'anus vous démange en permanence, il vous faut choisir d'autres bains de siège :

a) Bain au son : jetez quelques poignées de son de blé dans un récipient contenant de l'eau très chaude. Attendez une dizaine de minutes. Avec cette eau, prenez un bain de siège de dix à quinze minutes. Faites suivre, obligatoirement, ce bain par une douche froide locale (une minute) ou par un bain de siège froid.

Ce bain doit être répété une à deux fois par jour. Son action calmante et adoucissante est remarquable, à condition que son emploi soit suivi.

b) Bain aux poireaux : l'eau de cuisson des poireaux, en bain de siège, donne des résultats remarquables. Son inconvénient majeur : il faut utiliser une grande quantité de légumes. Il faut en effet compter dix poireaux entiers, parties vertes comprises, pour un bain de siège. Les poireaux seront cuits 1/2 heure et vous ajouterez le volume d'eau chaude indispensable pour un bain de siège. Vous procéderez comme pour le bain précédent, y compris pour l'utilisation de l'eau froide.

3. Lavement aux baies de myrtilles

Faites bouillir, pendant une demi-heure, dix cuillères à soupe de baies de myrtilles dans un litre d'eau. Filtrez. Utilisez cette décoction en lavement, que vous conserverez le plus longtemps possible.

Attention : la température de l'eau doit être très exactement celle du corps, 37 °.

Ce lavement est indiqué en cas d'hémorroïdes internes. Les myrtilles ont la propriété de resserrer les tissus, de provoquer une vaso-constriction locale (diminuer le diamètre des veines) et d'éviter la sclérose des parois des veines. Elles sont douées également de propriétés antiseptiques et antiputrides, ce qui leur permet d'améliorer le transit intestinal en supprimant les causes des fermentations. Il s'agit là, non seulement d'un moyen de calmer cette impression de douleur locale extrêmement désagréable en cas d'hémorroïdes internes, mais véritablement d'en traiter la cause de façon durable.

4. Cataplasmes

Aussi nombreux qu'efficaces, les cataplasmes ont toujours tenu une grande place dans la médecine populaire. Ils sont hélas, peu employés de nos jours, pour une seule raison : le temps. Nous n'avons plus le temps. Nos rapports avec le temps deviennent de plus en plus aberrants. Nous n'avons pas dix minutes pour préparer un cataplasme, mais nous trouvons le temps de nous faire opérer des hémorroïdes !

Lorsqu'on connaît les douleurs extrêmes qui suivent une hémorroïdectomie, le peu de fiabilité de l'opération (les causes n'étant pas traitées, les hémorroïdes bien souvent se réinstallent !), qu'il faut compter quinze jours d'arrêt de travail pour une telle opération, il nous semble toujours très étrange que nos malades nous affirment, sérieusement, ne pas avoir le temps de se préparer un cataplasme. Combien y a-t-il de « dix minutes » dans quinze jours d'arrêt de travail ? De quoi faire quelques cataplasmes !

a) Lin et décoction de Belladone : nous ne signalons ce cataplasme que pour mémoire. Il est très efficace, absolument pas nocif ; mais la Belladone est classée au tableau A, toxique en pharmacie. Vous ne pourrez donc pas vous en procurer sans ordonnance. En revanche, si à la campagne, vous la rencontrez, faites-en provision, elle vous sera utile.

Fiche signalétique :

Grande plante (de 50 cm à 2 m)

Odeur un peu fétide

Fleurs en forme de cylindre ventru de couleur pourpre foncé

Fruits gros comme une petite cerise, de même couleur, *très toxiques.*

Feuilles ovales, aiguës, assez longues (15 cm).

Vous la trouverez dans les sous-bois humides et les taillis.

Faites-vous bien préciser par un connaisseur qu'il s'agit de notre amie, la Belladone ! Si c'est bien elle, vous en ferez sécher les feuilles à l'ombre et vous les utiliserez ainsi :

30 g de feuilles séchées à laisser bouillir quinze minutes dans un litre d'eau. Filtrez. Mélangez cette décoction avec de la farine

de lin, jusqu'à obtenir une pâte. Appliquez tiède localement. L'action sédative, adoucissante de ce cataplasme est tout simplement fabuleuse.

b) Oignon et saindoux : passez au mixer une égale quantité d'oignons et de saindoux. Appliquez cette pâte localement en épaisseur suffisante et recouvrez d'une gaze.

Idéale pour dissiper rapidement démangeaisons et petits abcès locaux.

c) Pomme de terre râpée : râpez finement une pomme de terre crue. Appliquez et recouvrez d'une gaze. La pomme de terre calme la douleur et les irritations locales. Elle est, en plus, cicatrisante.

d) Chou : appliquez localement une feuille de chou, que vous trempez préalablement cinq minutes dans du lait bouillant. Peu efficace pour diminuer les douleurs en cas de crise d'hémorroïdes externes, cette recette est, en revanche, particulièrement intéressante pour calmer les pesanteurs dues aux hémorroïdes internes et pour faire activer l'évolution d'une crise externe.

e) Coquille d'huître : nous affectionnons particulièrement ce remède qui est très ancien et qui a été, hélas, abandonné.

Prenez la partie creuse d'une coquille d'huître. Faites-la calciner au four très chaud. Ecrasez-la de façon à obtenir une poudre fine. Mélangez-la avec du saindoux. Appliquez localement, mais sur une faible épaisseur.

Très sincèrement, nous ne saurions vous expliquer d'une façon certaine le mode d'action de cette pommade. Vraisemblablement, les sels minéraux et oligo-éléments contenus dans la coquille d'huître sont à l'origine de la régénération rapide des tissus qui suit son application.

Quoi qu'il en soit, c'est rapide et efficace. Alors n'hésitez pas !

Toutes les recettes que je viens de vous expliquer sont compatibles en cas de crise ; seule mauvaise concordance · le temps de préparation !

XX. VOUS AVEZ DES BRÛLURES EN URINANT

Ce symptôme, qui atteint le plus souvent les femmes, les oblige à avoir une réserve de comprimés antiseptiques dans leur sac. C'est l'éternelle lutte contre la « cystite » récidivante, dont rien ne vient à bout. Si l'on pouvait faire une statistique sérieuse des résultats des traitements homéopathiques et phytothérapiques sur la cystite, on avoisinerait certainement les 90 à 95 % de très bons résultats. Qui plus est, sur des cas ayant un recul de plusieurs années.

Comme la plupart des maladies chroniques, la cystite récidivante n'a pas de traitement en allopathie. On donne des antibiotiques ou des antiseptiques urinaires au coup par coup, sans jamais avoir une action préventive.

L'éternelle phrase « Mon médecin m'a dit que je ne bois pas assez », incite certains à boire des quantités d'eau phénoménales. Nous affirmons une fois de plus qu'il est mauvais pour l'organisme, pour les sucs digestifs, et même pour le rein, de boire trop d'eau pendant des mois, voire des années (sauf lorsque l'on n'a que ce moyen pour venir à bout de ses brûlures).

Dans certains cas, l'analyse d'urine peut être négative. On parle alors de « cystite à urines claires ». Il s'agit, dans une grande majorité de cas, de phénomènes nerveux. Il faut refaire plusieurs fois l'analyse pour confirmer un résultat négatif.

Dans la colibacillose, il faut proscrire l'usage immodéré du lait et des laitages, de même que tout ce qui peut détruire la flore intestinale (au risque de favoriser le nombre de colibacilles) ; car le « coli-bacille », comme son nom l'indique, est le bacille du côlon. Il faudra, dans le traitement de fond, avoir un impact sur tout le tube digestif pour avoir un résultat durable.

A part le colibacille, on retrouve souvent dans les urines d'autres microbes ; nous employons parfois des isothérapiques des urines pour aider le traitement de fond (un isothérapique est une préparation faite à partir des propres urines du malade).

Il est difficile de trouver le remède crise si on n'a pas de symptômes très précis. Il vous faudra examiner très soigneusement votre organisme : les brûlures surviennent-elles avant, pendant ou après la miction ?

A quel moment du mois ou du cycle ? De quels autres symptômes s'accompagnent-elles ? Etc...

A savoir aussi : les infections urinaires répétées, survenant brutalement, surtout chez les enfants, nécessitent, après un court essai de traitement, une radiographie des reins.

Ici encore, nous insistons sur l'utilité d'un traitement de terrain : pourquoi un organisme serait-il sensible aux infections, si ce n'est à cause d'une carence de ses moyens de défense ? N'oubliez pas de faire, de toute façon, une analyse d'urine.

Les remèdes

• Votre douleur se déclare après la miction, avec une sensation de contraction à la vessie et une difficulté à uriner. Vos douleurs sont brûlantes avec un besoin fréquent d'uriner. Le froid vous gêne et vous êtes le plus souvent gras et sédentaire :
Capsicum (le piment rouge)
Dilution : 4 CH, toutes les deux heures, et espacez.

• Vous avez des douleurs brûlantes dans la vessie, avec un besoin urgent et fréquent d'uriner. Vos brûlures sont « coupantes », tranchantes, au niveau du col de la vessie et dans l'urètre, avant, pendant et après la miction. Il existe parfois une albuminurie :
Cantharis
Dilution : 5 CH, toutes les deux heures et espacez.

• Vos brûlures et vos douleurs sont très vives en urinant. Vous ne pouvez uriner sans aller à la selle, il y a souvent de l'albumine dans vos urines. Vos douleurs sont piquantes et brûlantes, et l'amélioration se fait par le froid (bain de siège ou application externe) :
Apis
Dilution : 5 CH, au début et augmentez.

• Vous devez faire de violents efforts pour uriner ; il est décrit que « vous devez vous mettre à genoux et appuyer vos mains au sol ». Les douleurs descendent dans les cuisses :
Pareira Brava
Dilution : 4 CH, toutes les deux heures.

• Vous urinez fréquemment et avez une sensation de brûlure en urinant. Vos urines sont très foncées, peu abondantes, et ont une odeur de violette. Vous trouvez parfois du sang mêlé aux urines :

Terebinthina

Dilution : 4 CH, toutes les deux heures.

• Votre douleur est vive, coupante à la fin et après la miction, avec un besoin fréquent d'uriner. Vos urines sont foncées et d'odeur pénétrante. Vous vous arrêtez plusieurs fois avant de pouvoir vider complètement votre vessie ;

Thuya

Dilution : 4 CH, quatre fois par jour ; pour un traitement de fond, demandez à votre thérapeute.

• Vos douleurs sont coupantes et vos urines ont un dépôt de sable, rouge, non adhérent. Le « sujet Lycopodium » est bien reconnaissable, nous ne le redécrirons pas ici :

Lycopodium

Dilution : à déterminer avec votre thérapeute.

• Vous avez une impossibilité d'évacuer votre vessie en une seule fois. L'urêtre paraît rétréci, le jet est petit. Vous avez des brûlures en urinant avec élancement dans l'urêtre. Il existe parfois une douleur avec induration du testicule droit :

Clematis Erecta (la flamme de Jupiter)

Dilution : 4 CH, quatre fois par jour.

Lorsqu'il s'agit de colibacilloses, les remèdes les plus fréquents sont Sepia, Thuya, parfois Pulsatilla ou Lycopodium. On utilise, de plus, le sérum anticolibacillaire que nous conseillons en 3X en ampoules (3 à 4 par jour, en cas de crise aiguë).

• Vous ressentez une diminution progressive de la résistance de votre organisme, qui s'accompagne de crises douloureuses, le plus fréquemment intestinales, génitales ou urinaires.

Si vous vous sentez vite fatigué, si vous perdez la mémoire, manquez de décision, si vous êtes timide, avec des maux de tête, si vos digestions sont lentes, avec pesanteur et sensation de froid après le repas, si vos urines sont troubles et ont mauvaise odeur, si les mictions sont fréquentes et douloureuses, alors ce remède vous convient. Ces symptômes s'accompagnent de douleurs dans les articulations des doigts. L'usage de ce remède demande un interrogatoire :

Colibacillum

Dilution : nous le donnons le plus souvent en doses de 9 à 30 CH, mais en donnant auparavant du sérum anticolibacillaire et l'un des remèdes de cystite cités plus haut.

Pour le phytothérapeute, ce symptôme mérite une attention particulière car il est très fréquent et très handicapant. Nous voyons en consultations des jeunes femmes dont la vie est gâchée par des crises de cystite répétées, surtout lorsqu'il s'agit d'une véritable colibacillose qui s'accompagne toujours, comme nous venons de le voir, d'une fatigue générale.

Malgré tout, ce n'est pas tant le symptôme qui nous effraie — nous avons les moyens d'y remédier — mais plutôt les traitements d'antibiotiques à répétition qu'ont eu à subir ces patientes. Ces antibiotiques épuisent le terrain, diminuent les résistances immunitaires. Or, nos thérapies renforcent et stimulent ces résistances. Encore faut-il qu'il reste quelque chose à stimuler !

Ceci explique nos échecs, en médecine naturelle, lorsqu'un organisme a été miné, épuisé, par des traitements répétés. Il est alors terriblement difficile de relancer la machine (c'est le cas avec l'utilisation de la cortisone).

Nous jetons ici un cri d'alarme : arrêtez de saccager votre organisme, ne croyez pas qu'un médicament, parce qu'il est chimique et porteur d'une grosse bande rouge, est plus efficace et plus sérieux. Cessez d'être des consommateurs de médicaments, prenez-vous en charge et vous vous apercevrez que bien souvent des remèdes de « Bonnes femmes » (et surtout de « Bonne fame » !) agiront aussi vite, sans vous empoisonner. Pour terminer cette mise en garde, méditez ce que nous disait récemment un pharmacien biologiste :

— « Il y a quatre ou cinq ans, les femmes faisaient leur crise de cystite tous les ans, immédiatement enrayée par un antibiotique. Maintenant, ces crises se renouvellent trois, quatre, cinq fois (et quelquefois plus) dans l'année ; et nous voyons diminuer à toute vitesse le nombre d'antibiotiques efficaces. Nous sommes atterrés par les antibiogrammes, car d'ici peu de temps, certaines malades ne seront plus sensibles à aucun des antibiotiques connus ! ».

Les antibiotiques ont leur utilité : dans les grandes occasions.

I. OLIGO-ELEMENTS

Les oligo-éléments, ces produits présents dans l'organisme à doses infinitésimales mais sans lesquels aucune de nos réactions chimiques internes ne serait possible, sont bien souvent les agents thérapeutiques les plus rapides d'action en cas de crises de colibacillose.

Si vous avez des colibacilles ou simplement si vous éprouvez quelques douleurs en urinant, essayez le mélange suivant :

Gluconate de manganèse
Gluconate de cobalt

que vous obtiendrez prêt à l'emploi en pharmacie.

Vous prenez une dose (1/2 cuillère à café) quatre fois par jour, loin des repas (n'oubliez pas de conserver le produit deux minutes sous la langue avant de l'avaler).

Les résultats sont franchement stupéfiants, avec un produit suisse : « Bioligo Myrtille » qui est un mélange d'oligo-éléments dynamisés dans des colonnes à ultra-sons, auquel est ajoutée une décoction de myrtille. Vous le retrouverez en France dans certaines maisons de régime. La réduction de la douleur est plus rapide qu'avec n'importe quel antibiotique.

Bioligo Myrtille est à prendre également à raison d'une dose quatre fois par jour en cas de crise, et une dose à jeun en cure d'entretien dont la longueur est à déterminer avec votre praticien.

II. VINAIGRE DE CIDRE + LEVURE DE BIÈRE

Les résultats de ce traitement combiné sont très intéressants non seulement en cas de crise, mais sous forme de cures préventives répétées pendant deux mois, trois fois par an.

— Buvez le matin à jeun une cuillère à café de vinaigre de cidre largement délayée dans un verre d'eau plate.

— A chaque repas, prenez quatre comprimés de levure de bière. Vous trouverez la levure dans les pharmacies et les maisons de régimes. Les doses journalières varient en fonction des marques ; il faudra donc vous fier à la posologie.

En ce qui nous concerne, nous préférons le « Levain de Vie » fabriqué par Madame Poyet, 21 bis boulevard Pereire, 75017 Paris.

Madame Poyet peut vous envoyer son levain de vie qu'elle fabrique elle-même si vous habitez la province.

Madame Poyet est une diététicienne de plus de 80 ans, remarquablement alerte, et nous souhaitons qu'elle continue longtemps ses fabrications, indispensables pour nombre de traitements.

La combinaison vinaigre de cidre-levure de bière permet de traiter la cause des brûlures en rééquilibrant la flore intestinale et le P.H. des humeurs.

Au fil du traitement, vous vous apercevrez que vos digestions deviennent de plus en plus faciles, et vous oublierez somnolences après les repas, aérogastrie, aérocolie, etc

III. TISANE

Si cette tisane ne vous permet pas de stopper rapidement une crise de cystite aiguë, elle doit par contre éliminer toute brûlure d'urine chronique, et constituer votre tisane du soir si vous avez tendance à la colibacillose :

Myrtille (feuilles)	30 g
Bruyère (sommités fleuries)	30 g
Cassis (feuilles)	35 g
Violette (fleurs)	25 g
Grand plantain (feuilles)	20 g
Lamier blanc (fleurs et feuilles)	20 g
Mauve (fleurs)	20 g

Faites bouillir pendant trois minutes, cinq cuillères à soupe du mélange, dans un litre d'eau, puis couvrez et laissez infuser dix minutes. Filtrez et conservez au frais. En période de crise, vous devez boire le litre de tisane dans la journée. En préventif, il vous suffira d'en prendre une tasse le soir au coucher.

IV. CATAPLASME DE POIREAUX ET OIGNONS

Ce cataplasme ne peut en aucun cas constituer un traitement de fond, mais il vous apportera un soulagement immédiat pendant les fortes crises.

Faites cuire cinq poireaux (coupés en quatre tronçons) et cinq oignons (coupés en rondelles) avec huit cuillères à soupe d'huile d'olive, pendant 20 à 25 minutes, à feu très doux. Placez oignons et poireaux sur une gaze et appliquez le plus chaud possible sur le bas ventre. La sédation de la douleur est très rapide.

Nous en profitons pour vous rappeler que le jus de cuisson de poireaux et oignons a constitué pendant longtemps et avec succès, le seul traitement des « ardeurs d'urines » dans bien des campagnes. Nous ne saurions trop vous conseiller, si vous souffrez en urinant, d'essayer ce remède tout simple. Il constituera de toute façon, un précieux traitement adjuvant et vous apportera une quantité appréciable de sels minéraux dont vous avez, sans aucun doute, besoin. Vous pourrez boire ce bouillon à volonté.

V. HUILES ESSENTIELLES DE PLANTES

Les huiles essentielles de plantes sont d'une efficacité remarquable dans tous les cas d'infection, qu'elles soient chroniques ou aiguës. Elles constituent, à elles seules, un traitement complet dans tous les cas de brûlures en urinant. S'il s'agit de crises à répétition, il est indispensable de faire établir un aromatogramme de terrain (voir en début d'ouvrage) et d'établir le traitement en fonction de cet examen.

En revanche, en cas de crises aiguës ou si vous n'avez pas de laboratoire de biologie spécialisé près de chez vous (encore qu'il soit possible de faire faire cette analyse par correspondance), nous vous conseillons ce traitement type :

Huile essentielle d'origan d'Espagne ⎤
Huile essentielle de genévrier |
Huile essentielle de cannelle } àà 0,01 g.
Huile essentielle de santal |
Huile essentielle de thym rouge ⎦
Poudre de propolis   0,10 g
Lactose q.s.p.   1 gélule

Prenez deux gélules pendant le repas à midi et une gélule pendant le repas du soir.

Dans le même temps, préparez quotidiennement un microlavement par voie rectale, que vous conserverez toute la nuit, selon notre formule :

Huile essentielle de cajeput
Huile essentielle de lavande } àà 1,50 g
Huile essentielle d'eucalyptus
Huille essentielle de thuya
Huile d'olive vierge q.s.p.   250 ml

Il vous suffit de deux cuillères à soupe du mélange par lavement.

Il est préférable de demander l'avis d'un praticien quant à la durée du traitement.

Tous les traitements que je viens de vous indiquer ne sont pas forcément compatibles entre eux. Certains se marient, d'autres se contrarient.

Vous pouvez faire en même temps :

          I. II. III. IV.

          I. II. IV. V.

Vous ne pouvez pas faire :

          III. V.

XXI. VOTRE ENFANT FAIT PIPI AU LIT

L'énurésie est un trouble de l'enfance et de l'adolescence, d'origine psychologique. On remarque souvent qu'une cause paraissant anodine pour un adulte, déclenche une reprise de l'énurésie chez l'enfant. La rentrée scolaire, une nouvelle naissance dans la famille, une mésentente avec un instituteur... sont pour l'enfant d'une importance capitale.

Il est alors très utile de faire un traitement de fond complet sur plusieurs mois car le trouble est souvent profond.

Evidemment, il ne faut pas faire de remarque vexante ou punir l'enfant jusqu'à sept ans. Au-delà, il faut en parler avec lui, calmement et *sans jamais le culpabiliser*. Nous partageons l'idée de ne pas trop boire après 17 h, et de lever l'enfant lorsque les parents vont se coucher. Même dans son sommeil, il ira aux toilettes presque sans s'en rendre compte.

En revanche, nous sommes contre les appareillages électriques qui sonnent ou grésillent lorsque l'enfant fait au lit. Le traitement doit être patiemment suivi, car il est parfois difficile de trouver le bon remède ; ou bien celui-ci peut tarder à agir, tant que le traitement de fond n'est pas encore suffisant.

Rajoutons que nous trouvons triste de commencer les tranquillisants dès cet âge, d'autant qu'il faut les donner longtemps. Soyons clair : nous préférons qu'un enfant soit énurétique tardivement, plutôt que de le mettre sous tranquillisants ! Enfin, nous vous donnons une petite recette à essayer avant tout traitement, ou pendant celui-ci : selon certains psychologues, l'enfant fait pipi au lit la nuit, dans la chaleur de son lit, comme pour se retrouver dans le milieu liquide du sein maternel. Essayez donc de mettre sur sa petite table de nuit un grand verre d'eau, et parfois même au pied de son lit un récipient avec de l'eau. Nous avons eu des résultats étonnants chez certains enfants avec cette méthode : la seule « présence » de l'eau, remarquée par l'enfant, arrête l'énurésie !

Les remèdes

Mis à part tous les remèdes de chocs moraux, de dépression, de refoulement (arnica, ignatia, staphysagria, lycopodium, natrum mur, pulsatilla, etc.), nous citerons :

• Enfant émotif, peureux le jour et au sommeil profond. L'enfant fait en première partie de nuit et ne se réveille pas :

Chloralum

Dilution : 7 CH, au début ; puis passez rapidement en 15 à 30 CH.

• L'enfant est faible, et sa faiblesse se retrouve au niveau vésical. L'incontinence se fait en première partie de nuit. Autres caractéristiques spécifiques à ce remède :

— émaciation chronique : l'enfant s'étiole,

— amélioré à l'humidité,

— dans la journée, la faiblesse fait qu'il peut manifester son incontinence en toussant ou en éternuant :

Causticum

Dilution : 9 CH à 30 CH, une à deux fois par jour.

• Voici un remède qui agit mieux chez les filles dans les cas d'énurésie. C'est un remède de sycose (voir explication de ce terme en début de livre). L'enfant a un tempérament toujours amélioré lorsqu'il est couché sur le ventre. Les urines sont foncées et ont une odeur ammoniacale :

Medorrhinum

Dilution : 9 à 15 CH, une fois par jour.

• L'odeur des urines est « repoussante » et transmise aux vêtements souillés par l'urine qui est de couleur brun foncé :

Benzoïc Acidum

Dilution : 5 CH, trois fois par jour.

• A noter l'intolérance au lait, l'insuffisance hépatique et la tristesse du « sujet Sepia », qui est souvent une forme d'indifférence à ce qui l'entoure. Les urines ont une odeur aigre. L'incontinence se fait en première partie, avec des urines troubles, fétides et un dépôt de sable rouge adhérent (le « sujet lycopodium » présente des urines avec un dépôt de sable rouge, mais non adhérent) :

Sepia

Dilution : 9 à 15 CH, une à deux fois par jour.

• Voici un traitement qui agit mieux sur les fillettes qui présentent une incontinence avec cystite chronique et sommeil profond :

Eupatorium Purpureum
Dilution : 5 CH, trois fois par jour.
• Les urines sentent fort et ont un aspect laiteux. L'enfant est nerveux, maussade, maigre et a la peau sèche. C'est un remède de la nervosité due aux vers intestinaux :
Viola Odorata
Dilution : 4 CH, trois fois par jour.
• L'enfant est un longiligne hypersensible qui a peu d'appétit. Voici un remède difficile à déterminer :
Calcarea Phos.
Dilution : 9 à 15 CH, quotidien.
• Enfant faible, déminéralisé et hypersensible au froid. L'incontinence se voit souvent sur un terrain vermineux ;
Silicea
Dilution : 9 CH, au coucher, puis en doses croissantes.

A citer encore : Krésotum, Psorinum, Silicéa, Viola tricolor et Gelsemium dont la caractéristique est une énurésie avec appréhension de son trouble avant qu'il n'arrive. L'enfant a le « trac » de son énurésie.

Il est vrai que, dans tous les cas, quelques entretiens bien menés en psychothérapie, avec analyse des dessins ou des rêves, permettront de guérir l'enfant énurésique.

En revanche, si tout ce qui est « psycho » vous effraie, à juste raison (car vous êtes sûrement pour quelque chose — sans le savoir — dans cette énurésie), vous pouvez essayer les remèdes naturels qui donnent de bons résultats lorsque la cause psychologique n'est pas trop grave ou ancienne. Avant de commencer l'analyse du cas et un traitement plus ou moins onéreux, nous avons l'habitude de conseiller aux parents l'un des plus vieux médicaments du codex : le sirop Lecœur. Il est entièrement naturel. Il se prend à raison de :
— cure de 15 jours (arrêt 8 jours)
— cures de 15 jours :
• De 2 à 5 ans : 1 cuillère à café pendant deux jours, le soir, et 2 cuillères à café les 13 jours suivants.
• De 5 à 10 ans : 1 cuillère à dessert les deux premiers jours puis 2 cuillères à dessert les 13 jours suivants.
• Plus de 10 ans : 1 cuillère à soupe les deux premiers jours puis 2 cuillères à soupe les 13 jours suivants.

Il a guéri des générations d'enfants énurétiques. Si le sirop

Lecœur ne réussit pas, essayez un de ces remèdes :

I. OREILLER NATUREL

Il s'agit d'une très vieille recette populaire, et comme toutes ces recettes, ce n'est pas par hasard qu'elle a traversé les siècles.

Faites un oreiller à votre enfant en remplissant *un sac de coton avec des cônes de houblon séchés*. Il sera beaucoup plus détendu, son sommeil sera meilleur et son énurésie peut s'évanouir.

II. TISANE

Angélique (racine)	20 g
Eglantier (fleurs)	20 g
Verge d'or (sommités)	25 g
Oranger (fleurs)	15 g
Tilleul (fleurs)	15 g
Thym (sommités)	15 g
Caille-lait (fleurs)	25 g
Bruyère (fleurs)	25 g
Ortie piquante (plante entière)	25 g

Vous préparez cette infusion à raison de deux cuillères à café pour une tasse d'eau bouillante que vous laissez infuser dix minutes. Filtrez. Vous la faites boire à votre enfant lorsqu'il rentre de l'école, avant de dîner.

III. SIROP

Faites préparer le mélange suivant :

Solidago	100 g
Myrtille (baies)	100 g

Portez à ébullition dans un litre et demi d'eau, puis laissez infuser une demi-journée. Filtrez. Ajoutez un kilo de sucre roux cristallisé en réchauffant doucement pour que le sucre fonde.

Prendre à raison de trois cuillères à soupe par jour. Vous pouvez également vous en servir pour sucrer la tisane précédente.

IV. FRICTION

Frictionnez tous les soirs le ventre de votre enfant (en tournant dans le sens des aiguilles d'une montre) avec cette huile :

Huile camphrée   40 ml
Huile de millepertuis   40 ml
Huile essentielle de carvi   10 ml
Huille essentielle de thuya   10 ml

Prenez bien soin de secouer énergiquement le flacon avant de l'utiliser.

Tous les traitements que je viens de vous indiquer ne sont pas forcément compatibles entre eux. Certains se marient, d'autres se contrarient.

Vous pouvez faire en même temps :

I. II. IV.

Vous ne pouvez pas faire :

II. III.

Nous abordons ce chapitre volontairement, tout en sachant que vous ne devez essayer les remèdes de sein qu'avec l'aide de votre thérapeute, et après avoir effectué les recherches nécessaires pour dépister une maladie plus grave. Les conseils qui suivent valent donc pour passer quelques jours, en attendant une radiographie ou un rendez-vous.

La douleur aux seins est un phénomène complexe car il fait intervenir tout le système hormonal, le système hépatique, et le système nerveux et psychique.

Tout d'abord, sachez que la « mastose » est une affection qui se caractérise par une grande quantité de petits nodules, « comme des grains de plomb enchâssés dans le sein », selon l'expression consacrée. Mais il faut aussi savoir qu'il y a toujours une participation du mental dans cette affection. Les femmes signalent souvent une concordance entre un choc, un chagrin, une nervosité excessive, et l'apparition de seins lourds, pesants et pleins de ces petits kystes.

Dans l'immense majorité des cas, les troubles surviennent en deuxième partie de cycle, « avant les règles ». Le traitement est ici nécessaire pendant plusieurs années. Il existe aussi des nodules uniques ou multiples, plus gros, ou qui changent de taille avec le cycle. Certains sont pleins, certains sont kystiques, contenant un liquide à l'intérieur.

Par ailleurs, on trouve les cancers du sein : ils sont aujourd'hui, en grande majorité, soignables si on les prend assez tôt. Les symptômes les plus fréquents sont : le gonflement, la tension mammaire douloureuse avec parfois un sein chaud, gonflé, rouge. Il est fréquent que les règles améliorent, peu ou prou, le symptôme.

Nous ne traiterons pas ici les mastites, encore que certains remèdes cités plus loin puissent les améliorer.

Enfin, on ne peut aborder les seins douloureux sans parler de ce qui les soutient... La mode des seins nus, vivre sans soutien-gorge, c'est certainement très agréable sauf pour les seins eux-mêmes, surtout pour les femmes qui ont une poitrine conséquente. Le pauvre sein est ballotté, secoué, et la loi de la pesanteur lui impose un attrait lourd et déchirant vers le bas. En dehors du côté esthétique, c'est une épreuve sans précédent pour ce sein qui espère être soutenu.

Après examen médical, et éventuellement examen radiologique, vous pourrez chercher dans les remèdes qui suivent celui qui vous correspond.

Les remèdes

• D'abord, un remède à manier avec soin. C'est un antagoniste de la folliculine qui est souvent en excès lorsqu'il y a des douleurs de seins. Il faut l'employer en haute dilution (9 à 15 CH), sinon il a l'effet inverse.

Nous utilisons une dose le 8e jour du cycle, parfois le 14e jour, selon les symptômes :

Folliculinum

• Votre symptôme principal est l'alternance de côté : la douleur passe de droite à gauche... Vos seins sont enflés, douloureux avant les règles. Ils sont enflammés et vous ressentez une grande douleur aux secousses (attention aux seins nus !). L'amélioration survient pendant les règles. Voici un remède d'angine rouge changeant de côté, de migraine changeant de côté et de douleurs dans la région sacrée (bas de la colonne vertébrale). Merveille de la nature, le lait de chienne, dilué et dynamisé à la manière homéopathique, est un remède fort et efficace pour les douleurs de seins de la femme :

Lac Caninum

Dilution : 5 à 9 CH, trois fois par jour.

• Voici un remède de mammite. Il peut rendre de grands services dans le gonflement chaud et tendu des seins, avec sensation de pesanteur et amélioration par des applications froides :

Apis (l'abeille)

Dilution : 5 CH, trois fois par jour.

• La douleur du sein est due à un engorgement consécutif à un coup. Vous avez un engorgement veineux et votre douleur est aggravée au toucher :

Bellis Perenis (la pâquerette)

Dilution : 5 CH, quatre fois par jour.

• Vous avez ce que l'on appelle une « mastose » : les seins sont remplis de petits nodules durs et douloureux. Parfois le sein est le siège d'un abcès. La douleur a une caractéristique : elle se répercute partout dans le corps avec une sensation douloureuse dans les muscles :

Phytolacca

Dilution : 3 X ou 4 CH, trois fois par jour, en lune montante. Diminuez la consommation de lait et de sel pendant la prise de ce remède.

• La douleur des seins est aggravée avant les règles. Vous êtes d'un tempérament lymphatique, avec faiblesse, lenteur, peau blanche, anxiété avec peur de perdre la raison. Vos règles sont en avance, trop abondantes, trop longues. Vous pouvez présenter des sueurs de la tête pendant le sommeil et vous n'aimez pas le lait :

Calcarea Carbonica

Dilution : 5 CH pour le symptôme précis, puis passer à de hautes dilutions espacées.

• Votre douleur de sein se fait par l'engorgement veineux et elle s'aggrave avant les règles. Votre tempérament est changeant et variable. Vous êtes timide et émotive. Si vous êtes une femme plus âgée, vous pouvez avoir vaincu votre timidité mais vous gardez votre sensibilité. Vos règles sont tardives, peu abondantes, courtes. L'écoulement s'arrête un jour pour reprendre le lendemain ; il est plus abondant dans la journée. A noter, enfin, vos troubles circulatoires avec marbrures au froid, gonflement à la chaleur et l'intolérance aux aliments gras (symptôme habituel ici) :

Pulsatilla

Dilution : 5 CH, pour le symptôme ; mais instituer obligatoirement un traitement de fond.

En phytothérapie, toutes les indications que nous donnons peuvent être utilisées en parallèle d'un traitement, qu'il soit allopathique ou homéopathique. Il va sans dire que nous préférerions qu'il soit homéopathique !

Si le praticien que vous consultez n'émet pas de diagnostic fondamental et reste évasif, alors n'hésitez pas : avant de commencer son traitement, essayez les nôtres ! Vous êtes au moins assurée qu'ils n'auront pas d'effets iatrogènes. De plus, ils sont consacrés depuis bien longtemps par la sagesse populaire.

I. CATAPLASME D'AIGREMOINE ET DE SON DE BLÉ

Pendant dix minutes, faites bouillir quatre grosses cuillères à soupe de fleurs d'aigremoine dans 1/2 litre de vinaigre de vin. Ajoutez du son de blé, de façon à obtenir une pâte épaisse.

Appliquez sur les seins douloureux une fois par jour. Ce cataplasme qui a la propriété de « résoudre les engorgements » peut être appliqué aussi bien sur les seins que sur une contusion ou une entorse ; mais son action est plus nette pour toutes les affections touchant la poitrine.

II. CERFEUIL

Le cerfeuil peut être employé de plusieurs manières pour combattre les douleurs de poitrine. Si vous avez la possibilité de l'utiliser frais, il vous donnera toujours de meilleurs résultats.

La première solution, la plus pratique, est d'acheter du cerfeuil séché que vous consommerez sous forme d'infusion :

— 20 g de cerfeuil à laisser infuser 15 mn dans un demi-litre d'eau. Vous boirez cette infusion en deux fois (une tasse matin et soir). Dès l'apparition des douleurs, elle peut être utilisée seule. En revanche, une fois les douleurs installées, vous serez obligée d'y adjoindre ce cataplasme :

— pilez du cerfeuil frais (ou passez-le au mixer) et appliquez sur la zone douloureuse du sein.

Si vous avez tendance à souffrir de la poitrine avant vos règles, prenez l'habitude de consommer régulièrement du cerfeuil dans vos salades.

III. COCKTAIL DE LEGUMES

Si vos douleurs de seins viennent d'apparaître ou si elles sont rythmées par votre cycle menstruel, vous obtiendrez une sédation totale et souvent très rapide en buvant le matin à jeun un mélange de ces jus de légumes frais :

1/2 carotte

1/4 laitue

1/8 persil

1/8 cerfeuil

Les proportions sont à respecter approximativement ; elles sont en fait dictées plus par la pratique (il est plus facile d'obtenir 1/2 litre de jus de carotte que de jus de cerfeuil) que par un strict souci galénique. En revanche, les quantités de persil et de cerfeuil sont des minima. Une cure prolongée de ce mélange de jus de légumes donne toujours des résultats inespérés.

IV. CATAPLASME DE DOUCE-AMÈRE

Faites bouillir 35 g de tiges de douce-amère dans un litre d'eau pendant 15 mn. Couvrez et laissez infuser 1/2 heure. Trempez dans cette décoction des linges de coton fin et appliquez en compresses. Elles doivent être appliquées chaudes et renouvelées toutes les heures.

Si, habitant la campagne, vous avez la possibilité de cueillir de la douce-amère, vous obtiendrez de meilleurs résultats en vous faisant des cataplasmes avec les feuilles fraîches, légèrement écrasées avec une bouteille ou un rouleau à pâtisserie. Ce cataplasme est à conserver toute une nuit.

La douce-amère est récoltée au printemps ou à la fin de l'automne ; dans certaines régions, elle est plus connue sous le nom de vigne de Judée, vigne sauvage ou morelle grimpante.

V. CATAPLASME D'ARGILE

Les cataplasmes d'argile sont conseillés dans tant d'affections que cette multiplicité d'applications potentielles leur font perdre, aux yeux de certains, leur crédibilité. C'est une erreur. L'argile possède, entre autres, un pouvoir désinfiltrant particulièrement remarquable qui la fait conseiller dans tous les cas de kystes, tumeurs, ecchymoses, abcès. Plus l'affection à traiter est profonde et plus vous devez penser à l'argile. Pour tous les cas de mastoses, douleurs ou même inflammation des seins, vous devez utiliser des cataplasmes froids.

La préparation est classique :

— achetez de l'argile verte concassée dans un magasin de diététique,

— mélangez l'argile à l'eau, de façon à obtenir une pâte épaisse (l'opération est assez longe car l'argile met un certain temps à s'humecter),

— étalez la pâte sur un linge de coton, sur une épaisseur d'un centimètre,

— appliquez directement sur les seins et laissez en place jusqu'à ce que *l'argile soit sèche*. Ceci est très important ; il ne faut jamais retirer un cataplasme d'argile humide.

A cet effet, vous prendrez garde de ne pas avoir une pâte trop fluide, trop mouillée, car le temps d'application (en principe deux heures) serait trop long.

Tous les traitements que je viens de vous indiquer ne sont pas forcément compatibles entre eux. Certains se marient, d'autres se contrarient.

Vous pouvez faire en même temps :

I. II.

III. V.

I. III.

III. IV.

Vous ne pouvez pas faire :

II. III.

I. IV. V.

XXIII. VOUS ETES ENCEINTE*

Même si cet état n'est ni une maladie ni un symptôme, il mérite que l'on s'y arrête, car nous avons toute une série de remèdes et de conseils qui permettent de sauver bien des situations.

• D'abord, l'alimentation de la femme enceinte est un sujet important. Nous avons l'habitude de déconseiller vivement les graisses cuites et les viandes en général (on admet les viandes de jeunes animaux, bien cuites). La charcuterie et l'excès de mets sucrés sont à proscrire.

Les repas doivent être toujours très riches en légumes de toutes sortes, soigneusement lavés et rincés avec une eau légèrement vinaigrée (pour combattre les parasites).

Le miel est un aliment de choix pour la grossesse. De plus, la femme enceinte doit boire à sa soif.

Pour éviter les vergetures, passez-vous tous les jours sur le ventre et les seins, de l'huile de massage à l'arnica. D'une manière générale, l'ambiance de la maison doit être calme, autant que possible, et le nombre d'heures de sommeil augmenté. Une femme enceinte est toujours mentalement un peu plus fragile et a, plus que jamais, besoin d'un soutien affectif de la part d'un mari qui devra redoubler d'attention. Enfin, la marche, lente et progressive est bénéfique et favorise la circulation et l'oxygénation.

Les remèdes de la grossesse

Nous donnons à toutes les femmes enceintes un traitement dit « eugénique » qui est composé d'une série de doses destinées à combattre les principales toxines héréditaires du bébé. Ces doses sont standard ; mais il est rajouté, si possible, le traitement de fond de la mère et le remède de terrain du père (s'il est caractéristique).

Nous préférons faire un traitement complet de terrain à la mère, trois à quatre mois avant une grossesse (ou plus, si celle-ci a des problèmes de santé chroniques).

* Voir le chapitre sur l'alimentation de la grossesse au début de ce livre.

Sepia est le remède le plus « proche » de la grossesse ; nous le donnons systématiquement, même lorsque nous n'avons pas affaire à un « sujet Sepia », et nous le doublons avec le remède de fond de la mère.

Prévoyez de l'arnica à 5 CH, à prendre après chaque déplacement de plus de 20 km en voiture, et du Cuprum pour les petites contractions au début de la grossesse.

Attention ! Si vous êtes submergée de médicaments allopathiques pour les contractions, et que ceux-ci dissimulent les vrais symptômes, vous ne trouverez pas le remède qui leur correspond. Prenez :

Cuprum 7 CH, trois granules en cas de contractions, ou *Colocynthis 5 CH*, si elles sont douloureuses, obligeant à se plier en deux, ou *Magnesia Phos 5 CH*, ou *Viburnum Opulus 5 CH*, si les douleurs descendent dans les cuisses.

Caulophylum 5 CH, spasme utérin plutôt en fin de grossesse.

Sachez qu'un œuf de mauvaise qualité cherche à s'éliminer spontanément ; il est parfois inutile de s'acharner à sauvegarder une grossesse. Un bon traitement de terrain pour la mère lui permettra bien souvent d'avoir une future grossesse menée à bien.

1. En cas de tendance à l'avortement, si une hémorragie se déclare :

Phosphorus 15 CH, une dose immédiate.

Apis 9 CH, une dose une heure après.

Sabina 5 CH, s'il y a une hémorragie de sang rouge brillant.

• Vous avez une sensation de meurtrissure, de courbature, « le lit est trop dur ». Un long trajet en voiture, un surmenage ou un choc peuvent vous donner des saignements ;

Arnica.

• Sang rouge fluide, avec bouffées de chaleur, aggravé par un effort :

Millefolium

Dilution : utilisé en 1X, 10 gouttes toutes les dix minutes.

• Vos hémorragies sont violentes, de sang rouge, coagulant difficilement, aggravées par le mouvement. L'envie d'uriner est fréquente et douloureuse :

Erigeron.

• Vous êtes un sujet congestif (visage alternant du rouge

au pâle) faible, fatigable et anémique :
Ferrum.

• Vos hémorragies de sang rouge foncé sont accompagnées de caillots avec refroidissement du corps, chute de tension, et besoin d'air frais :
China.

• Votre hémorragie présente un sang foncé, épais mais incoagulable, avec des caillots. Elle est aggravée dès que vous faites un mouvement :
Secale.

• Votre hémorragie est d'un sang rouge brillant, jaillissant au moindre mouvement avec pâleur, tendance à la défaillance, soif et douleurs au bas de la colonne vertébrale :
Trillium Pendulum.

• Votre sang est foncé avec des petits caillots noirs qui coulent lentement. Pesanteur de l'utérus vers le bas, dépression :
Ustilago.

Dilutions : ces six derniers remèdes sont à prendre en 4 CH, tous les 1/4 d'heure.

Vous vous ferez faire des injections sous-cutanées d'un remède d'orientation anthroposophique à déterminer avec votre thérapeute.

2. En cas de constipation :

Collinsonia 5 CH, s'il y a en plus des hémorroïdes.
Hydrastis 4 CH.
Alumina 5 CH, muqueuses sèches, selles sèches.

3. Nervosité avec anxiété :

• Par hyperagitation fébrile : *Argentum Nitricum 9 CH*, trois grains à midi.
• Par crainte de l'accouchement proche : *Actea Racemosa 9 CH*, trois grains matin et soir.
• Tristesse avec intolérance au tabac : *Ignatia 9 CH*, trois grains au souper.

4. Nausées et vomissements :

Le plus difficile à enrayer, surtout lorsqu'il y a, en plus, une

hypersalivation.
- *Sepia* : systématiquement, comme indiqué plus haut.
- *Gossypium* : nausées le matin chez une femme faible et nerveuse.
- *Symphoricarpus 5 CH* : le matin aggravées par le mouvement.
- *Granatum 5 CH* : avec hypersalivation.
- *Mercurius 5 CH* : avec hypersalivation, langue chargée gardant l'empreinte des dents.
- *Ipeca 5 CH* : nausées avec langue propre.

5. Douleurs lombaires :

- Douleurs par stase circulatoire : voici un remède circulatoire, convenant donc bien à la fin de la grossesse :
Aesculus 5 CH.
- Vous ressentez des douleurs qui remontent vers le dos, améliorées lorsque vous êtes couchée dos à plat contre un plan dur, et aggravées en position debout :
Sepia 5 CH à 9 CH.
- Vos douleurs (genre de crampes) dans le bas du dos irradient jusqu'au pubis ou à l'utérus :
Viburnum Opulus 5 CH.

Les remèdes de l'accouchement

Nous essaierons au maximum d'éviter les perfusions pour contracter ou décontracter l'utérus. Il existe, en effet, de nombreux remèdes homéopathiques agissant sur le muscle et le col utérin.
- Vous ressentez une crainte vive de l'accouchement et une peur de la folie. Voici le plus connu des remèdes de douleurs utérines avec spasme du col :
Actea Racemosa
Dilution : 9 CH, tous les 1/4 d'heure ; arrêter dès l'ouverture du col.
- Vous ressentez une grande faiblesse avec une atonie utérine et une rigidité du col, empêchant le travail.
Vous ressentez des douleurs piquantes au niveau du col :
Caulophylum
Dilution : 5 CH, toutes les dix minutes, et espacez.

• Vous ressentez de fortes douleurs lombaires, avec une iner-
tie interne, une sudation et une faiblesse extrême :
Kalium Carbonicum
Dilution : 5 CH, tous les 1/4 d'heure.

• Atonie utérine avec troubles de la vue :
Cyclamen   •
Dilution : 5 CH, tous les 1/4 d'heure.

• Douleurs utérines avec rigidité du col. Il existe parfois un col
ouvert, mais avec absence de douleurs. A noter, des
tremblements :
Gelsemium
Dilution : 9 CH, tous les 1/4 d'heure.

• Vous ressentez de fortes douleurs au niveau du col qui est
béant, avec un écoulement de sang noir ne coagulant pas. Vous
réclamez de l'air frais :
Secale Cornutum
Dilution : 4 CH, tous les 1/4 d'heure.

• L'accouchement n'avance pas malgré de fortes contractions :
Viburnum Prunifolium
Dilution : 5 CH, tous les 1/4 d'heure.

• Douleur vive avec sensation « d'un étau » (signe qui distin-
gue ce remède du remède suivant) :
Cactus.
Dilution : 5 CH, tous les 1/4 d'heure.

• Col congestionné, œdématie dur. La douleur est aggravée dès
qu'on touche au ventre :
Belladonna
Dilution : 5 CH, tous les 1/4 d'heure.

• Vous ne tolérez pas votre propre douleur ; vous êtes agitée
énervée, coléreuse :
Chamomilla
Dilution : 9 CH, tous les 1/4 d'heure.

La joie profonde que ressent une femme à porter, sentir, grandir en elle son futur enfant, n'arrive pourtant pas à lui faire oublier
le long cortège de désagréments qui accompagne presque toujours une grossesse.

En effet, l'état de gestation entraîne, surtout dans les derniers
mois, de telles modifications physiques que la future maman se
sent presque devenir une autre. Mais tous ces maux, qui ne sont

bien sûr que passagers, car liés à la prise de poids et à l'augmentation du volume de l'utérus, ont un remède. La phytothérapie vous offre ici d'une part des recettes anciennes dites de « bonne femme » qui ont fait leur preuve à l'époque encore pas si lointaine où les femmes accouchaient dans leur lit, et d'autre part, des techniques modernes de gymnastique et de réflexothérapie. Nous n'aborderons pas, en revanche, la méthode de psychoprophylaxie obstétricale ; cette méthode doit comprendre une instruction de la femme concernant l'anatomie de la grossesse et le déroulement de l'accouchement, ainsi que des exercices physiques guidés par des praticiens « préparateurs », sage-femmes ou kinésithérapeutes. Le cadre de cette préparation doit être impérativement le lieu où se déroulera l'accouchement et la femme doit être entourée et guidée par les personnes qui l'assisteront ce jour-là.

Nous ne saurions trop vous conseiller d'assister aux cours qui vous seront proposés : vous y gagnerez en confiance et en stabilité nerveuse, deux conditions « sine qua non » pour le bon déroulement d'un accouchement.

I. MODIFICATION DE LA STATIQUE VERTEBRALE

1. Gymnastique douce : la bascule du bassin

A) Allongée sur le sol, jambes pliées en crochet, pieds bien à plat. Glissez vos doigts sous votre taille pour vérifier que vous ne cambrez pas. Inspirez par le nez en gonflant le ventre, puis expirez toujours par le nez en rentrant le ventre. Répétez dix fois de suite. Pendant toute la durée de l'exercice, vous devez sentir votre dos écraser vos doigts.

B) A quatre pattes : inspirez par le nez en vous cambrant et en gonflant le ventre pour accentuer votre lordose naturelle. Soufflez par le nez en faisant le « gros dos » et en rentrant le ventre. Répétez l'exercice dix fois de suite.

Ces deux exercices peuvent être effectués sans problème pendant toute la durée de la grossesse. Ils assouplissent, décontractent les muscles dorso-lombaires et vous permettent de conserver une statique vertébrale correcte.

2. Massage et huile essentielle de plantes

Demandez à votre mari de vous masser au niveau de la région lombaire ; ce massage doit être doux, lent, et durer au moins dix minutes.

Préparez cette huile de massage décontractante :

Huile de pépins de raisin	80 ml
Huile essentielle de romarin	10 ml
Huile essentielle de verveine	5 ml
Huile essentielle de marjolaine	5 ml

3. Cataplasme d'argile

Employez-le surtout en fin de grossesse, en cas de douleurs, en cas de douleurs aiguës du bas du dos.

Préparez un bol d'argile que vous délayez avec la décoction suivante.

Décoction de frêne et bruyère : jetez une poignée de feuilles de frêne et de fleurs de bruyère dans un litre d'eau froide. Portez à ébullition. Laissez bouillir deux minutes, puis infusez dix minutes. Filtrez.

Remuez énergiquement argile et décoction avec une cuillère en bois afin de former une pâte bien homogène. Appliquez cette pâte en cataplasme d'un centimètre d'épaisseur sur la région douloureuse. Maintenez-le en place jusqu'à ce qu'il soit devenu sec.

II. MODIFICATION DE LA CIRCULATION DE RETOUR

Nous vous conseillons, dès le début de votre grossesse, de surélever les pieds de votre lit (5 à 10 cm) pour « drainer » la stase veineuse qui se crée au cours de la journée au niveau des pieds et des chevilles.

1. Bains de pieds : alternez chaud et froid

Ils tonifient les parois veineuses, activent la circulation de retour. Plongez vos pieds dans l'eau chaude (39°) une minute, puis dans l'eau froide (15°) dix secondes.

Répétez ce bain cinq fois de suite, matin et soir si possible.

2. Bains de plantes

Ils seront vos alliés les plus fidèles tout au long de votre grossesse. Celui-ci est recommandé pour lutter contre les jambes lourdes et enflées.

Faites macérer 300 g de racine de jonc odorant dans deux litres d'eau froide pendant deux heures. Amenez à ébullition et laissez bouillir deux minutes. Filtrez.

D'autre part, préparez une infusion de 300 g de feuilles de noyer dans deux litres d'eau bouillante (infusez 10 minutes). Filtrez. Ajoutez ces deux préparations à l'eau de votre bain (32°). A la fin de votre bain, aspergez vos jambes, surtout mollets et pieds, d'eau froide. L'idéal est de faire suivre ce bain d'un repos couché de 20 minutes au moins.

3. Auto-massage et huile essentielle

Comme le bain précédent, ce massage vous soulagera si vos jambes sont lourdes et enflées. De plus, il luttera efficacement contre la cellulite qui va souvent de pair avec la prise de poids.

Chaque soir, massez doucement vos jambes en effectuant un drainage lymphatique ; ce drainage se fait du plat de la main par petits mouvements circulaires très superficiels. Partez de l'aine et descendez vers le pied.

Huile de massage :

Huile de paraffine	80 ml.
Huile essentielle de citron	10 ml.
Huile essentielle de cyprès	10 ml.

4. Hémorroïdes

Elles sont le lot de la plupart des femmes enceintes, tant la compression veineuse est importante au niveau du petit bassin. Choisissez un des remèdes suivants, ils sont tous simples à réaliser et très efficaces.

— Argile délayée avec de l'eau froide en application locale pendant 1/2 heure.

— Cataplasmes de feuilles de cerfeuil frais légèrement écrasé.

— Compresses de décoction de feuilles de chêne : une poignée de feuilles pour 1/2 litre d'eau froide. Faites bouillir dix minutes. Filtrez. Imbibez un petit carré de gaze hydrophile de ce mélange.

— Bains de siège froids : versez dix cuillères à soupe d'écorce de marronnier d'Inde écrasée, dans deux litres d'eau froide. Faites bouillir quinze minutes et infuser cinq minutes. Filtrez. Faites refroidir. Mélangez à l'eau froide du bain de siège (16°). Durée du bain : 10 secondes. Ensuite, allongez-vous pendant une heure au moins.

III. BEAUTÉ DU VENTRE ET DE LA POITRINE

1. Pommade anti-vergetures

Passez matin et soir sur le ventre, les hanches, les fesses, le haut des cuisses et la poitrine, la pommade suivante :

Lanoline	3 cuillères à soupe
Huile d'amandes douces	1 cuillère à soupe
Huile essentielle de cyprès	1 cuillère à café
Teinture de benjoin	1/2 cuillère à café

Mélangez énergiquement le tout avec une cuillère de bois.

Cette pommade nourrit et hydrate la peau, préserve son élasticité et sa fermeté.

2. Gymnastique des pectoraux

Munissez-vous d'haltères légères (1 kg à 1,5 kg) pour faire ces exercices.

Assise sur une chaise, dos bien droit collé au dossier.

Tendez les bras devant vous. Dans cette position, faites en suivant :

10 petits cercles - repos d'une minute
10 petits battements - repos d'une minute
10 petits croisés - repos.

Les mouvements se font bras bien tendus, ils sont de petite envergure. Répétez ces exercices tous les matins, deux ou trois fois de suite.

3. Bain de beauté

Pour conserver une peau souple sans vergetures, mélangez à l'eau de votre bain, une cuillère à soupe d'huile d'amandes douces et deux cuillères à soupe de teinture d'arnica.

IV. NAUSÉES

1. Réflexothérapie

A) Peignez doucement le dos des mains avec un peigne à cheveux en allant des doigts vers le poignet.

B) Exercez des pressions fortes et soutenues (3 minutes) sur les zones réflexes de l'estomac au niveau des pieds et des mains :
— Main : entre la base du pouce et la base de l'index ;
— Pied : au niveau de la plante, sous la bosse que forme la tête du premier métatarsien.

2. Tisane et teinture-mère

Basilic (feuilles)   20 g

Angélique (plante entière)   20 g
Menthe (feuille)   20 g
Oranger (fleur)   20 g
Aspérule odorante (sommité fleurie)   20 g
   Deux cuillères de ce mélange pour une tasse d'eau bouillante.
Laissez infuser dix minutes. Filtrez. Ajoutez dix gouttes de tein-
ture d'euphraise. Boire trois tasses par jour après les repas.

3. Prenez au début de chaque nausée

   Quelques petites gorgées d'eau salée ainsi préparée :
1/2 cuillère à café de sel fin dans un verre d'eau.

4. Appliquez

   Autour du cou, un linge imbibé d'eau froide

V. NERVOSITÉ

1. Bains de plantes

   Pour lutter contre l'anxiété, l'insomnie, les palpitations, pour dissiper les crampes musculaires, chasser la fatigue, faites un bain
mélisse-thym.
   Laissez infuser pendant 15 minutes, 100 g de mélisse (plante
entière) et 100 g de thym (plante entière), dans 2,5 litres d'eau
bouillante. Filtrez. Ajoutez à l'eau de votre bain.

2. Cataplasme d'argile et plantes

   Si vous êtes nerveuse, irritable, si vous avez du mal à trouver
le sommeil :
   Prenez deux bols d'argile que vous délayez avec une décoction
de valériane (30 g de racine de valériane pour 1/2 litre d'eau. Laissez bouillir cinq minutes. Filtrez).

Lorsque vous aurez obtenu une pâte molle et bien homogène, préparez deux cataplasmes d'un centimètre d'épaisseur. Appliquez le premier tout le long de la colonne vertébrale et le deuxième sur le plexus solaire. Gardez-les jusqu'à ce que l'argile soit sèche.

3. Crise de nerfs

Pour stopper une crise de nerfs, de dépression, respirez fortement à plusieurs reprises un oignon coupé en deux.

VI. CONSTIPATION

Presque aucune femme enceinte n'y échappe. Dans ce cas, les remèdes les plus simples, les plus naturels et aussi les plus anciens sont toujours les plus efficaces :

1. Citron et laitue

Le matin à jeun, buvez deux grands verres d'eau bien fraîche additionnés d'un jus de citron frais. Le soir, au coucher, buvez un verre d'eau fraîche additionné d'un verre de décoction de laitue refroidie (décoction de laitue : 4 à 5 feuilles pour 1/4 de litre d'eau froide. Laissez bouillir deux minutes. Filtrez).

2. Graines de lin

Faites tremper deux cuillères à soupe de graines de lin pendant une heure dans une infusion de mauve. Filtrez. Buvez cette préparation juste avant le repas du soir.

3. Tisane et extrait de tamarin

Tisane : 1 cuillère à soupe de fleurs de pêcher.

2 cuillères à soupe de pétales de roses pâles.

Versez ces plantes dans 3/4 de litre d'eau bouillante. Laissez infuser 10 minutes. Filtrez. Buvez trois tasses par jour entre les repas, dont une au coucher. A la dernière tasse du soir, ajoutez 15 gouttes d'extrait fluide de tamarin.

VII. LES TACHES DE GROSSESSE

Surtout, ne vous exposez pas au soleil si vous avez le fameux « masque » de grossesse, c'est-à-dire des taches brunâtres sur le visage. Le soleil risque de provoquer une photosensibilisation, et vos taches deviendraient indélébiles. Même en ville, méfiez-vous des UVA ; protégez votre peau d'une crème « écran total ».

Toutefois, si vous désirez atténuer ces taches, lotionnez-vous matin et soir après une toilette avec la préparation suivante.

Versez dans un bol d'eau bouillante 4 cuillères à soupe de persil haché grossièrement. Laissez infuser 10 minutes. Filtrez. Ajoutez le jus d'un citron frais et un clou de girofle. Transvasez la lotion obtenue dans un flacon de verre, et conservez au réfrigérateur 3 ou 4 jours maximum.

VIII. VOS MAINS « GONFLENT »

Trois, quatre fois dans la journée, trempez vos mains dans une eau très chaude (à la limite du supportable) pendant dix secondes. Passez ensuite les mains sous le robinet d'eau froide pendant vingt secondes. Répétez l'opération cinq fois de suite.

IX. POUR FACILITER VOTRE ACCOUCHEMENT

1. Décontraction du muscle périnée

Matin et soir, faites pendant deux à trois minutes, cet exercice très simple qui non seulement assouplit le périnée, mais étire aussi les muscle adducteurs (intérieur des cuisses) et fait travailler les articulations coxo-fémorales (hanches). Il vous prépare ainsi à la

position de l'accouchement.
— asseyez-vous dos droit, mains sur les genoux. Placez vos jambles en rotation externe, pieds : plante contre plante.

Avec vos mains, appuyez doucement sur vos genoux en essayant de leur faire toucher le sol. Au début, vos genoux seront bien entendu à 15 ou 20 cm du sol ; mais, petit à petit, si vous êtes persévérante, vous gagnerez des centimètres. Sachez aussi que vous favoriserez grandement le passage du bébé !

2. Tonique utérin

Les trois derniers mois de la grossesse, buvez une fois par semaine cette préparation, qui stimulera votre muscle utérin et facilitera l'accouchement.

Argentine (feuilles)	1 cuillère à soupe
Lamier blanc (fleurs et feuilles)	2 cuillères à soupe
Sauge (feuilles)	1 cuillère à soupe
Clou de girofle	1 clou

Versez les plantes dans un litre d'eau bouillante. Laissez infuser dix minutes. Filtrez. Buvez dans la journée, entre les repas. La dernière semaine, buvez deux tasses de cette tisane par jour (matin et soir).

Toutes les recettes que je viens de vous indiquer sont compatibles entre elles. Evitez seulement de prendre deux bains différents le même jour, vous seriez trop fatiguée !

XXIV. VOUS ALLAITEZ

Voici un autre chapitre qui ne traite pas d'un symptôme, mais qui pourtant a sa place dans ce livre.

Nous remarquons que de plus en plus de jeunes femmes désirent allaiter ; le temps des publicités tapageuses pour les laits « maternisés » semble un peu dépassé. Nous ne pouvons que féliciter ce genre de tendance. Il passe tant et tant de choses de la mère à l'enfant, physiquement et moralement, que c'est — pour nous — un crime d'avoir du lait et de refuser l'allaitement. Nous ne pouvons plus entendre ces arguments frisant la débilité, tels que : « j'ai peur que mes seins tombent » ou « j'ai peur de trop être esclave » ; nous ne faisons plus partie du même monde !

Vous pouvez, dans « Mon enfant, sa santé, ses maladies »*, lire tout ce qui concerne la structure et l'apport merveilleux que constitue le lait maternel. Depuis le colostrum jusqu'aux anticorps, tout protège la santé de l'enfant (ceci n'existe pas dans le lait artificiel !). Ce livre parle aussi de la signification symbolique des différentes étapes du lait maternel. Cela dit, nous admettons parfaitement qu'une femme ait besoin de moments d'évasion après la longue grossesse et les heures passées à s'occuper du bébé, et nous admettons tout à fait un biberon de lait, de temps en temps, lorsque la mère veut « s'aérer » un peu.

Les horaires de l'alimentation maternelle

• Pour nous, le nouveau-né doit être mis au sein dans les deux heures qui suivent la naissance. Ce sera sa première récompense après l'épreuve qu'il vient de passer. Le réconfort sera grand et il fera l'expérience du contact physique extérieur de sa mère qui est certes un peu moins rassurant que le contact intérieur, mais qui fait tant de bien.

• Si l'on observe le tube digestif du nouveau-né, son estomac, les crampes brutales dont il est pourvu pour déclencher le signal d'alarme de la faim par l'intermédiaire des pleurs,

• si nous tenons compte du fait qu'un bébé a faim, mais qu'il peut aussi avoir soif selon la température.

Dr Zur Linden. Ed. Triades.

• si nous tenons compte du fait qu'il n'est pas encore bien « rythmé », nous ne pouvons partager l'idée d'obligation rigide et sans appel d'une alimentation à horaires fixes ! Non ! Lorsqu'on a réellement observé un bébé, on ne le peut pas ! Il arrive qu'une heure à peine après la tétée, le nouveau-né réclame à corps et à cris, et prenne une quantité encore plus grande qu'à peine une heure auparavant. Mais ensuite, pendant quatre ou six heures, il ne demande plus rien. Pourquoi faudrait-il le laisser pleurer pendant deux heures avec des crampes d'estomac ? Pourquoi à l'inverse le réveiller en plein milieu d'un sommeil réparateur et béat, alors qu'il n'a pas faim ?

Petit à petit, l'enfant se régulera de lui-même. Il sera toujours temps de lui apprendre les notions « d'horaires » qui vont tant marquer sa vie plus tard... Au même âge, certains enfants prennent même un repas de plus que d'autres. Il faut simplement qu'entre deux et trois mois, il soit à peu près régulier dans ses repas. Pour l'instant, laissez-le profiter encore de l'insouciance, dans laquelle il baigne, hors de l'espace et du temps. Ses parents sont là, et l'enveloppent dans une atmosphère d'amour : c'est l'essentiel ! L'éducation rigide a le temps de se faire.

L'enfant a-t-il besoin d'autre chose que du lait maternel ?

Pour suivre son évolution physique, il suffit de le regarder. Si l'enfant est en pleine forme, rond, souriant, et qu'il « pousse », nul n'est besoin de le peser tous les jours. Le lait maternel abondant se « voit » sur l'enfant.

Il suffit alors de le peser une fois par mois, lors des visites obligatoires. Si vous avez un doute quant à la quantité de lait, pesez l'enfant plus souvent ; éventuellement, rajoutez un peu de lait artificiel que l'enfant supportera. Si le lait maternel est suffisant, l'enfant n'a besoin de rien d'autre jusqu'au troisième mois. Le jus de fruit du deuxième mois apporte plus de satisfaction aux parents que de « vitamines » à l'enfant (il trouve bien plus que cela dans le lait maternel).

Que doit manger ou éviter la maman ?

Evitez les graisses animales, et l'excès de viande ou de charcuterie, bien sûr. Si nous devions résumer, nous dirions : mangez légumes et céréales, et buvez abondamment, lait et eau. Quant aux interdits classiques (épinards, betteraves, choux, etc.), ils ne présentent, pour nous, aucun intérêt. Nous ne pouvons pas prétendre faire un bébé standardisé, aux selles tous les jours identiques, et réglé comme une horloge.

Le jour où la mère mange des épinards, le bébé a des selles vertes ; le jour où elle mange de la betterave, il les a rouges : cela met de la couleur dans la maison !

Autour de lui, un bébé n'a pas besoin de scientifiques, mais de tendre chaleur.

S'il n'y a plus de lait ?

Nous allons citer les remèdes de la lactation ; ils sont souvent très efficaces, à condition que la mère n'ait pas de graves problèmes psychologiques ou de fatigue excessive.

Si vraiment, malgré tous les soins, vous n'avez plus de lait, cela n'est pas un drame ; les quinze jours ou le mois que l'enfant aura pris seront déjà un bon début pour lui dans la vie.

Les remèdes

Nous traiterons ce chapitre sous forme de répertoire.

Lait insuffisant

Le sirop de prunelle.

A moduler, selon la quantité de lait, de une à trois cuillères à soupe par jour, que l'on mettra dans de l'eau ou dans la tisane lactogène anthroposophique.

• Voici un remède à donner systématiquement, mais qu'il faut cesser en cas de nausées ;

Ricinus

Dilution : 4 CH, trois granules le matin, ou deux fois par jour.

• Un autre remède à donner systématiquement ;

Placenta

Dilution : Trituration 1X, une mesure avant les deux principaux repas.

• Vous êtes une femme nerveuse aux seins sensibles au toucher :

Asa Fœtida .

Dilution : 4 CH, une ou deux fois par jour.

• Vous êtes faible, vous perdez vos urines et vous êtes constipée :
Causticum
Dilution : 4 CH, une ou deux fois par jour.

• Vous êtes frileuse et maigre, et vous avez des problèmes circulatoires. Vos seins sont flétris :
Secale
Dilution : 4 CH, une ou deux fois par jour.

• Vous êtes faible et excessivement frileuse :
Silicea
Dilution : 4 CH, une ou deux fois par jour.

• Vous ressentez une fatigue extrême depuis l'accouchement, depuis les déperditions de liquides organiques que sont les « eaux » :
China
Dilution : 7 CH, une ou deux fois par jour.

Lait trop abondant

• Votre lait est épais, gras et de mauvaise odeur ;
Borax
Dilution : 4 CH, une ou deux fois par jour.

• Votre lait est aqueux. Vous êtes une lymphatique au teint pâle :
Calcarea Carbonica
Dilution : 5 CH, une ou deux fois par jour.

• Vos seins sont enflés et douloureux :
Lac Canicum
Dilution :

• Vous êtes nerveuse, fatiguée, sujette aux gaz. Vos seins sont enflés et douloureux :
Lac Virosa
Dilution : 5 CH, une ou deux fois par jour.

• Ici également, vos seins sont douloureux. Vous pouvez avoir des douleurs d'estomac ou au bas de la colonne vertébrale :
Spirantes
Dilution : 4 CH, une ou deux fois par jour.

Sevrage

Pulsatilla 9 CH, une dose

• On rajoute parfois dès le lever :
Calcarea Carbonica
Dilution : 5 CH.
• Vos seins sont douloureux et ils restent engorgés :
Lac Caninum
Dilution : 5 CH, puis 9 CH si les symptômes persistent.
• Le sevrage entraîne chez vous une dépression et une indifférence à ce qui vous entoure :
Sepia
Dilution : 15 à 30 CH en dose.
• Vous êtes dépressive, timide, et vous présentez des maux de tête. Tout s'améliorera avec le retour des prochaines règles :
Cyclamen
Dilution : 9 à 30 CH, en doses.

Depuis que le monde est monde, la femme allaite son enfant. Le progrès, la science, la technique, n'ont rien à voir là-dedans. Un petit d'homme venant de naître et cherchant déjà, d'instinct, à téter, est certainement, de loin, le spectacle le plus émouvant qu'il nous soit donné de voir sur terre. Et nous sommes profondément heureux, en tant qu'adeptes de médecine naturelle, de voir de plus en plus de femmes refaire ce geste ancestral : « donner le sein ».

Vous qui allaitez, suivez les conseils et les recettes que nous avons empruntés aux années passées, ces recettes que les « nourrices » conservaient jalousement pour avoir le meilleur lait, et par conséquent le plus beau bébé.

I. POUR FAVORISER LA LACTATION

1. Tisane des semences

Angélique (semences)	30 g
Anis vert (semences)	30 g
Carvi (semences)	10 g
Cumin (semencès)	15 g
Coriandre (semences)	15 g

4 cuillères à soupe de ce mélange pour un litre d'eau bouillante ; laissez infuser dix minutes. Filtrez. Buvez cette tisane en trois ou quatre prises au cours de la journée, entre les repas. Cette tisane très tonique stimule l'appétit, favorise et améliore la lactation.

2. Lamier blanc et extrait fluide de Galega

Buvez trois tasses par jour d'infusion de Lamier blanc entre les repas. Tous les dix jours, ajoutez à chaque tasse de tisane, 50 gouttes d'extrait fluide de Galega, et ceci pendant 7 jours consécutifs.

Infusion de Lamier blanc :

Versez une cuillère à dessert de feuilles ou de fleurs dans une tasse d'eau bouillante. Laissez bouillir une minute, et laissez infuser dix minutes. Filtrez.

Cette tisane galactologue est également tout à fait recommandée après l'accouchement. En effet, le Lamier blanc (ou Ortie blanche) est une plante à spécificité utérine particulièrement indiquée dans les cas d'hémorragies, de pertes blanches, d'hémorroïdes et de varices.

3. Tisane des nourrices

Fenouil (semences)   10 g
Houblon (cônes)   15 g

Pour un litre d'eau bouillante, laissez infuser dix minutes. Filtrez. Buvez trois à quatre tasses de cette tisane par jour, entre les repas. Ajoutez à chaque tasse 1/2 cuillère à café de poudre d'écorce d'orange.

II. AVANT ET APRÈS CHAQUE TÉTÉE

Tout ce qui est au contact du bébé doit être d'une hygiène rigoureuse. Avant et après chaque tétée, nettoyez le bout de vos seins avec cette lotion :

Violette odorante (fleurs)   2 cuillères à café
Lavande (fleurs)   3 cuillères à café
Thym (plante entière)   1 cuillère à café
Un zeste de citron non traité

Faites bouillir ce mélange deux minutes dans un litre d'eau. Laissez infuser dix minutes. Filtrez. Conservez dans un flacon de verre bien bouché, pas plus de trois ou quatre jours, au réfrigérateur.

III. LES PETITS PROBLÈMES DE L'ALLAITEMENT

1. Seins douloureux

A) Introduisez dans une bouteille d'un litre :
— 4 cuillères à soupe de Basilic (feuille)
— 1 cuillère à soupe de carotte rapée
— 1 cuillère à soupe de pétales de Roses de Provins
Ajoutez 1/4 de litre d alcool à 90°. Complétez avec de l'eau. Laissez macérer 24 heures en agitant fréquemment, puis filtrez. Imbibez des compresses de cette lotion et appliquez-les sur les seins entre les tétées.

B) Prenez quatre à six belles feuilles de chou. Plongez-les une ou deux secondes dans de l'eau bouillante. Egouttez-les et laissez-les tiédir. Appliquez-les sur les seins en deux ou trois épaisseurs, et maintenez-les avec une gaze et une bande de crêpe. Conservez ce cataplasme au moins une heure.

2. Engorgement des seins

Passez doucement sur les seins, plusieurs fois par jour, cette préparation :

Huile d'Amande douce	50 ml
Huile de foie de morue	25 ml
Huile essentielle Fenouil	5 ml
Huile essentielle Géranium	5 ml

De plus, cette huile est très efficace contre les vergetures.

3. Inflammation des seins

Faites bouillir des feuilles de céleri hachées (une grosse poignée) dans deux cuillères à soupe de saindoux, pendant cinq minutes. Laissez refroidir, ajoutez 1/2 cuillère à café d'huile essentielle de Lavande et 1/2 cuillère à café d'huile essentielle de Citron ; mélangez bien. Préparez deux cataplasmes d'un centimètre d'épaisseur

que vous appliquez sur les seins en évitant les mamelons. Recou-
/rez d'une gaze fine et conservez 20 à 30 minutes.

4. Crevasses du mamelon

A) Après chaque tétée, enduisez le mamelon de cette huile :

huile d'olive   100 ml
huile essentielle de citron   10 ml

B) Cataplasme ;

Faites cuire une poignée de cônes de houblon et un oignon
coupé en lamelle, dans 1/2 litre de lait, pendant cinq minutes. Jetez
le lait et conservez feuilles et oignons dont vous ferez deux petits
cataplasmes à appliquer sur le bout des seins après chaque tétée.
Maintenez-les à l'aide d'une gaze et conservez-les au moins quinze
minutes.

C) La Consoude :

Si vous pouvez vous procurer cette plante fraîche, sa racine
rapée puis appliquée en cataplasme guérit les crevasses du mamelon de façon spectaculaire.

Sinon, utilisez cette pommade cicatrisante :

Extrait fluide de consoude   10 g
Lanoline   10 g
Pommade de concombre
ou cold cream codex   40 g

Cette pommade fera également merveille pour protéger des vergetures ou pour atténuer celles qui sont déjà installées. De plus,
elle calme instantanément la douleur d'une brûlure. Nous recommandons sa présence dans toute pharmacie familiale.

IV. POUR ARRÊTER LA LACTATION

1. Boire un verre de jus de carotte, le matin, à jeun, pendant quatre jours consécutifs.

2. Tisane :

Scolopendre (feuilles)   20 g
Fumeterre (plante entière)   30 g
Fraisier (feuilles)   20 g
Fenouil (semences)   15 g

Angélique (semences)   15 g

Versez quatre cuillères à soupe de ce mélange dans un litre d'eau bouillante. Laissez infuser dix minutes. Filtrez. Buvez quatre tasses par jour entre les repas pendant huit jours. Ajoutez dix gouttes de teinture mère de Cannelle dans chaque tasse.

3. Pour soulager les seins gonflés de lait et faire tarir la lactation, confectionnez-vous des cataplasmes de Cerfeuil et de Persil. Coupez finement deux bonnes poignées de Cerfeuil et deux bonnes poignées de Persil. Faites-les chauffer dans une poële sans matière grasse, pendant deux à trois secondes. Préparez deux sacs avec de la gaze que vous remplirez de plantes chaudes et appliquez-les sur les reins. Conservez-les environ vingt minutes.

V. DOULEURS VERTÉBRALES

Les femmes qui allaitent souffrent généralement de la nuque et du dos. Nous vous conseillons, avant de bien vous installer pour donner la tétée, d'avoir le dos et les bras bien soutenus. Après chaque tétée, faites ce mouvement de stretching :

Debout, jambes légèrement écartées

Bras tendus au-dessus de la tête, doigts entrelacés, mains retournées. Etirez-vous au maximum, en imaginant que vous repoussez la terre de vos pieds et le ciel de vos mains.

Appliquez sur votre nuque, vos épaules, votre dos, cette huile :

Alcool camphré   100 ml

Huile essentielle de Verveine   10 ml

Cette huile conjuguée, à un massage, vous délassera, décontractera vos muscles tendus, spasmés par l'immobilité que vous impose la tétée quatre à six fois par jour.

Tous les traitements que je viens de vous indiquer ne sont pas forcément compatibles entre eux. Certains se marient, d'autres se contrarient :

Vous pouvez faire :

   I. II. III.

Vous ne pouvez pas faire :

   I.1. I.2. I.3.

   I. IV.

XXV. VOS RÈGLES SONT DOULOUREUSES

La menstruation est un mécanisme mettant en cause une longue chaîne physiologique qui passe du cerveau à l'hypothalamus, à l'hypophyse et à l'ovaire. Toutefois, beaucoup d'autres éléments peuvent intervenir

Pourquoi des troubles de règles ?

Nous sommes partis du cerveau ; il faut savoir que des perturbations psychiques importantes peuvent avoir un retentissement sur les règles. Qui n'a pas connu de femme perturbée par un accident ou une émotion, et qui saute un cycle, ou le voit perturbé pendant plusieurs mois ?

Il est tout aussi fréquent qu'une anoxerie mentale fasse disparaître les règles. Des troubles neuro-endocriniens peuvent influer, des problèmes hépatiques également ; nous voyons souvent une relation entre un foie insuffisant et des règles perturbées.

Il existe aussi des troubles locaux, souvent au niveau du col de l'utérus ; le passage du flux menstruel sur un col spasmé est douloureux. Quelquefois, la femme voit ses douleurs disparaître après une grossesse, qui a légèrement modifié les données anatomiques locales. Les utérus en mauvaises positions (anteversés ou rétroversés) sont, quelquefois la cause d'une douleur au moment de la congestion qui précède ou accompagne les règles.

Quelles que soient les origines des douleurs, des irrégularités ou de l'importance du flux menstruel, nous préconisons une ligne de conduite stricte : éviter à tout prix les traitements hormonaux.

La pilule, mélange de deux hormones synthétiques, vient au premier plan de ce que nous tenons à éviter.

Tout d'abord, il faut savoir que l'affirmation, émise par certains médecins, et selon laquelle « la pilule régularise les règles » est fausse. Elle se situe même à la limite de la malhonnêteté. Aucun médecin n'ignore que la pilule ne régularise rien, mais agit comme un inhibiteur de l'ovulation en mettant les ovaires au repos. Les prétendues « règles » provoquées par la pilule sont dues en fait à l'absence de pilule pendant les sept jours où l'on arrête de la prendre. Cela s'appelle une « hémorragie de privation ». La pilule n'a donc rien « régularisé », mais elle a mis tout le système « en sommeil ».

En revanche, les traitements homéo-phytothérapiques respectent le cycle naturel, et ne modifient absolument pas son bon fonctionnement.

En outre, nous ne serons jamais d'accord avec les traitements à base de progestérone, que l'on administre à tel ou tel jour précis du cycle. Ce n'est pas en apportant un ou deux comprimés d'hormones synthétiques que l'on tient compte des besoins de l'organisme, au jour et à la minute.

D'autre part, on ne connaît toujours pas en détail tout l'impact que peuvent avoir de telles hormones sur l'organisme féminin.

Nous avons même vu des cas de tumeurs au sein sur des femmes en cours de traitement hormonal, traitements qui sont sensés protéger les seins. Alors que faire ?

Il faut s'armer de patience, car nous allons, par un traitement de terrain, corriger petit à petit TOUT l'organisme. Et en attendant ce résultat, nous vous proposons une série de remèdes qui peuvent s'avérer ponctuellement très efficaces. Mais ne perdez pas de vue que seul le traitement de fond peut réduire efficacement ces douleurs ou ces irrégularités de façon prolongée.

Les remèdes :

• Votre état s'améliore lorsque vous êtes pliée en deux, et s'aggrave au contact du froid. Attention aux applications de glace sur le ventre. C'est un symptôme que l'on retrouve souvent chez les femmes qui ont des crampes au moment des rapports. Votre remède, le cuivre, est le plus classique, et le plus couramment indiqué. Le cuivre est le métal de Vénus, il a donc une relation avec la féminité. C'est un remède de crampes, tant gynécologiques que musculaires, artérielles, ou intestinales :

Cuprum

Dilution : 5 CH toutes les dix minutes, puis espacer et augmenter la dilution.

• Votre douleur est vive, brutale, allant du bas-ventre vers les cuisses. Vous avez l'impression de vous trouver mal. Vous êtes agitée, nerveuse. Cette douleur diminue dès l'apparition d'un caillot. Vous pouvez avoir l'utérus rétroversé. Vos règles sont peu abondantes, et souvent en retard:

Viburnum Opulus (le viorne obier)

Dilution : 4 CH toutes les dix minutes, puis espacer et augmenter la dilution.

• Votre douleur s'installe pendant les règles. Plus l'écoulement s'installe, plus il est abondant, et plus vous avez mal. Votre malaise s'accompagne de signes psychiques : la peur de perdre la raison, ainsi qu'une confusion mentale qui vous donne l'impression d'avoir « la tête dans un nuage lourd et épais » :

Actea Racemosa (l'actée en grappes)

Dilution : 9 CH tous les quarts d'heure.

• Votre douleur se localise surtout dans le dos, aux lombes, et s'accompagne d'une fatigue intense. Vous transpirez abondamment. Vous ressentez le besoin de caler votre dos avec un coussin. Vous avez parfois une anémie :

Kali Carbonicum (le carbonate de potassium)

Dilution : remède difficile à manier. C'est un minéral, d'action plus lente, qu'il vaut mieux utiliser en traitement de fond.

• Vous êtes hypersensible ; et vous ne supportez pas d'avoir mal. Qu'il s'agisse de maux de dents, d'oreilles ou de ventre, la douleur vous rend coléreuse et agitée. Vous hurlez contre votre propre douleur. Vos symptômes sont aggravés pendant les règles, qui sont souvent en avance, noires, et avec des caillots abondants :

Chamomilla (la camomille)

Dilution : 9 CH toutes les dix minutes, puis passez rapidement en 15 ou 30 CH, répétés souvent.

• Vos douleurs sont vives, irradiant de l'arrière vers l'avant, du sacrum au pubis. Vos règles sont souvent en avance, d'un sang rouge brillant. Vos douleurs sont aggravées lorsque vous marchez, mais elles diminuent lorsqu'on vous fait une application chaude sur le ventre :

Sabina (le genévrier sabine)

Dilution : 5 CH toutes les demi-heures.

• Vous avez une douleur spasmodique, qui diminue lorsque vous vous pliez en deux et lorsque vous vous appuyez sur le ventre. C'est souvent la colère ou l'indignation qui sont à l'origine de votre trouble. Vos règles sont peu abondantes. Votre utérus est en mauvaise position. L'ovaire gauche est souvent douloureux et le col mal ouvert. Votre état s'améliore à la chaleur ;

Colocynthis (la coloquinte)

Dilution : 5 CH toutes les dix minutes.

• Votre douleur disparaît dès l'apparition des règles, et réapparait dès que vos règles s'arrêtent. C'est l'archétype de l'amélioration par écoulement :

Lachesis (le venin du serpent Lachesis Trigonocéphale)
Dilution : à déterminer avec votre thérapeute.

• Votre douleur s'accompagne d'un épuisement complet. Vous êtes anéantie pendant vos règles, bien que l'ampleur de l'écoulement ne soit pas en rapport avec votre état :

Cocculus (la coque du levant)
Dilution : 7 CH trois ou quatre fois par jour.

• Vos règles s'arrêtent puis repartent, elles sont parfois absentes ou en retard. Votre état s'aggrave lorsque vous vous êtes mouillé les pieds :

Pulsatilla (l'anémone pulsatille)
Dilution : 7 CH trois ou quatre fois par jour.

• Vous avez une douleur pesante, qui tire vers le bas. Elle est chaude, congestive, souvent située à l'ovaire droit, et elle est aggravée par les secousses :

Belladonna (la belladone)
Dilution : 5 CH, souvent répété, puis 9 CH trois fois par jour.

Remède d'orientation anthroposophique :

Achillea Millefolium	4 %
Capsella Bursa Pastori He	3 %
Majorana Herba + Fruct.	6 %
Quercus Cortex	5 %
Urtica Dicica	2 %
Excipient q.s.p.	100 %

Prendre quinze gouttes matin et soir de ce mélange, en dehors des règles, même si vous avez trouvé le remède homéopathique contre la douleur.

Les femmes qui ont des règles douloureuses ne doivent jamais avoir les pieds froids.

Certains praticiens pensent que les douleurs de règles sont d'origine psychique. C'est possible. Il leur reste tout de même à expliquer pourquoi nous les calmons par de simples impositions de mains (ce qui semblera à ces esprits forts la preuve évidente de l'origine strictement psychique de ce mal), ou pourquoi une tisane sagement composée les élimine, quand ce n'est pas un simple bain de pieds. Nous laissons aux grands scientifiques le soin d'utiliser des extraits endocriniens, car nous ne voulons pas jouer aux apprentis-sorciers. Nous nous contenterons donc, avec nos plantes, nos bains, nos cataplasmes, d'éliminer (souvent définitivement) ces douleurs, on ne peut plus désagréables. Nous aurons au moins réduit la douleur, à défaut d'en expliquer la cause.

Mea culpa, nous reconnaissons notre grande ignorance dans certains domaines, mais nous revendiquons l'efficacité, et sans risque d'effets secondaires catastrophiques comme c'est trop souvent le cas.

I. TISANE

Une tisane simple, bien dosée, si elle est prise régulièrement donnera toujours d'excellents résultats. Elle n'aura pas l'effet apparemment miraculeux des suppositoires calmants, qui agissent dans la demi-heure. En revanche, si vos règles sont douloureuses tous les mois, il est préférable de choisir les simples plutôt que la chimie, car les résultats sont durables, voire définitifs.

Armoise (sommités)	30 g
Bourse apasteur	30 g
Ortie blanche	30 g
Alchemille	30 g
Mélisse	30 g
Solidago	30 g

Laissez macérer une poignée de ce mélange dans un litre d'eau pendant deux heures. Portez à ébulition sans laisser bouillir. Laissez infuser quinze minutes. A boire dans la journée, pendant les dix jours précédant les règles et jusqu'à la fin de l'indisposition.

Au cas où les douleurs du bas-ventre s'accompagneraient d'un état migraineux, ajoutez au mélange 30 g de sommités fleuries de millepertuis, et utilisez le mélange de la même façon.

II. VIN MÉDICINAL

Faites préparer le mélange de plantes médicinales suivant :

Fleur de souci	
Menthe sauvage	à parts égales
Romarin	

Sauge   à parts égales
Armoise

Comptez cinq cuillères à soupe de mélange et mettez le tout à macérer dans deux litres d'un très bon vin rouge, doux, de culture biologique. Attendez huit jours, en prenant bien soin de remuer tous les jours, puis filtrez.

Ce vin tonique, rééquilibrant et sédatif est à prendre à raison d'un verre à apéritif avant l'un des principaux repas, pendant les dix jours précédant l'arrivée des règles.

Ce vin donnera les meilleurs résultats sur les femmes souffrant de troubles de la circulation de retour (varices, jambes lourdes), et dont les règles ne sont pas assez abondantes.

III. BAINS DE PIEDS À TEMPÉRATURE ALTERNÉE

Procédé simple, trop simple pour que l'on puisse croire en son efficacité. Hélas, trois fois hélas, comme il nous paraît dommage de rejeter, a priori, ces procédés de balnéothérapie à l'action immédiate et sans danger.

Bien des femmes préféreront les hormones chimiques, délivrées sur ordonnance, sous prétexte que la bande rouge qui entoure la boîte leur paraît un gage de sérieux scientifique. Qu'elles pensent, simplement, que ces bains sont appréciés depuis des millénaires alors, que ces redoutables hormones de synthèse sont bien trop récentes pour que les chercheurs en connaissent tous les effets secondaires. Le système hormonal est bien trop complexe pour que l'on puisse prétendre le connaître parfaitement. Tous les ans, tous les mois on remet en question les explications de son fonctionnement. Tous les jours, de nouvelles découvertes permettent d'approfondir nos connaissances. Alors attendons qu'elles soient parfaites (si tant est qu'elles le soient un jour) avant de « bricoler ».

Dans cette attente, veuillez croire, Chère Madame, qu'il est prudent de procéder comme suit :

— Prenez une bassine d'eau très chaude (42 à 45°), et trempez-y vos pieds jusqu'à la base des mollets pendant une minute.

— Prenez une bassine d'eau très froide (maximum 15°) et trempez-y vos pieds pendant dix secondes, immédiatement après le bain chaud.

Les deux bains doivent se suivre, sans temps de repos, et l'opération doit être répétée 5 fois. Soyez attentive à ce que le bain chaud reste aux environs de 45° ; au besoin, ajoutez de l'eau chaude en cours de soins.

La durée totale de l'opération est de 6 minutes et 50 secondes. Bien sûr, il est plus rapide d'avaler un cachet. Si vous n'avez pas 6 minutes pour vous soigner, nos méthodes ne sont pas pour vous. Nous en sommes désolés.

IV. CATAPLASME DE PLANTES

Encore un peu plus longue à préparer que la précédente, cette recette est l'une de nos favorites. Nous la recommandons tout particulièrement lorsque les douleurs s'accompagnent de contractures au niveau du bas-ventre. Bien souvent, deux à quatre application suffisent à calmer et à détendre les spasmes musculaires.

La préparation en est fort simple. Vous prenez :

Une poignée de feuilles et fleurs d'Armoise

Une poignée de feuilles de Bouillon-blanc

Une poignée de fleurs de Camomille matricaire (la petite camomille).

Vous laissez mijoter pendant un quart d'heure dans un litre d'eau chaude. Vous ôtez le liquide superflu, et vous appliquez tiède directement sur la peau. Cette opération est à renouveler deux fois par jour, pour votre plus grand bien.

Tous les traitements que je viens de vous indiquer ne sont pas forcément compatibles entre eux. Certains se marient, d'autres se contrarient.

Vous pouvez faire en même temps :

I. III. IV.

Vous ne pouvez pas faire :

I. II.

XXVI. VOUS AVEZ DES BOUFFÉES DE CHALEUR

Souvent sujet à railleries, ce symptôme est pourtant pénible, et parfois épuisant. En effet, rares sont les femmes qui y ont échappé, et nombreux sont les troubles qui accompagnent ces « bouffées » : rhumatismes, palpitations, déminéralisation, syndrômes dépressifs ou excitation mentale, insomnie, troubles circulatoires, cystites, crises de mysticisme... Nous pourrions encore en citer beaucoup.

Lorsque nous traitons les bouffées de chaleur, bien d'autres symptômes s'améliorent en même temps et il arrive que le traitement maintienne quelque temps encore des règles qui s'étiolaient ou qui s'arrêtaient. Ici encore, nous disposons d'une série très complète de remèdes qui s'avèrent très efficaces, sans que la femme ait à prendre de traitements hormonaux.

La ménopause n'est pas une maladie, mais comme la puberté, elle a parfois du mal à se dérouler. C'est dans ce cas qu'il faut se traiter. Nous remarquons que les femmes qui acceptent leur ménopause comme une étape normale de leur vie de femme (certaines même avouent être satisfaites d'éviter ainsi la prise de contraceptifs...) ont moins de troubles ; incontestablement, le rôle psychologique est important dans ce symptôme. Bien sûr, ce ne sont que les fonctions de reproduction qui s'arrêtent. La féminité, les capacités sexuelles, ou le charme féminin restent intacts. Dans ce cas encore, le rôle du conjoint est déterminant.

Il est évident que nous ne partageons jamais l'opinion de certains médecins qui prescrivent des hormones ou une pilule « pour garder encore un peu de jeunesse », ou « pour vieillir moins vite ». Comme si l'on ne savait pas que le vieillissement est un mécanisme universel ! Pour une femme qui a atteint l'âge de la ménopause, à quoi peut bien servir de prendre encore la pilule pendant un an ou deux, sinon lui donner l'impression qu'elle doit lutter contre nous ne savons quelle décrépitude. Alors que d'autres femmes acceptent cette étape avec optimisme et paraissent souvent plus jeunes avec un sourire qu'avec des hormones !...

Les remèdes

- Vous êtes plutôt pleine d'entrain, avec des phases de découragement total, vous devenez de plus en plus bavarde, et vous ne supportez plus les vêtements serrés. Vous avez de plus en plus de troubles circulatoires, et vous devenez jalouse sans raison. Vous avez des maux de tête congestifs.

Caractéristique principale du remède : les symptômes s'atténuent pendant les règles et juste après. L'aggravation de ces symptômes se fait par la chaleur, le matin, et par le soleil. L'amélioration se fait par le grand air : vous ouvrez les fenêtres toutes la journée.

C'est le remède clé des bouffées de chaleur :

Lachesis

Dilution : le plus souvent 7 à 9 CH, mais il est difficile à manier ; à prendre le matin ou le soir, selon les symptômes et le résultat.

• Vos règles sont souvent en retard, s'arrêtant brusquement, avec un sang épais, noir et irritant. Vos bouffées de chaleur sont en partie dues à des règles insuffisantes qui augmentent la congestion habituelle. Quelques signes plus généraux : orifices rouges, faiblesse à 11 h du matin et troubles périodiques :

Sulfur

Dilution : soit en 5 CH, en granules, soit en doses espacées 9 à 30 CH, selon les symptômes.

• Votre face est rouge et chaude. La congestion est caractéristiques ; les maux de tête battants, vous avez souvent des pulsations dans les artères du cou :

Amylnitrosum

Dilution : 4 CH, deux fois par jour.

• Vous avez des bouffées de chaleur à la tête, une rougeur de la face, une sensation de cœur accéléré, des palpitations. Tout cela s'aggrave nettement au soleil ou devant un foyer, avec particulièrement des maux de tête :

Glonoinum

Dilution : 4 CH.

• Vous avez des bouffées de chaleur avec une chaleur objective qui émane de votre corps. Vous avez des maux de tête congestifs. Vos règles sont en avance, abondantes avec des caillots, et donnent un écoulement chaud. Il est donc concevable que l'arrêt progressif des règles va aggraver l'état congestif :

Belladonna

Dilution : 5 CH, trois fois par jour, 9 à 15 CH si vous êtes abattue.

Un remède d'orientation anthroposophique appelé autrefois « Ménodoron » est souvent un adjuvant très précieux. Il s'agit de :

Achillea Millefolium	4 %
Capsella Bursa Pasori Herba	3 %
Majorana Herba + Fruct.	6 %
Quercus Cortex	5 %
Urtica Dioica	2 %
Excipient q.s.p.	100 %

à prendre ainsi :

15 gouttes matin et soir, sauf pendant les règles, ou 21 jours par mois, si les règles ont disparues.

De la phytothérapie, nous allons tout d'abord vous donner quelques grands classiques, pour ceux qui sont partisans à 100 % du naturel, c'est-à-dire de la plante utilisée en tisane ou en bains ; mais nous ne pouvons pas nous empêcher de vous indiquer un traitement complet qui nous donne *toujours* de très bons résultats. Il fait appel à des préparations galéniques modernes mais qui n'en sont pas moins naturelles.

I. TISANE CALMANTE

Excellente pour combattre les bouffées de chaleur et se préparer au sommeil :

Alchemille (plante entière)	30 g
Cerfeuil (racine)	15 g
Aubépine (fleurs)	20 g
Houblon (cônes)	20 g
Oranger (fleurs)	15 g
Tilleul (fleurs)	15 g
Ményanthe (plante entière)	20 g

Préparation idéale : laissez tremper pendant deux heures deux cuillères à soupe du mélange dans un demi-litre d'eau ; portez à ébullition. Laissez bouillir et faites infuser 10 minutes. Préparation pratique : faites bouillir pendant 4 minutes deux cuillères à soupe du mélange dans un demi-litre d'eau. Retirez du feu et laissez infuser 7 minutes. Boire le soir au coucher.

Cette formule donne le meilleur d'elle-même chaque fois que les bouffées de chaleur s'accompagnent d'une grande nervosité voire de migraines et d'une tendance à l'insomnie.

II. TISANE STIMULANTE DE LA CIRCULATION

Armoise (sommités)	20 g
Hamamelis (feuilles)	20 g
Ginko (feuilles)	20 g
Aubépine (fleurs)	25 g
Millefeuille (sommités)	25 g
Alchemille (plante entière)	25 g
Sauge (sommités)	15 g
Bourse à pasteur (plante entière)	15 g
Verge d'or (sommités)	15 g

Pour cette composition, vous comptez quatre cuillères à soupe dans un litre d'eau. Portez à ébullition sans laisser bouillir, et laissez infuser 10 minutes.

Vous boirez cette tisane en deux prises, matin et soir. Choisissez cette tisane si vous êtes d'un tempérament peu nerveux mais enclin aux troubles circulatoires, et peut-être à l'embonpoint (léger ou important).

III. BAINS DE MAINS ET DE PIEDS

Faites préparer le mélange suivant :

Vigne rouge	200 g
Sauge	100 g
Hamamélis	100 g

Vous l'utiliserez de la manière suivante :

Portez à ébullition dans deux récipients différents :
— une poignée de mélange dans deux litres d'eau
— deux poignées du mélange dans deux litres d'eau.

Laissez bouillir dix minutes. Utilisez la première solution pour un bain de mains et la seconde pour un bain de pieds, simultanément.

Il vous faudra ajouter de l'eau de façon à ce que mains et pieds soient complètement immergés et que la température soit de 40°.

La durée de ce bain ne doit pas excéder 10 minutes, et il vous sera peut-être indispensable d'ajouter de l'eau chaude en cours de bain pour maintenir la température. Cette solution donne toujours de bons résultats, mais elle a l'inconvénient d'être astreignante.

IV. GRAND TRAITEMENT

Bien que peu de bouffées de chaleur résistent à ce traitement, n'oubliez jamais qu'il n'y a pas de symptômes sans cause (la ménopause n'explique pas tout) et que la suppression des bouffées de chaleur ne doit pas vous faire négliger un traitement de fond avec un praticier

1. Prenez 30 gouttes du mélange suivant dans un peu d'eau après les trois repas ;
Solidago T.M.
Rosa Canina T.M.
Pilosella T.M.   àà q.s.p. 125 ml
Crataegus T.M.
Fumaria T.M.

2. Prenez, avant chacun des trois repas, une gélule de :
Mélilotus nébulisat 0,10 g
Vitis Vinifera nébulisat 0,30 g

3. Prenez deux gélules pendant le repas de midi et une gélule pendant le repas du soir de :
Camomille H.E.
Basilic H.E.
Cajeput H.E.   àà 0,02 g
Genévrier H.E.
Marjolaine H.E.
Silice Colloïdale q.s.p. 1 gélule.

Faites trois fois par semaine, un grand bain complet avec : « Kamiflore » aux huiles essentielles de Camomille et de Pin.

Ne divulguez pas trop ce traitement, nous perdrions trop de patients !

Tous les traitements que je viens de vous indiquer ne sont pas forcément compatibles entre eux. Certains se marient, d'autres se contrarient.

Vous pouvez faire en même temps :

    I. II. III.
    IV. III.

Vous ne pouvez pas faire :

    IV. I.
    IV. II.

XXVII. VOS ARTICULATIONS SONT DOULOUREUSES

Qu'entendons-nous par là ? C'est volontairement que nous n'avons pas écrit le sacro-saint mot « rhumatisme » : il englobe beaucoup trop de choses, des douleurs bénignes aux véritables maladies rhumatismales qu'il n'est pas question de traiter soi-même.

Pourquoi a-t-on mal aux articulations ? Voilà encore un domaine où la médecine n'a pas donné de réponse. Des recherches compliquées restent stériles, pour une raison simple : elles se basent sur un examen du sang, d'anticorps, de « facteurs » sanguins de plus en plus sophistiqués. Comme si la cause de l'arthrose pouvait être dans une réaction chimique ! Toutes ces recherches ne trouveront que les témoins des troubles articulaires, jamais les causes. Notre conception est tout autre.

Dans le chapitre suivant, nous relierons tout le système musculaire avec le reste de l'organisme. De même, ici, le système des articulations ne peut être considéré comme une entité autonome. Il est, lui aussi, inclus dans l'organisme. La distinction des spécialités en médecine (rhumatologie, entre autres) n'est qu'artificielle. Le corps, lui, fonctionne toujours avec tous ses organes.

En médecine, il est connu que l'alimentation a un rôle essentiel dans la genèse des maladies rhumatismales. L'exemple plus typique est celui de la goutte. Ce rhumatisme un peu particulier est une démonstration éclatante du fait que le rein (en rapport avec l'acide urique), ainsi que tout le tube digestif (par lequel arrivent les aliments), tiennent une place de choix dans l'« apparition des maladies goutteuses ».

Par extension, toute surcharge alimentaire et tout excès de boissons alcoolisées a un retentissement sur les rhumatismes ou les douleurs articulaires.

Nous déconseillons donc globalement la viande trop souvent répétée, les plats en sauce, et tout aliment que vous aurez vous-même déterminé comme déclenchant des douleurs. Les gibiers et les viandes faisandées sont à supprimer ainsi que les noix en trop grande quantité.

L'exercice physique est utile pour maintenir une musculature suffisante qui aidera à un meilleur maintien articulaire. A noter aussi l'excès de poids qui ne peut que nuire à des articulations douloureuses.

Le traitement d'articulations douloureuses et de l'arthrose en général est un des points forts de l'homéopathie et de la phytothérapie. En effet, par les traitements de fond suivis longtemps, nous avons vu des articulations retrouver une souplesse suffisante et des douleurs diminuer jusqu'à disparaître. Avec nos remèdes, on ne constate jamais les effets secondaires désastreux que peuvent causer les anti-inflammatoires classiques : ulcère d'estomac, nausées, vomissements, diarrhées et parfois hémorragies digestives, insuffisance hépatique ou rénale, chute des globules blancs, anémies, allergies cutanées, troubles nerveux. (Nous avons pioché cette liste dans le dictionnaire Vidal des médicaments, à différents anti-inflammatoires ; chapitre « effets secondaires »).

Nous avons vu de nos yeux (rarement il est vrai) des déformations articulaires aux doigts se corriger et s'atténuer sous l'effet de traitements dont nous allons vous donner une partie.

Dernier point à noter : diminuez notablement le lait lorsque vous avez de l'arthrose. Le calcium n'a en effet rien à voir avec les processus rhumatismaux.

Les remèdes des douleurs articulaires

• Vos douleurs sont aggravées à l'humidité, et après un repos prolongé (par exemple au réveil). Vos articulations sont raides et ont besoin d'un « dérouillage » progressif pour être moins douloureuses. Votre dos est raide au lever. La douleur est aggravée par le froid, et améliorée par les applications chaudes locales. N'oubliez pas que l'on peut prendre Rhus Tox à titre préventif lorsqu'on a un effort physique important à faire (avant un match, pour des sportifs, par exemple). Voici un de nos « leaders » du traitement des douleurs articulaires :

Rhus Toxicodendron (le sumac vénéneux)
Dilution : 5 à 7 CH, au coucher.

• Vous êtes un malade qui « sent » quand le temps va changer, tel le baromètre avant l'orage.

Vous ne supportez pas le vent, et vous vous sentez mal dès l'approche de l'automne ou du printemps. Votre particularité est de dormir les jambes croisées: Plante merveilleuse à regarder, elle offre

une merveille d'efficacité dans certaines douleurs articulaires :
Rhododendron
Dilution : 5 CH, deux ou trois fois par jour.

• Vous souffrez des effets de l'humidité : peau (verrues), ganglions ou bronchite après exposition au froid humide, diarrhées, maux de tête, douleurs des oreilles et rhumatismes. Il arrive que les douleurs articulaires alternent avec de la diarrhée ou de l'asthme. L'amélioration des douleurs se fait par la chaleur et le mouvement. Vous qui supportez mal l'humidité, voici un remède tiré d'une plante qui pousse... dans les lieux humides, frais et ombragés !
Dulcamara (la douce-amère)
Dilution : 5 CH, trois granules trois fois par jour ; 9 à 12 CH, deux ou trois fois par semaine, si l'on cherche une protection contre les effets de l'humidité.

• Vos douleurs sont atténuées par le repos. Cette modalité est importante pour prescrire le remède. Votre douleur est aggravée par le moindre mouvement, souvent la nuit quand vous bougez. L'amélioration des douleurs se fait également par l'appui sur la région douloureuse, avec une pression forte (vous vous couchez sur votre articulation douloureuse). Un des symptômes liés à votre cas : une sécheresse de toutes les muqueuses (constipation) et une soif importante ;
Bryonia
Dilution : 5 CH, trois granules trois fois par jour, puis augmentez la dilution.

• Vous bougez beaucoup, à la recherche perpétuelle d'une bonne position. Vous avez une sensation de courbature, de meurtrissure généralisée. « Je suis brisé » est une de vos expressions préférée. Voici un remède d'entorse ou de distension ligamentaire qui peut être un excellent remède de rhumatismes ou de lumbago :
Ruta
Dilution : 4 CH, trois fois par jour, puis augmentez la dilution.

Nous rajouterons un excellent remède d'orientation anthroposophique du rhumatisme musculaire : le Rheumadoron, que nous donnons à raison de dix gouttes, trois fois par jour.

En cas d'excès d'acide urique, le Dissolvurol donne de bons résultats : 30 à 40 gouttes, trois fois par jour. De même, le Jus intégral de Bouleau Weleda : trois cuillères à café par jour, dans de l'eau.

En cas de crise de goutte, on peut modifier le terrain urémique avec vos remèdes de fond, à trouver avec votre thérapeute.

Sur vos articulations douloureuses, il est parfois fort appréciable de passer la préparation d'orientation anthroposophique suivante:

Aconitum	1 %
Arnica	3,5 %
Betula Fol.	4 %
Mandragora	0,3 %
Ol. Aeth. Rosmarini	1 %

Une friction matin et soir (ou plus) pendant une longue durée.

En dehors des remèdes principaux que nous venons de citer, il est préférable de consulter votre thérapeute. En attendant votre rendez-vous, voici une recette fort efficace :

Ribes Nigrum : bourgeons, macérat glycériné 1D. 50 gouttes matin, midi et soir, dans un verre d'eau.

Harpagophytum : deux gélules, deux à trois fois par jour.

Cette association est aussi efficace que tout anti-inflammatoire chimique, sans en avoir les inconvénients.

En phytothérapie, il existe deux sortes de remèdes pour les patients dont les articulations sont douloureuses. Les premiers sont des médications de drainage, d'élimination des toxines ; ce sont fondamentalement les plus intéressants, car une douleur articulaire a toujours pour origine une mauvaise élimination. En revanche, ces préparations s'attaquant aux causes du mal ne pourront qu'agir lentement. Mais leur effet sera durable. Les seconds sont des « recettes » qui permettent de juguler rapidement une douleur. Contrairement à ce qu'en pensent les malades, elles agissent très vite, encore plus que bon nombre de médicaments allopathiques. Ne touchant pas l'origine de l'inflammation, elles ne constituent que des palliatifs, mais en règle générale, d'effet plus prolongé que les remèdes chimiques.

Leurs inconvénients ? Il est beaucoup plus fatigant de se frotter avec une macération huileuse de lilas que d'avaler un comprimé ! Il faut aussi préparer cette macération. Emplir une bouteille de fleurs de lilas, verser dessus de l'huile, quel travail... !

I. PHYTOTHÉRAPIE DE DRAINAGE

1. Cure de pommes

Pelez des pommes après les avoir bien lavées. Faites sécher les pelures dans un four bien chaud. Lorsqu'elles sont complètement déshydratées, écrasez-les en poudre. Utilisez ces pelures de pommes en macération (bouillir 15 mn) à raison d'une cuillère à soupe pour un bol d'eau. Vous en consommez deux bols par jour. La pelure de pomme est un excellent diurétique qui stimule en douceur le filtre rénal et aide l'élimination de l'acide urique.

La tisane de pelures de pommes, en outre, à l'avantage de régulariser la fonction digestive. Ne croyez pas que les traitements les plus simples soient les moins efficaces. Le drainage des toxines obtenu grâce à cette préparation est d'action remarquable et durable.

Dans les cas d'affection chronique, il serait souhaitable de compter avec une cure de pommes : pendant trois jours, ne mangez que des pommes crues et rapées ; le quatrième jour, reprenez un régime normal, léger et sans viande ni alcool. Recommencez au moins deux fois, trois cures de trois jours, ou plus si les douleurs persistent. Ce traitement est tout particulièrement recommandé aux personnes ayant des tendances à la constipation.

2. Cure de Tamaris

Pour ceux que les tisanes ne tentent guère et qui ont tendance à avoir des selles non moulées, il existe un traitement peu usité et qui donne pourtant d'excellents résultats. Achetez en pharmacie de la poudre d'écorce de Tamaris ; prenez-en deux grammes par jour dans un verre de vin rouge chaud avant le repas du soir.

A consommer par cure de trois semaines en respectant deux semaines d'arrêt entre chaque cure. Evitez de prolonger si vous avez tendance à être constipé en cours de cure. L'écorce de Tamaris a, en outre, une action apéritive très nette qui la fait conseiller à tous ceux qui souffrent à la fois de digestion lente et de douleurs articulaires.

---
3. Tisane de drainage

Voici maintenant une tisane composée qui convient dans tous les cas de douleurs articulaires. Elle est également très bénéfique pour tous ceux qui souffrent en plus de bronchites chroniques.

En voici la formule :

Bouillon blanc	25 g
Petite centaurée	30 g
Prêle	30 g
Verge d'or	25 g
Véronique	45 g
Renouée	30 g

Vous comptez 5 cuillères à soupe pour un litre d'eau froide. Portez à ébullition, mais ne laissez pas bouillir. Dès que l'eau frémit, éteignez et couvrez pendant 8 à 10 mn. Buvez deux tasses par jour.

---
4. Vin de Cassis

Autre cure de drainage convenant à tous les rhumatisants sauf à ceux qui ont tendance à souffrir de cystite. Elle sera en revanche bienfaisante si vous vous sentez abattu, fatigué.

Laissez macérer pendant 15 jours 50 g de feuilles de Cassis dans un litre de très bon vin blanc doux. Prenez soin de remuer la bouteille si possible tous les jours. Filtrez. Buvez à raison d'un verre à Madère avant les repas. Le Cassis est très souvent employé en phytothérapie, soit seul, soit le plus souvent en association avec d'autres plantes pour améliorer les terrains rhumatisants.

---
5. Nébulisat

Enfin, si vous n'avez pas le temps de préparer vos macérations ni le courage de faire chauffer vos tisanes, ni la patience d'attendre le temps d'une infusion, si vous faites partie de ces malades hyper-pressés, soi-disant cartésiens, qui pensent qu'un médicament en gélule rose ou blanc surconcentré agira plus rapidement, vous pouvez utiliser des « nébulisats ». Produits relativement récents en pharmacie, ce sont des « concentrés » de plantes. Leur avantage, par rapport aux produits chimiques, c'est qu'ils contiennent tous les principes actifs de la plante et sont directement assimilables par l'organisme. Il existe de nombreux nébulisats qu'il est possible de mélanger. Nous vous conseillons cette formule :

Prèle nébulisat 50 mg
Erigeron canadensis nébulisat 50 mg   1 gélule
Saule blanc nébulisat 25 mg

Prendre deux gélules le matin avant le petit déjeuner, une gélule le midi avant le déjeuner et une gélule le soir avant le repas.

II. RECETTE PALLIATIVE ET IMMÉDIATEMENT EFFICACE

1. Friction au Lilas

Laissez macérer 200 g de fleurs de Lilas rouge dans un litre d'huile de Millepertuis pendant 15 jours, au soleil. Frictionnez vigoureusement les articulations douloureuses avec cette huile. En cas de fièvre, vous pouvez également utiliser l'écorce de Lilas. La décoction (30 g d'écorce pour un litre d'eau à laisser bouillir une heure) permet non seulement de faire baisser la fièvre rapidement, mais également de stimuler votre organisme. Vous sortez de cette fièvre en pleine forme et régénéré. Tout le contraire d'un traitement aux antibiotiques !

L'huile de Millepertuis, nécessaire pour la macération de Lilas, peut s'acheter en pharmacie mais elle est assez chère. Vous pouvez très bien la fabriquer vous-même en cueillant des fleurs de Millepertuis sauvage vers le mois de juin. Vous emplissez un bocal avec des petites fleurs, vous complétez avec de l'huile d'Olive vierge. Les fleurs vont se tasser. Vous laissez le tout macérer dix jours au soleil. Lorsque l'huile est devenue très rouge, vous pouvez filtrer. Cette huile de Millepertuis est extraordinairement efficace pour vous protéger des coups de soleil. Aucune crème du commerce ne le sera autant, et en plus vous bronzerez vite !

2. Friction à l'ail

Coupez menu 200 g d'ail. Laissez macérer pendant 15 jours dans

1/2 litre d'alcool à 90°. Filtrez. Ajoutez 5 ml d'huile essentielle d'Origan déterpenée, et 5 ml d'huile essentielle de Thuya. Quelques gouttes seront suffisantes pour frictionner vos articulations. Lorsque les douleurs sont trop généralisées, frictionnez vos plantes de pieds, vous obtiendrez une sédation généralisée. Ce massage des plantes de pieds à l'huile d'ail est également bénéfique en cas de toux ; il est alors indispensable de se tenir les pieds au chaud pendant une heure. L'odeur de l'ail est bien masquée dans cette préparation, par les odeurs d'Origan et de Thuya, qui en renforcent l'action.

3. Friction laurier-amande, carotte

Cette macération est un peu complexe à réaliser. Si vous avez le courage d'essayer, vous recommencerez, car vos articulations ne pourront plus s'en passer. Choisissez 12 feuilles très saines de laurier-amande. Mettez-les à macérer une semaine au soleil, ou trois jours près du feu, dans 1/4 de litre d'huile d'olive. Passé ce temps, prenez des fleurs de carottes sauvages, mettez-les à cuire au bain-marie dans de l'huile d'olive chaude pendant une heure. Filtrez. Mélangez les deux préparations. Frictionnez les articulations sensibles. Nous nous sommes permis d'indiquer cette recette parce qu'elle est remarquable. Nous réalisons, hélas, que peu d'entre vous auront le temps de la préparer.

4. Bain aux huiles essentielles

Parmi les médications permettant d'obtenir une sédation rapide des douleurs, le bain aux huiles essentielles est sans nul doute celle dont l'action est la plus durable. Sans parler des rééquilibrages de terrain indispensables pour que l'affection rhumatismale ne puisse plus se réinstaller, les cures d'hydrothérapie aux essences de plantes constituent un véritable traitement de fond du rhumatisme dont le résultat est souvent plus prolongé que celui d'un traitement par voie interne. L'explication en est très simple. Les huiles ont le pouvoir de passer la barrière cutanée, et de se diffuser dans tout votre corps.

Lorsque vous prenez un bain très chaud, vos veines, vos artères, vos capillaires, sont très dilatés, votre circulation est accélérée et les principes actifs des essences de plantes se trouvent propulsés par le torrent circulatoire jusqu'au moindre recoin de votre organisme. Les Allemands et les Suisses ont su tirer partie depuis longtemps de l'hydrothérapie, et il existe dans ces deux pays des cliniques, des hôpitaux, où l'on soigne toutes les maladies par l'hydrothérapie et la diététique.

En France, il est déjà difficile de demander aux gens de prendre des bains régulièrement par mesure d'hygiène ; quant à se soigner par des bains, cela semble tout à fait suspect !

Essayez donc ces bains aux huiles essentielles, ils ont non seulement l'avantage de fournir des propriétés hautement curatives mais en plus, ils sont d'odeurs particulièrement agréables.

Formule ;

Huile essentielle de Thuya	5 ml
Huile essentielle d'Origan	5 ml
Huile essentielle de Pin	10 ml
Huile de noyau hydrogénée	20 ml
Huile de pépins de raisin Codex	60 ml

Comptez deux cuillères à soupe pour un grand bain complet. La température doit être de 37 à 42°, selon ce que vous pouvez supporter. Sa durée est de 10 à 15 minutes.

Attention : vous ne devez jamais avoir la tête qui tourne ou vous sentir mal dans le bain ; si cela arrive, c'est que la température est trop élevée pour vous.

Après le bain, il est indispensable de faire une rapide douche froide des jambes.

Si vous souffrez d'une mauvaise circulation artérielle, préférez la formule suivante :

Huile essentielle de Thuya	5 ml
Huile essentielle de Romarin	5 ml
Huile essentielle de Pin	10 ml
Huile de noyau hydrogénée	20 ml
Huile de pépins de raisin Codex	60 ml

Si vous souffrez d'une mauvaise circulation veineuse (varices, hémorroïdes, jambes lourdes, etc...), la formule suivante vous conviendra mieux :

Huile essentielle de Pin	10 ml

Huile essentielle de Cyprès	5 ml
Huile essentielle de Sarriette	4 ml
Huile essentielle de Genévrier	4 ml
Huile de noyau hydrogénée	20 ml
Huile de pépins de raisin Codex	60 ml

Vous pouvez vous servir de ces trois produits en massages, ils vous apparteront une sédation de vos douleurs, non seulement articulaires, mais également musculaires.

Enfin, si vos douleurs sont particulièrement tenaces, il vous faudra commencer par faire des cataplasmes. L'inconvénient du cataplasme est la perte de temps qu'il occasionne... il doit être tenu en place pendant deux heures. Pour faire un cataplasme : choisissez dans les trois formules de bains celle qui vous convient selon que vous souffrez seulement de rhumatismes ou que vos douleurs se compliquent de troubles artériels veineux. Demandez à votre pharmacien de vous préparer le mélange suivant :

Fucus vésiculeux poudre	100 g
Laminaire poudre	100 g
Argile verte poudre	200 g

Prenez quatre cuillères à soupe de ce mélange de poudre, ajoutez deux cuillères à soupe du produit liquide, délayez avec la quantité d'eau chaude nécessaire pour obtenir une pâte épaisse. Appliquez directement sur la zone douloureuse. Ces proportions sont à respecter et les quantités peuvent bien évidemment changer selon les surfaces à traiter. Ces cataplasmes sont souvent plus efficaces qu'une friction.

D'une part, ils restent plus longtemps en conctact avec l'articulation et l'action des plantes est nettement renforcée par celle de l'argile et des algues.

Tous les traitements que je viens de vous indiquer ne sont pas forcément compatibles entre eux. Certains se marient, d'autres se contrarient.

Vous pouvez faire en même temps :

I.1. I.3. I.4.

I. et toutes recettes II.

Le cataplasme et toutes les autres recettes (y compris les bains).

Vous ne pouvez pas faire :

I.1. I.2. I.3.

II.2. II.3. II.4.

XXVIII. VOUS AVEZ DES CRAMPES MUSCULAIRES

Nous allons réfléchir sur ce qu'est le système musculaire en l'intégrant, comme à l'accoutumée, à l'ensemble de l'organisme, au corps dans sa totalité.

Prenons, par exemple, le mouvement effectué lorsqu'on tourne la clé dans la serrure. Essayez d'imaginer un peu le nombre de muscles mis en route !

Le bras qui s'élève, la main qui s'ouvre et se referme, la pince entre le pouce et l'index qui saisit la clé, le mouvement spiralé du poignet qui avance en tournant. Plusieurs dizaines de muscles sont ainsi mis en route ; une série pour le mouvement lui-même, et une série opposée pour que le mouvement ne prenne pas trop d'ampleur. On appelle cela les muscles « agonistes » et « antagonistes ». Replacez ce simple mouvement au niveau du travail d'un corps pendant une journée, et de tous les muscles mis ainsi en marche, vous obtiendrez une merveilleuse « machine » qui « marche » automatiquement, sans que l'on ait à commander avec sa conscience le mouvement et la force de chaque muscle. Le corps sait. Il agit, mû par une force qui s'appelle la Vie.

Ce système musculaire a trop d'importance pour qu'on ne le considère que comme un système de locomotion. Mentalement, vous pouvez déjà imaginer que c'est un instrument de la volonté. Chaque acte volontaire ne peut se dérouler que parce qu'il existe un système locomoteur qui effectue des actes. C'est aussi une partie de l'organisme qui nous permet la station debout (une de nos différences d'avec l'animal).

En dehors de ces considérations, le muscle peut être atteint dans ses actions. Nous poserons tout d'abord des jalons de communications entre les muscles et le reste de l'organisme. Nous avons vu les rapports avec la volonté. Indiquons, de plus, une relation intime avec *le foie*.

Cela vous étonne-t-il ?

Nous non ! L'acupuncture avait déjà établi cette relation. Les données anatomiques et physiologiques modernes l'ont confirmée (par des phénomènes complexes de mise en réserve du sucre — glucose — dans l'organisme, par la voie du *glycogène* pour laquelle le foie est intéressé au premier chef). En homéopathie, cette relation est faite depuis longtemps. Nombre de nos remèdes de crampes sont d'abord des remèdes du foie (Sulfur venant en tête).

Enfin, dans un autre système de pensée moins connu, le foie est sensé être l'organe de la volonté. Cela le rapproche encore un peu plus du muscle.

En conséquence, parmi toutes les causes de crampes musculaires, on retrouve, neuf fois sur dix, une origine extérieure au muscle lui-même. Vous êtes à présent habitué à cette gymnastique de l'esprit qui rapproche, par exemple, les démangeaisons du nez et les vers intestinaux.

Même si vous n'avez jamais rien ressenti au foie (« Mon foie, connais pas ! »), il est certainement impliqué dans vos troubles musculaires.

Les remèdes de crampes

• Le premier est, de loin, le cuivre :
Cuprum
Dilution : 5 à 7 CH, pour des crampes ; chez les gens très habitués du fait, en cure de un à deux mois, trois granules par jour. A essayer systématiquement.

• Vous avez toujours chaud, vous sortez les pieds du lit et vous avez des crampes nocturnes, vous ressentez souvent un désir de sucre et une faim impérieuse à 11 h du matin :
Sulfur (remède du foie !)
Dilution : 5 CH, trois granules vers 11 h.

• Vous présentez des crampes nocturnes ou lors de la marche. Vous êtes gros mangeur, sédentaire, plutôt frileux et vous adorez faire une courte sieste après le repas (elle vous remet « en forme ») :
Nux Vomica (autre remède du foie !)
Dilution : 7 CH, trois granules matin et soir.

• Vous avez souvent des douleurs aiguës à divers endroits du corps qui apparaissent et disparaissent brutalement. Votre crampe est améliorée par un geste que font souvent les sportifs : vous pliez la portion de membre affecté (en tirant sur le pied, par exemple) :
Magnesia Phos
Dilution : 7 CH, trois granules matin et soir.

• Votre douleur est améliorée en vous pliant en deux et par la pression. La crampe atteint plus volontiers la région des hanches. Voici un remède qui contient du phosphate de magnésium ; c'est une plante dont on utilise le fruit :

Colocynthis

Dilution : 5 CH, à la demande.

• Vous avez des crampeś aux mollets et aux pieds, améliorées par l'eau froide :

Jathropa

Dilution : 5 CH, à la demande.

• Vous avez une faiblesse musculaire avec tremblements, raideur, engourdissement et douleurs articulaires :

Argentum Metallicum

Dilution : 5 CH, à la demande.

En naturopathie, les remèdes sont multiples, souvent complémentaires. Il s'agit d'un domaine où nous pouvons affirmer obtenir des résultats dans 100 % des cas. Avant de donner des conseils il faut rappeler que les crampes musculaires répétées vont souvent de paire avec un état de stress.

Le meilleur moyen de se rééquilibrer nerveusement et de se maintenir en équilibre est de pratiquer quotidiennement le « neti-krya ». Cette pratique ancestrale indienne que continuent de perpétrer les yogis et les adeptes de la sophrologie consiste à se laver le nez, le matin au réveil, avec de l'eau salée. Non seulement le nez se débouche, mais la respiration est plus facile, et surtout vous stimulez de cette façon toutes les terminaisons nerveuses qui tapissent la muqueuse endo-nasale. Il faut savoir que l'intérieur du nez est une zone réflexe très importante en rapport avec tout l'organisme, et qui constitue en quelque sorte le « clavier » permettant de commander le « grand ordinateur central ». Le meilleur moyen de faire « neti-krya », c'est d'acheter dans le commerce une sorte de théière (en plastique ou porcelaine) destinée à cette pratique. Vous en trouverez dans les maisons de régime. Remplissez-la d'eau salée et placez le bec du récipient dans une narine. Penchez la tête sur le côté et l'eau s'écoule doucement par l'autre narine. Nous déconseillons la pratique qui consiste à respirer violemment de l'eau dans le creux de la main ou dans un bol la tête penchée en avant. La muqueuse est alors stressée, elle a tendance à se congestionner. Prenez l'habitude de perdre quotidiennement 30 secondes pour pratiquer le « neti-krya », et vous serez étonné du bien-être que vous ressentirez toute la journée. Vous serez aussi surpris du nombre de symptômes désagréables qui disparaîtront sans le recours de médicaments. Si le « neti » n'est pas suffisant, demandons vite le secours à la nature qui est, comme toujours, généreuse à souhaits...

I. CURE HÉPATIQUE

Nous avons vu que le foie est bien souvent, sinon toujours, pour quelque chose dans ce phénomène de crampes musculaires à répétition ; il convient donc, avant tout, de rééquilibrer son fonctionnement. Pour cela, il faudra suivre une cure de temps en temps. En deux temps : premièrement, une période de « nettoyage » avec des plantes dépuratives en lune décroissante ; deuxièmement, une période de stimulation de la cellule hépatique en période de lune croissante.

a) **En lune décroissante**, buvez une tasse de cette tisane avant chaque repas ;

Racine de pissenlit	20 g
Racine de chicorée	20 g
Ecorce de bourdaine	10 g
Ecorce d'épine vinette	10 g
Feuilles de boldo	15 g
Feuilles d'artichaut	15 g
Feuilles de buis	10 g

Elle se prépare en laissant bouillir 4 cuillères à soupe de plante pendant trois minutes. Eteignez le feu et laissez infuser dix minutes.

Avec cette préparation, vous serez assuré d'avoir un foie complètement décongestionné. Elle présente, en revanche, l'inconvénient d'avoir un goût qui peut ne pas plaire à tout le monde. Lorsqu'on choisit des plantes à action dépurative, il faut s'attendre à une certaine amertume... qui disparaîtra quand vous vous sentirez en pleine forme !

b) **En lune croissante**, buvez une tasse après chaque repas de cette tisane :

Sommités de millepertuis	30 g
Sommités de marrube blanc	30 g
Souci, feuilles et fleurs	30 g

Verveine officinale	30 g
Sommités fleuries de romarin	30 g
Sommités fleuries d'aspérule odorante	30 g
Sommités fleuries de caille lait	30 g

Laissez infuser une cuillère à soupe de ce mélange dans une grande tasse d'eau bouillante pendant dix minutes.

Vous vous apercevrez bien vite que vos crampes s'espacent mais aussi que votre digestion s'améliore ainsi que votre sommeil. Si votre symptôme est ancien, vous pouvez suivre cette cure pendant trois mois.

II. TISANE STIMULANTE DE LA CIRCULATION

S'il nous paraît indéniable qu'il nous faille traiter le foie en cas de crampes musculaires, il est aussi nécessaire de stimuler la circulation qui est le plus souvent en cause. Rappelons que les défaillances du foie entraînent celles du système circulatoire. Cette préparation s'adresse bien entendu à tous ceux qui souffrent, en plus, de troubles circulatoires (extrémités froides, ou au contraire chaudes, varices, hémorroïdes, etc.). Si c'est votre cas, buvez une tasse matin et soir de :

Sommités fleuries de passiflore	20 g
Fleurs d'Aubépine	20 g
Feuilles de Vigne rouge	30 g
Feuilles d'hamamélis	30 g
Prèle	30 g
Sommités fleuries d'armoise	25 g
Bourse à pasteur	25 g
Alchemille	25 g
Racine d'angélique	25 g.

Préparation idéale :

Mettez à macérer 4 cuillères à soupe de ce mélange dans un litre d'eau pendant une heure ; portez à ébullition sans laisser bouillir, et laissez infuser dix minutes.

Préparation possible :

Faites bouillir 4 cuillères à soupe dans un litre d'eau pendant une minute ; laissez infuser dix minutes.

III. CURE DE JUS DE CAROTTE

Améliorez votre rendement musculaire et évitez les crampes en buvant tous les matins, à jeun, un verre de jus de carotte. La carotte contient un grand nombre de vitamines (A.B.C.D.E. et P.) ainsi qu'un pourcentage non négligeable de sucre (environ 10 %) directement assimilable par votre organisme et donc immédiatement bénéfique pour vos muscles. A votre jus de carotte, vous pouvez mélanger le jus d'un citron ; le goût sera plus agréable et vous renforcerez la teneur en vitamine C.

Pour combattre les spasmes musculaires, le rôle de cette vitamine est très importante. Il est bien rare qu'une personne nerveusement bien équilibrée ait à souffrir de crampes. En effet, celles-ci apparaissent de préférence en période de stress, et l'utilisation de vitamine C est sans aucun doute le moyen le plus sûr de lutter contre.

Le professeur Linus Pauling, Prix Nobel de Chimie et Prix Nobel de la Paix, affirme que nous sommes tous carencés en vitamines C et que c'est une des causes principales de toutes les maladies actuelles. Il prend lui-même 10 g de vitamines C par jour. Vous pouvez donc utiliser largement les jus de carotte, orange, citron... sans risque d'hypervitaminose.

IV. BAINS AUX HUILES ESSENTIELLES

Le grand bain chaud aux huiles essentielles reste le remède privilégié des états de crampes ; non seulement parce qu'il agit vite, mais parce que la présence des huiles essentielles rend son action durable.

Nous l'avons vu, les huiles essentielles sont de véritables médicaments, très puissants ; lorsqu'elles sont utilisées en phytobalnéothérapie, leur pouvoir thérapeutique est décuplé.

Tout d'abord, le grand bain chaud est vaso-dilatateur (dilatateur des vaisseaux). La circulation est immédiatement accélérée.

Les toxines accumulées dans les muscles sont chassées, emportées par le torrent sanguin. Ce sont souvent ces toxines qui sont à l'origine des crampes. La circulation est stimulée en profondeur, le volume de sang circulant dans les organes profonds est augmentée principalement dans le foie dont un des rôles primordiaux est, précisément, de chasser les toxines. Le foie est, en quelque sorte, « lavé » après un bain hyperthermique, il est neuf, il reprend des forces, il tourne à 100 à l'heure.

Cette triple action (stimulateur de la circulation, régénérateur de la cellule hépatique et désintoxication générale) sera nettement améliorée par la présence d'huiles essentielles sélectionnées.

En cas de crampes, vous choisirez :
— le romarin : vaso-dilatateur et stimulant hépatique antispasmodique ;
— le citron : désintoxiquant stimulant des fonctions vésiculaires, fluidifiant sanguin ;
— l'orange : calmante et désintoxiquante ;
— la marjolaine : rééquilibrante (stimule et calme), vaso-dilatateur.

Votre pharmacien vous composera la formule galénique suivante :

Huile essentielle de romarin   7 ml
Huile essentielle de citron   7 ml
Huile essentielle d'orange   5 ml
Huile essentielle de marjolaine   5 ml
Huile de noyau hydrogénée   20 ml
Huile de pépins de raison Codex q.s.p. 100 ml

Utilisez cette préparation à raison de 2 cuillères à soupe pour un grand bain dont la température sera la plus élevée possible. N'oubliez pas, c'est absolument indispensable, de prendre ensuite une douche froide des jambes ; tout d'abord les pieds, puis les mollets et les cuisses, en commençant toujours par la jambe droite (l'extrémité la plus éloignée du cœur). Il est tout aussi important de se reposer au moins une heure au chaud après le bain. Il est tout à fait vraisemblable que ce seul traitement de phytobalnéothérapie puisse vous guérir de vos crampes. Il a l'inconvénient d'être un peu astreignant à suivre et d'être onéreux. En revanche, ces essences sentent tellement bon...

V. BAIN DE BRAS CHAUD

Il nous est toujours difficile de faire admettre à nos patients qu'ils peuvent se soigner à l'aide de bains de bras. Dans certains pays (l'Allemagne, la Suisse) il existe de nombreuses cliniques où l'on soigne uniquement avec des bains et des régimes alimentaires. Les soins sont pris en charge par la Sécurité Sociale et la balnéothérapie est tout à fait reconnue par le corps médical. Au contraire, en France, l'idée de se guérir de rhumatismes, d'artérite, d'asthme ou de crampes musculaires avec pour toute thérapie un bain quotidien semble farfelue ; à la rigueur, le grand bain complet chaud avec adjonction de plantes peut sembler efficace, mais soigner son asthme ou ses crampes avec pour tout traitement un bain quotidien des avant-bras, il faut faire preuve de beaucoup de persuasion pour convaincre un malade. Pourtant ce bain chaud donne de si bons résultats qu'il constitue souvent notre seul ordonnance. L'effet est plus remarquable si les spasmes musculaires ont une prédilection pour les membres supérieurs et le buste.

La technique ? Simple ! Remplissez d'eau très chaude (45°) votre évier et trempez vos bras jusqu'aux biceps pendant dix minutes. Il faut pratiquer cette ablution juste avant de vous coucher. Ce bain sera toutefois contre-indiqué lorsque l'état de spasmes est lié à un dérèglement thyroïdien. Il faudra alors préférer le bain de bras froid, le matin au réveil.

VI. INHALATION AUX HUILES ESSENTIELLES

Nous avons parlé de la pratique ancestrale de « neti-Krya » dont les résultats sont spectaculaires. En revanche, dans certains cas, cette ablution est impossible ou trop douloureuse car la muqueuse nasale est congestionnée et gonflée. Dans ce cas, les patients se plaignent de douleurs au niveau des sinus frontaux qui font penser à un état de stress et la congestion est un phénomène réflexe. Pour décongestionner cette muqueuse, il existe un moyen rapide et agréable : l'inhalation d'essence de plantes dans de l'eau chaude. Faites préparer cette formule :

Huile essentielle de sassafras	2 g
Huile essentielle de gingembre	2 g
Huile essentielle de romarin	2 g
Huile essentielle de ciste	2 g
Labrifil Codex q.s.p.	30 ml

Vous l'utiliserez à raison de 10 gouttes (pour commencer) dans un bol d'eau très chaude dont vous inhalerez la vapeur. Lorsque cette muqueuse sera moins congestionnée, vous supporterez un nombre de gouttes plus élevé. Vous devez ressentir des picotements, mais jamais de douleurs. Cette inhalation doit se pratiquer une fois par jour, pas plus. Vous vous apercevez, au fur et à mesure que votre nez se débouche, que vos crampes s'estompent, car les deux phénomènes sont inévitablement liés !

VII. FRICTION AUX HUILES ESSENTIELLES

Si vous êtes sportif et que vous ressentez ces tensions musculaires après l'effort, vous vous débarrasserez de ce désagrément avec des frictions locales (sur les muscles douloureux) aux huiles essentielles de plantes.

Formule :

Huile essentielle de romarin
Huile essentielle de sassafras
Huile essentielle de gingembre
Huile essentielle de genièvre   àà 1 g
Huile essentielle de sauge
Huile essentielle de citron
Huile essentielle de menthe

Huile essentielle de cyprès
Huile essentielle de sarriette déterpenée   àà 0,05 g

Alcoolat de fioraventi
Alcoolat de Romarin   àà q.s.p. 250 ml

Cette solution pénètre très rapidement à travers la peau, elle provoque une accélération de la circulation et un drainage des toxines, immédiatement perceptible.

Il faut éviter de l'utiliser avant d'aller au soleil. Elle est très concentrée en huiles essentielles et vous risqueriez un phénomène de photo-sensibilisation.

VIII. GYMNASTIQUE

Tous les mouvements suivants vous aideront à lutter contre les crampes musculaires : ce seront *tous* des mouvements de fortes contractions statiques suivis d'un temps de repos d'une durée double de celle de l'effort. Si la contraction dure trois secondes, vous vous arrêterez six secondes avant de reprendre. Si vous faites dix mouvements qui vont durer 90 secondes, vous vous reposerez 180 secondes avant de reprendre une seconde série.

1. Allongé sur le dos, bras le long du corps, vous décollez les pieds du sol doucement, jusqu'à avoir les jambes à 45°, puis vous décollez le buste comme si vous alliez toucher vos pieds. Vous respirez à fond avant. Restez quatre secondes en l'air, reposez huit secondes. Dix mouvements de suite. Ce mouvement procure une grande relaxation musculaire et une détente générale de l'organisme.

2. Allongé sur le ventre, un coussin sous le ventre, bras tendus en avant, jambes légèrement écartées, serrez les fessiers très fort, décollez les mains à peine du sol, tendez et contractez les jambes comme si vous alliez décoller les pieds, mais en les laissant au sol. Tenez la posture cinq secondes. Posez dix secondes ; renouvelez dix fois.

3. Dos au mur, bras le long du corps, descendez progressivement en pliant les jambes, en prenant soin que toute la colonne vertébrale soit bien appliquée au mur (y compris la nuque), restez en position semi-fléchie, « position assise » dix secondes, reposez-vous vingt secondes.

Dans ces trois mouvements, vous devez rechercher une contraction la plus totale possible de tous les muscles du corps.

Tous les traitements que je viens de vous indiquer ne sont pas forcément compatibles entre eux. Certains se marient, d'autres se contrarient.

Vous pouvez faire en même temps :

    I. III.

    I. IV.

    II. IV.

    II. VII.

    III. V. VI.

    I. VII.

Vous ne devez pas faire :

    I. II.

    VI. VII.

Les origines de ce symptôme sont à rechercher avec un soin tout particulier. Un gonflement des jambes (ou « œdème ») est un signe d'alarme de certaines maladies du cœur et des reins ; vous devez faire très attention aux signes d'essoufflement ou de douleur dans la région cardiaque, et aux troubles d'élimination des reins. Pour cela, il vous faut les conseils d'un praticien.

Heureusement, dans 90 % des cas, les gonflements des jambes sont d'origine « circulatoire » : le grand mot est lâché... ! En effet, qu'est-ce que la circulation ? Les systèmes de médecine très savants considèrent que c'est un ensemble de tuyauterie, formée d'artères et de veines qui comportent des valvules pour éviter que le sang ne redescende.

C'est vrai... au point de vue anatomique.

Mais l'échec des traitements « pour la circulation » en est un brillant exemple : il n'y a pas que le point de vue anatomique. Tout d'abord, il faut rattacher le système circulatoire au cœur, car c'est lui qui permet à l'organisme d'avoir un rythme interne. Imaginez que nous puissions voir la course du sang dans les vaisseaux. Imaginez cette circulation, l'organisme placé dans le noir, transparent, comme si le sang était phosphorescent : quel merveilleux ballet l'on verrait alors ! Ces flux successifs qui entourent l'organisme dans ses moindres recoins, qui dessinent toute sorte de figures autour et dans le corps. Cela peut faire penser à un « grand huit », avec ses détours dessus, dessous, en huit vertical ou horizontal, à l'image de l'infini...

Lorsqu'un magnétiseur passe ses mains au-dessus de quelqu'un, comment ne pas penser qu'il active d'une façon énergétique toute cette circulation ? D'autre part, le sang lui-même et, ne l'oublions pas, la lymphe, sont chargés de significations biologiques et symboliques : le sang est porteur de vie, et d'une vie unique, propre à l'individu, dont les examens sans cesse sophistiqués découvrent les groupes, les sous-groupes, les sous-classes, les sous-types.

De plus, toutes les expressions populaires (« avoir du sang-froid », « se faire du mauvais sang ») confirment tout ce que le sang peut contenir d'autre que de simples éléments chimiques ou biologiques.

En anthroposophie, Rudolf Steiner a indiqué que le sang était en rapport avec le « Moi ». En homéopathie et en phytothérapie, nous affirmons que le retour veineux a une relation avec le... foie ! Quoi de plus simple !

Pratiquement tout le retour sanguin veineux des jambes et de l'abdomen passe en effet par le « système-Porte » qui va traverser le foie avant de retourner au cœur. Si votre foie est en mauvais état, s'il est congestionné pour une quelconque raison, votre circulation se fera mal. Cela se nomme « une stase portale » ; la stagnation a lieu dans le bassin et dans les jambes.

Donc, avec le cœur et les reins, le foie peut être impliqué dans les gonflements des jambes.

Ajoutons à cela deux notions :

La première, c'est qu'effectivement, certaines personnes ont une paroi veineuse plus fragile selon le terrain (en particulier les fluoriques ou certaines tuberculiniques).

La deuxième, c'est qu'il faut tout de même rechercher dans la profession s'il n'y a pas de station debout prolongée, en particulier l'été, et sur la moquette : là, toutes les conditions locales sont réunies pour avoir un mauvais retour veineux.

Dernier élément aggravant (et non des moindres !) des gonflements des jambes : la pilule !

Merveilleuse tranquillité d'une contraception sans risque de grossesse... mais que de troubles secondaires nous sont décrits ! Pour conforter ce que nous disions plus haut, les contre-indications de la pilule sont bien connues : problèmes circulatoires et maladies du foie. Preuve (s'il en était encore besoin) de la relation qui existe entre ces deux systèmes.

Le summum des risques est d'associer la pilule et la cigarette. C'est bien connu actuellement, le risque de troubles vasculaires est largement multiplié chez des femmes qui prennent tabac et pilule.

Les remèdes

• Le retour veineux est gêné et même le retour veineux de la partie supérieure de l'organisme. Voici un remède de « stase portale », de varices de la gorge ou même de rougeur des yeux :

Aesculus Hippocastanum (le marron d'Inde)
Dilution : 4 CH, trois granules deux ou trois fois par jour.
• Vous vous faites des « bleus » très facilement ; vous avez des varices ou des veines apparentes bien bleues.
Hamamelis Virginicus (Noisetier de la sorcière)
Dilution : 4 CH, trois granules deux ou trois fois par jour.

Les gonflements eux-mêmes doivent être toujours traités avec un traitement de terrain fixé par votre thérapeute. Néanmoins, notons encore :

• Voici le gros remède circulatoire pour le tuberculinique timide, avec des œdèmes plutôt mou. Il peut être utilisé en basse dilution (4 CH) si vous n'êtes pas particulièrement timide ni tuberculinique :
Pulsatilla
Dilution : 5 CH, trois granules deux ou trois fois par jour.
• Le gonflement est plutôt dur :
Doryphora 4 CH, et
Elaies 4 CH.

Nous utilisons fréquemment la spécialité « Climaxol » à raison de 20 gouttes, trois fois par jour, et nous faisons préparer une formule composée :

Calcarea Flurica
Hamamelis
Aesculus
Pulsatilla
} ââ 4 CH

à raison de 20 gouttes matin, midi et soir.

Localement, et en général le soir, nous conseillons la pommade d'orientation anthroposophique :

Cuprum Met   0,4 %
Nicotiana   D6

Ou encore la Tonic-Lotion au cuivre, dont l'effet rafraîchissant et protecteur veineux est excellent.

Pour la phytothérapie aussi, des jambes enflées peuvent révéler un dysfonctionnement organique grave.

Ce symptôme doit toujours vous inciter à consulter un praticien. Ceci ne doit pas vous empêcher de vous prendre en charge et d'essayer tous les moyens possibles pour faire désenfler vos jambes au plus vite.

Il est indispensable, par exemple, de dormir avec les pieds légèrement surélevés. Non les pieds de lit, ce qui aurait pour résultat de vous faire venir le sang à la tête, mais vos pieds, en mettant un petit coussin entre matelas et sommier. Cette précaution à prendre quotidien nement n'est qu'un palliatif, en aucun cas elle ne vous guérira.

En revanche, nos recettes peuvent vous soigner d'une façon durable, car il s'agit de véritables traitements de la circulation ou des reins. N'hésitez pas à les utiliser, même en parallèle à un traitement de fond. Vous aurez ainsi la conscience tranquille (sous le « parapluie » médical) et la surprise de voir votre état s'améliorer très rapidement.

I. CATAPLASME D'OIGNON

Connu dans nos campagnes sous le nom de « chaussette à l'oignon », le cataplasme d'oignon est la recette d'attaque idéale. Le résultat est immédiat. Bien que l'odeur n'en soit, comme vous vous en doutez, que bien peu agréable, vous oublierez vite cet inconvénient en voyant vos jambes dégonfler véritablement à vue d'œil.

Pour appliquer ce cataplasme, vous avez deux possibilités :

— La recette classique consiste à enfiler une grande chaussette que vous aurez, au préalable, remplie de rondelles d'oignons. Il est très important d'en avoir une couche épaisse sous le pied. Coincez les autres rondelles tout le long de la jambe. Cette façon de procéder, bien que simpliste, est finalement assez pratique.

— Pour l'autre méthode, il vous faut une quantité importante de papier aluminium. Vous l'étalez à plat, vous disposez vos rondelles d'oignon sur toute la surface, vous allongez les jambes dessus et vous les entourez avec le papier. Cette solution est préférable, car l'élimination est beaucoup plus importante.

L'effet de ce cataplasme est double. D'une part vous éliminez localement, mais l'oignon a une action diurétique générale qui augmente considérablement votre diurèse.

II. TISANE

Une tisane bien composée pour vous aider à faire dégonfler vos jambes comprend trois sortes de plantes. Elle doit, en plus de son action diurétique, agir sur le foie et la circulation. Voici une formule qui répond parfaitement à ces critères :

Maïs stigmates	30 g
Romarin (sommités)	30 g
Hamamélis (feuilles)	25 g
Frêne (feuilles)	25 g
Séneçon	25 g
Armoise (plante entière)	25 g
Verge d'or (plante entière)	25 g
Queues de cerise	20 g
Cassis (feuilles)	20 g
Chicorée (racine)	15 g
Boldo	15 g

Comptez cinq cuillères à soupe pour un litre d'eau. Laissez bouillir trois minutes et infuser dix minutes. Il est souhaitable de boire cette préparation dans la journée, en évitant d'en prendre tard le soir, car vous risqueriez d'être réveillé plusieurs fois dans la nuit !

Cette tisane donne des résultats inestimables et bien souvent là ou les « puissants » diurétiques chimiques ont·échoué.

III. DIURÉTIQUE PUISSANT

La décoction d'orge mondé constitue un diurétique puissant qu'il ne faut utiliser qu'avec précaution. Elle risquerait, utilisée de manière répétée, de vous provoquer une inflammation rénale. En revanche, si vos jambes sont gonflées occasionnellement, à la suite d'une exposition prolongée au soleil, d'un trajet en voiture l'été ou tout simplement d'un après-midi de soldes particulièrement éreintant, n'hésitez pas : c'est la solution idéale !

Non seulement vous éliminerez rapidement, mais en plus cette décoction est tout particulièrement reconstituante. La préparation, hélas, est un peu longue :

Prenez 20 g d'orge mondée (l'orge doit être absolument décortiquée) et faites chauffer à feu très doux pendant 7 heures. Buvez cette préparation à petites doses dans la journée.

IV. MASSAGE AUX HUILES ESSENTIELLES

Quelle qu'en soit la cause, si vos jambes ont tendance à gonfler, prenez l'habitude de les masser tous les soirs en insistant particulièrement sur les mollets. La position idéale pour pratiquer ce massage consiste à vous allonger sur le dos, une jambe pliée, l'autre légèrement tendue en l'air, et de vous masser cette jambe de bas en haut (n'ayez pas peur d'appuyer fortement avec la paume de la main) avec la préparation suivante :

Huile essentielle de Cyprès	7 ml
Huile essentielle de sarriette	7 ml
Huile essentielle de citron	7 ml
Labrafil Codex	20 ml
Huile végétale Codex q.s.p.	100 ml

Cette huile de massage présente un double avantage. Elle est non seulement remarquablement efficace mais elle disparaît sous la douche sans vous laisser la peau grasse. Douche qui vous est d'ailleurs indispensable et que vous prendrez de la façon suivante :

V. DOUCHE ALTERNÉE

Elle constitue la base indispensable de tout traitement de troubles circulatoires. Nous avons vu de magnifiques varices devant lesquelles les chirurgiens se frottaient les mains en imaginant un merveilleux stripping, disparaître totalement grâce à la pratique de la douche alternée.

Mode d'emploi :

Tous les matins et tous les soirs, faites une douche très chaude des jambes, en prenant soin de commencer par le pied droit (le plus éloigné du cœur). Lorsque le pied est rouge brique, montez doucement le jet de la douche jusqu'en haut de la cuisse en attendant à chaque « étage » que la peau devienne rouge.

Passez ensuite à la jambe gauche.

Lorqu'elle est bien rouge, appliquez brutalement la douche froide sur le pied droit, puis la jambe droite, et ensuite la gauche. La peau doit rester rouge mais changer de tonalité. Cette opération est à renouveler une fois. Vous avez donc à effectuer deux douches chaudes et deux douches froides en prenant soin de terminer par la froide.

Si au lieu de devenir franchement rouge, votre peau se marbre de petits points blancs, attention ! Votre système circulatoire est fortement perturbé et il vous faut consulter un praticien et avoir recours à un traitement interne.

VI. TEINTURES MÈRES

Pour tous ceux, partisans des médecines douces, qui affirment ne pas avoir le temps de suivre des traitements compliqués, en voici un très simple et néanmoins actif. Prenez 50 gouttes, matin et soir, après les repas, de cette préparation :

Teinture mère de ginko
Teinture mère d'hamamélis
Teinture mère d'agropyron reptans   àà 25 ml
Teinture mère de solidago
Teinture mère d'arnica

Ces teintures mères sont déconseillées aux enfants et sont à utiliser en traitements courts. Ceci à cause de leur degré d'alcool (environ 60°).

VII. MOUVEMENTS DE GYMNASTIQUE

— Allongé sur le dos, bras en croix, jambes pliées : tendre alternativement une jambe après l'autre, en essayant d'obtenir une tension moyenne.

— Allongé sur le dos, jambes tendues en l'air à 90° avec le sol, les reins bien plaqués au sol, faites avec les pieds dix rotations dans un sens et dix rotations dans l'autre.

— Allongé sur le dos, les genoux repliés sur la poitrine, tendez fortement les deux jambes en même temps, puis ramener les genoux sur la poitrine dix fois.

Tous les traitements que je viens de vous indiquer ne sont pas forcément compatibles entre eux. Certains se marient, d'autres se contrarient.

Vous pouvez faire en même temps :

    I.II. - I. II. IV.

    II. IV. V. - IV. VI.

Vous ne devez pas faire :

    I. III. - III. VI.

XXX. VOUS AVEZ SOUVENT MAL À LA TÊTE

Devant un tel symptôme, il est essentiel de rechercher en premier lieu une origine digestive ou un défaut de vision. Ensuite, il faut distinguer un mal de tête de la migraine, qui est souvent identique à elle-même. Le mal de tête peut survenir à n'importe quelle occasion (exposition au soleil, contrariété, situation conflictuelle, bruit, fatigue, odeurs, etc.).

La migraine vraie, maladie bien définie, survient souvent aux mêmes heures et dans des circonstances identiques : autour des règles, tous les 8 ou 15 jours le dimanche, le jour de repos mais aussi lors de contrariété, de bruit ou d'odeurs particulières. Elle se situe généralement d'un seul côté de la tête, avec un trajet précis et, quelquefois, des signes oculaires (« prodomes visuels » = images décalées, zig-zag visuel, points colorés ou scintillants).

La migraine oblige, le plus souvent, à rechercher l'obscurité et la position allongée sans bruit. Elle peut s'accompagner, voire se finir, par un vomissement ou une émission d'urine abondante. Attention au vomissement dit « réflexe » qui ne doit pas faire prendre cette crise pour un problème digestif. Ce symptôme est un des plus difficile à soigner, il réclame une description la plus rigoureuse possible. Recherchez l'élément déclenchant, peut-être dans une situation de conflit. N'oubliez pas, en effet, qu'il s'agit de la tête. Contenant tant et tant de choses, elle a le droit parfois de se mettre « hors circuit » par une douleur, pour se déconnecter épisodiquement d'une ambiance facile à vivre. Il est indispensable de rechercher l'origine du conflit (au moins d'en tenir compte) avant de se gaver de remèdes, fussent-ils sans danger.

Il faut, d'autre part, étudier tout le reste de l'organisme et trouver votre remède de fond, ici plus encore qu'ailleurs ; car les remèdes du symptôme « mal de tête », même bien choisis, sont souvent décevants ou épuisent par leur action, s'ils ne sont pas soutenus par des remèdes plus profonds. Il arrive aussi que le remède correspondant exactement au cas réussisse à merveille... mais que l'organisme, par une sorte de refus, de désir de conserver son symptôme, modifie les caractéristiques de son mal de tête. Ceci entraîne une inefficacité de l'ancien remède qu'il faudra alors changer. Il est primordial, malgré certains succès rapides, de traiter longtemps si l'on ne veut pas voir réapparaître le mal de tête... ou un autre symptôme qui peut être plus gênant. La fumée de tabac, le bruit répété au travail, une sinusite, une dent en mauvais état... peuvent être à l'origine du mal de tête ; à rechercher soigneusement donc sous peine de prendre traitements sur traitements, sans résultats.

Les remèdes

Nous ne donnons pas de dilutions dans ce cas précis, car elles sont très variables. Ce sera à trouver avec votre thérapeute.

• Dans votre vie, il y a de fréquents chocs moraux, contrariétés, soucis... Suite donc à un mauvais moment, vous présentez un mal de tête dont le premier caractère est d'être variable en fréquence et en localisation. La sensation est celle du fameux « clou » enfoncé dans la tête. Votre douleur se produit sur une petite surface que l'on peut recouvrir avec le doigt. La seule régularité se situe dans la périodicité et dans l'horaire. L'aggravation est nette aux odeurs de parfums et surtout de tabac. L'amélioration se fait par la pression de la zone douloureuse. Voici un excellent remède de névralgies qui apparaissent et disparaissent brutalement :

Ignatia

• Vous êtes d'une personnalité plutôt dépressive, dont les caractéristiques sont :

— une amélioration par la solitude ;

— une aggravation par la consolation, sauf si elle émane d'une personne bien choisie et qui devra redoubler de précautions, sous peine de se voir « remballée » ;

— une déminéralisation, une fatigue par surmenage, parfois un amaigrissement, qui expliquent certains symptômes psychiques.

Le mal de tête a un caractère pulsatile, il donne une sensation de battements dans la tête. Il est aggravé au soleil ; il arrive souvent après une contrariété ou un traumatisme affectif, un « chagrin d'amour » :

Natrum Mur (le sel marin)

• Votre principale caractéristique c'est que votre mal s'aggrave au soleil (il s'agit d'une action sur la dilatation des vaisseaux qui fait que l'on utilise le même remède que dans les problèmes circulatoires, cardiaques et ménopausiques en particulier). L'amélioration est nette par le froid sous toutes ses formes. Ce remède nous permet de noter au passage que la préparation homéopathique fait de certains produits, dangereux en usage direct (comme le mercure, le phosphore, l'arsenic), de précieux remèdes sans danger :

Glonoinum (la nitroglycérine !)

● Vous avez un mal de tête battant, avec sensation de tête chaude, d'extrémités froides, et une certaine rougeur des yeux et du visage. L'apparition peut être due à un coup de froid, en particulier sur la tête (après une coupe de cheveux). La localisation est, en général, à une tempe, parfois à la moitié droite de la tête. L'aggravation se fait par le froid local, et par la chaleur générale (fièvre, exposition au soleil ou à la chaleur) ;

Belladonna

● Vos maux de tête apparaissent brusquement et disparaissent progressivement. Ils changent souvent de place. L'aggravation classique est la chaleur sous toutes ses formes, car elle augmente votre stase veineuse, sauf au niveau des pieds, où un refroidissement peut provoquer des céphalées. L'ingestion d'aliments trop gras peut aggraver votre état. L'amélioration classique est la consolation (contrairement à Natrum Mur). La fraîcheur, le grand air, les applications froides vous font le plus grand bien :

Pulsatilla

● Votre caractéristique : la très nette aggravation par le mouvement, quel qu'il soit : mouvement de la tête, du corps, des yeux, en toussant, en éternuant, en parlant, en faisant un effort pour aller à la selle (car vous avez les muqueuses desséchées). Vous êtes un hépatique à mauvais caractère. Votre foie vous rend « bilieux » : vous ne supportez pas les gros repas qui vous donnent une sensation de pierre douloureuse sur l'estomac et qui peuvent vous occasionner des maux de tête. A noter, l'amélioration par un gant froid sur la tête alors que vous voudriez que la pièce soit chaude, et par la pression soutenue. Vous tenez votre tête et vous la serrez comme vous pouvez :

Bryonia

● Vous êtes une femme qui, lorsqu'elle a mal à la tête, a aussi des bouffées de chaleur. Il serait salutaire pour vous d'avoir un écoulement physiologique ; que ce soit les règles, un saignement de nez, un gros rhume ou une diarrhée. Vous seriez soulagée d'un coup. Voici un remède qui peut convenir à un homme mais qui s'adresse plus souvent aux femmes. L'amélioration du mal de tête est obtenue par l'air frais, le froid local, la pression (alors que vous ne supportez pas la pression d'un col, d'une ceinture, d'un soutien-gorge...). L'aggravation a souvent lieu au réveil pour les mêmes raisons que le « sujet Pulsatille » (stase veineuse la nuit, chaleur du lit), ainsi que par le bruit, le mouvement, le soleil et surtout après la disparition des règles. Voici un remède, chef de file de la ménopause ; nous avons souvent constaté que sa prescription faisait revenir les règles, parfois pendant plusieurs mois :

Lachesis

• Votre douleur part de derrière la tête (occiput) et va se fixer à l'œil droit ou autour de l'œil droit. Vous avez un battement et une congestion générale avec rougeur du visage et extrémités brûlantes (contrairement à Lachesis). L'aggravation se fait par le bruit, la lumière ; l'amélioration se fait par l'obscurité et souvent par le sommeil ;

Sanguinaria

• Votre mal de tête se fixe autour de l'œil et vous donne l'impression que l'œil est tiré en arrière. Vous êtes particulièrement loquace (comme Lachesis) :

Paris Quadrifolia (l'herbe à Pâris)

• Vos symptômes s'aggravent par la chaleur. Vous avez un désir de sucre, un « creux » vers 11 h du matin, des éliminations naturelles fréquentes ; vous êtes un bon vivant au caractère fonceur et jovial :

Sulfur

• Vous avez des maux derrière la tête qui viennent se fixer parfois autour de l'œil droit. Vous êtes un grand frileux. Vous supportez mieux votre mal de tête dans une chambre fermée, avec un foulard autour du cou et de la tête. Chaudement vêtu, malgré votre frilosité excessive, vous pouvez transpirer abondamment, notamment des pieds. Plus on vous apporte de chaleur physique ou morale, plus on vous aide à vous soutenir, car vous êtes, dit-on, faible « comme épi de blé auquel on aurait retiré le Silice » (qui lui donne habituellement son maintien) :

Silicea

• Vous avez beaucoup de points communs avec le « Sujet Pulsatilla », mais vous êtes beaucoup plus irritable. Vos maux s'aggravent fréquemment avant ou pendant les règles. Vous avez des troubles de la vue avant les maux de tête :

Cyclamen

• Vous présentez des troubles visuels, des images colorées ou au contraire une vue qui s'obscurcit. A noter : la concomitance de brûlures d'estomac, de vomissements, et la périodicité particulière des maux de tête qui apparaissent le dimanche ou les jours fériés :

Iris Versicolor

• Vos maux s'aggravent à l'humidité. Vous faites de la rétention d'eau, et vos tissus et votre système réticulo-endothélial sont en mauvais état. Vous avez des migraines avec vomissements de bile, et parfois, une diarrhée. Il est à noter un certain état dépressif :

Natrum Sulf

• Les troubles de la vision sont presque constants. Vous avez une sinusite avec douleur très limitée dans l'espace, occupant la zone de l'extrémité de la pulpe d'un doigt. Dès que votre mal de tête apparaît, vos troubles visuels disparaissent. Vous êtes un buveur de bière :

Kali Bichromicum

• Vos maux de tête se terminent classiquement par l'émission abondante d'urine. Vous avez un air abruti et des tremblements habituels. Le mal est souvent dirigé de la nuque vers les yeux :

Gelsemium

Remède d'orientation anthroposophique

A prendre systématiquement, quel que soit le remède homéopathique.

Ferrum - Sulfuricum   *Trituration*
Silicum D3

Trois mesures par jour, à sec sur la langue.

Qu'il ait une céphalée ou une migraine, le patient du phytothérapeute doit absolument se faire radiographier les dents. Non pas une radio panoramique qui est souvent imprécise mais des radios ponctuelles, trois dents par trois dents. Ceci afin de déceler — ce n'est pas toujours facile — d'éventuels kystes sous-dentaires qui entretiennent un foyer infectieux et peuvent être la cause de ces douleurs. Si un kyste est visible à la radio, il est indispensable que le dentiste le soigne ; aucun traitement phytothérapique ne pourra agir de façon durable. Nous insistons sur ce problème, car nous voyons souvent des migraines « calmées » depuis des années (nous ne dirons pas « traitées ») à l'aide d'antalgique les plus divers, dont l'origine est dentaire.

Bien entendu, ce n'est pas la seule étiologie possible. Le mal de tête est le symptôme type « signal d'alarme ». Si l'alarme est donnée, c'est que quelque part un organe souffre. A nous de le découvrir. Si la cause est psychologique, ce qui est très fréquent, le praticien devra obligatoirement en faire prendre conscience à son malade. Ce n'est qu'à cette seule condition que celui-ci pourra se prendre en charge... peut-être !

Ceci dit, une migraine, une céphalée, est souvent insupportable. Il faut donc essayer de la calmer au plus vite. Utilisez nos conseils avec persévérance et vous serez souvent surpris d'être soulagé d'une façon définitive.

I. LES BAINS ALTERNÉS « CHAUD-FROID »

Ils combattent les migraines en stimulant les échanges organiques, en luttant contre la fatigue et l'anémie. Prenez un bain de pieds avec de l'eau très chaude (42°) pendant une minute. Puis trempez vos pieds dans de l'eau très froide (15°) pendant dix secondes. Répétez ce bain alterné cinq fois de suite.

C'est le remède par excellence des migraines revenant périodiquement autour de la date des règles pour les femmes et des migraines liées aux problèmes d'hypotension dans les membres inférieurs. Ce bain vient également à bout des migraines nocturnes consécutives à l'insomnie.

Vous ajouterez alors à l'eau du bain chaud cette préparation :

Racine de Valériane   100 g
Fleurs de Lavande   30 g
Le zeste d'une orange

Versez les plantes et le zeste dans un litre d'eau bouillante. Gardez à ébullition pendant cinq minutes. Laissez infuser dix minutes. Filtrez avant de verser dans l'eau du bain. Si c'est votre circulation artérielle qui est en cause et que vous avez de façon permanente les pieds « froids », douchez-vous les mollets le matin et le soir de la façon suivante :

— Douche alternée des mollets :

Comme pour le bain, commencez par l'eau chaude. Suivez d'abord le bord externe du pied droit, montez lentement le long du mollet en tournant dans le sens contraire des aiguilles d'une montre, puis redescendez. Faites la même chose avec l'eau froide. Puis passez au mollet gauche. Recommencez l'opération trois à quatre fois sur chaque jambe.

II. L'ABLUTION MATINALE

Pour les migraines répétées liées à la fatigue, à la nervosité, au surmenage. Cette technique préconisée et utilisée depuis des siècles par les adeptes de la médecine orientale est un facteur d'équilibre nerveux et endocrinien.

Vous devez la pratiquer chaque matin dès votre réveil :

Inspirez un peu d'eau froide par une narine (tout en prenant soin de bien boucher l'autre narine) et recrachez cette eau par la bouche.

III. MAL DE TÊTE ET PROBLÈMES DIGESTIFS

Véronique (sommités fleuries)	25 g
Oranger (fleurs)	20 g
Lavande (fleurs)	5 g
Basilic (sommités fleuries)	25 g
Menthe (feuilles)	15 g
Angélique (racine)	10 g

Versez 4 cuillères à soupe de ce mélange dans un litre d'eau bouillante. Laissez infuser dix minutes. Filtrez. Buvez deux à trois tasses par jour après les repas. Cessez la prise de cette tisane dix jours par mois.

IV. MAL DE TÊTE ET PROBLÈMES HÉPATO-BILIAIRES

Chélidoine (racine)	20 g
Romarin (sommités fleuries)	15 g

Thym (sommités fleuries)	15 g
Chicorée sauvage (racines)	20 g
Verveine (feuilles)	20 g
Primevère (racine)	30 g.

Versez quatre cuillères à soupe de ce mélange dans un litre d'eau froide. Laissez macérer une nuit. Portez à ébullition une minute et laissez infuser quinze minutes. Buvez une tasse après chaque repas, avec un arrêt de dix jours par mois.

V. MAL DE TÊTE ET BLOCAGE CERVICAL

Avant tout, faites vérifier votre statique vertébrale par un praticien. Un blocage est bien souvent la source de maux de tête à répétition et dans ce cas aucune technique n'en viendra à bout.

Lorsque votre blocage aura disparu, astreignez-vous chaque jour à une légère gymnastique si vous ne voulez pas le voir réapparaître très rapidement. Les deux mouvements que nous vous indiquons ici suffiront à pallier une éventuelle instabilité vertébrale, à condition d'être répétés matin et soir.

1. Assouplissement de la nuque

Assis en tailleur dos bien droit (collé à un mur si possible). Mains posées à plat sur les cuisses :
1. Portez le menton vers l'épaule droite en inspirant, puis vers l'épaule gauche en expirant. Répétez le mouvement dix fois.
2. Portez l'oreille vers l'épaule droite en inspirant, puis vers l'épaule gauche en expirant. Répétez le mouvement dix fois.
Attention : ne bougez pas les épaules, seule la tête effectue le mouvement.

2. Travail des muscles trapèzes

Ce sont les muscles de la nuque et de leur bonne tonicité dépend la statique cervicale. Pour exécuter ce mouvement, adossez-vous contre un mur en appuyant bien le crâne contre ce mur. Faites le « double menton » et repoussez le mur avec votre crâne, tout en veillant à bien garder le cou droit. Ne « creusez » pas la nuque. Maintenez la pression de votre crâne contre le mur pendant trois secondes en inspirant, puis relâchez en soufflant.

Répétez cet exercice dix fois. Petit à petit, essayez de maintenir la pression quatre puis cinq secondes. Au bout d'une semaine, répétez cet exercice vingt fois ; au bout de quinze jours, trente fois.

VI. LES RECETTES D'URGENCE EN CAS DE CRISE

1. Les points douloureux

Recherchez avec votre pouce les points de votre visage et de votre crâne sensibles, voire même douloureux à la pression.

Vous les trouverez surtout :
— à la base du crâne,
— au sommet du crâne,
— à la racine de chaque sourcil,
— sous les yeux.

Massez ces zones douloureuses point par point avec l'extrémité du pouce en effectuant un petit mouvement circulaire (dans le sens inverse des aiguilles d'une montre). « Ecrasez » chaque point pendant une ou deux minutes, suivant sa sensibilité. Le résultat sera plus rapide si, pour le massage, vous vous servez de cette préparation :

Huile essentielle de Menthe   3 gouttes
Huile essentielle de Camomille   3 gouttes
Huile essentielle de Noix muscade 6 gouttes
Une cuillère à soupe de pépins de raisin.

2. Le lobe de l'oreille

Cette technique est inspirée de l'auriculothérapie qui réussit très bien dans les cas de maux de tête, mais que seul un praticien expérimenté peut dispenser. Si vous êtes seul chez vous et dans l'impossibilité de consulter, suivez notre conseil :

Placez sur le lobe de votre oreille gauche une pince à linge (le plus près possible de l'attache de l'oreille). Intercalez entre la pince et le lobe un petit carré de gaze imbibé de deux gouttes d'huile essentielle de Marjolaine. Maintenez la pince à linge pendant deux à trois minutes. Faites la même chose sur l'oreille droite. Recommencez jusqu'à ce que la migraine disparaîsse.

3. Mal de tête et douleurs cervicales

Jetez une poignée de Mélilot et une cuillère à soupe de Romarin dans un litre d'eau bouillante. Laissez infuser dix minutes. Filtrez. Trempez deux lignes dans cette infusion chaude et appliquez-les : un sur la nuque et l'autre sur le front. Allongez-vous dans le calme et le noir si possible, pendant la pose de ces compresses, soit 15 à 20 minutes.

4. Mal de tête et difficultés respiratoires

(Sinusite chronique, rhume des foins, etc.)

Remplissez aux 2/3 un récipient évasé (saladier) d'eau bouillante. Jetez dedans :
un verre de vinaigre,
un oignon coupé en quatre,
une poignée de Menthe,
une cuillère à soupe de fleurs d'Orangers,
une cuillère à soupe de Serpolet,
trois feuilles d'Eucalyptus (ou une cuillère à soupe),
et remuez bien.

Exposez votre visage à la vapeur pendant 15 minutes, puis épongez-vous soigneusement. Allongez-vous ensuite pendant 15 à 20 minutes au calme, dans le noir, au chaud et à l'abri de tout courant d'air.

5. Tisane et teintures mère

Marjolaine (sommités fleuries)	20 g
Anémone pulsatille (plante entière)	20 g
Oranger (fleurs et feuilles)	15 g
Primevère (racines)	15 g
Tilleul (fleurs)	15 g
Verveine (plante fleurie)	15 g

Versez 4 cuillères à soupe de ce mélange dans un litre d'eau. Laissez macérer quinze minutes. Amenez à ébullition. La préparation ne doit pas bouillir plus d'une minute, mais doit infuser pendant dix à douze minutes. Filtrez. Buvez une tasse de cette tisane dès que la douleur s'installe, et jusqu'à trois tasses par 24 heures.

Ajoutez à chaque tasse 15 gouttes de teinture mère de Mélisse, et 5 gouttes de teinture mère de Mélilot.

Tous les traitements que je viens de vous indiquer ne sont pas forcément compatibles entre eux. Certains se marient, d'autres se contrarient.

Vous pouvez faire en même temps :

I. II. III. V. VI.

I. II. IV. V. V1.

Vous ne devez pas faire :

III. IV.

III. V. VI.

XXXI. VOUS DORMEZ MAL

Tout être vivant est mû par plusieurs sortes de rythmes naturels grâce auxquels il peut continuer à vivre. La nature, dans son ensemble, fonctionne de cette façon. Nous avons les rythmes jour-nuit, été-hiver, froid-chaud... Les planètes elles-mêmes ont leur rythme, pour une bonne coordination du « Tout ».

Pour l'être humain et l'animal, le rythme primordial est « veille-sommeil », directement lié à « activité-repos ». Si ces deux rythmes ne sont pas respectés, l'organisme risque d'en souffrir dangereusement.

L'importance du « sommeil réparateur » n'est plus à démontrer. De multiples expériences ont prouvé que, par exemple, la seule méthode pour détoxiquer les cellules cérébrales, c'est le sommeil ; aucun remède ne peut le remplacer.

Il existe plusieurs sortes de sommeils qui s'objectivent par le tracé électroencéphalographique. Les deux plus importants sont le « sommeil lent » et le « sommeil rapide ou paradoxal ». C'est pendant le sommeil paradoxal (où l'on voit le dormeur avoir des soubresauts et bouger les globes oculaires) que la récupération cérébrale est la plus parfaite.

L'expérience classique du chat que l'on fait dormir sur une planche instable sur l'eau est cruelle, mais concluante : pendant le sommeil paradoxal, en effet, les muscles du corps sont entièrement atones et donc le chat qui s'endort relâche son attention et tombe à l'eau. Ne lui permettant qu'un sommeil lent, on va tout simplement le faire mourir au bout de quelques jours.

Vous voyez donc l'importance liée au respect de ces deux phases de sommeil naturel. Il faut aussi savoir que les somnifères et les tranquillisants diminuent totalement la durée du sommeil paradoxal. Ce sont donc des remèdes dangereux pour l'équilibre cérébral et nerveux en général.

Parmi ceux qui sont sous somnifères, beaucoup disent ne pas être reposés le matin et garder une fatigue anormale toute la matinée. Autre danger : le rythme du « comprimé pour dormir » une fois pris, est un risque d'accoutumance et d'augmentation des doses. Que de personnes voyons-nous en consultation, qui prennent « quelque chose » pour dormir, depuis... 10, 15 ou 25 ans !

Sachez que chaque tranquillisant ou somnifère, une fois introduit dans l'organisme, embarrasse le foie pour une bonne partie de la nuit : d'où langue pâteuse, mauvaise haleine et humeur maussade le matin.

Les remèdes

Nous ferons, pour ce chapitre, une énumération selon les causes de l'insomnie, et nous vous demanderons de vous reporter aux chapitres sur les fatigues et dépressions, pour compléter ce traitement. Quoi qu'il en soit, toute insomnie doit comporter un traitement de fond prolongé pour « nettoyer » l'organisme et son tube digestif. Commencez par diminuer considérablement le repas du soir et supprimez tout aliment gras ou alcoolisé.

• Insomnie après abus d'alcool :
Nux Vomica, trois granules en 9 CH, au coucher.
• Insomnie après abus de médicaments :
Nux Vomica, 5 CH, trois granules au souper et au coucher.
• Insomnie après abus de café :
Coffea Tosta, 5 CH, trois grains au coucher.
• Insomnie après abus de tabac :
Caladium, 5 CH, trois granules matin et soir,
Plantago, 3 X, trois granules matin et soir,
Tabacum, 9 CH, trois granules matin et soir.
• Insomnie après surmenage physique :
Rhus Tox, 9 CH, trois grains au coucher,
Arnica, 9 CH, trois grains au lever et au coucher.
• Insomnie après une nouvelle joyeuse :
Coffea, 9 CH, trois granules matin et soir.
• Insomnie après verminose intestinale ;
Cina, 9 CH, trois granules au coucher.
• Insomnie par appréhension de ne pas dormir :
Gelsemium, 9 CH, trois granules au coucher.
• Insomnie par choc moral :
Ignatia, 9 CH, trois granules au lever.
• Insomnie par anxiété et agitation, avec peur de mourir :
Arsenicum Album, 9 CH, trois granules au coucher.
• Insomnie par perte de liquides vitaux (hémorragie, vomissements, diarrhées, etc...) :
China, 9 CH, trois granules au coucher.

• Insomnie par difficultés d'endormissement .
Coffea, 9 CH, trois granules au coucher.
• Insomnie avec réveils multiples, notamment vers 3 h du matin :
Nux Vomica (déjà cité)
Coffea (déjà cité)
China (déjà cité)
Remède d'orientation anthroposophique que nous donnons toujours avec le remède homéophatique le plus indiqué :

Humulus Lupulus	12,5 %
Coffea Tosta D60	15,0 %
Avena Sativa	0,4 %
Passiflora	2,5 %
Valeriana	10,0 %
Excipient Q.S.P.	100 %

30 gouttes au coucher et en cas de réveil nocturne.

En phytothérapie, nous disons « vous dormez mal ». Car si vous étiez totalement insomniaque, c'est-à-dire que vous ne dormiez pas du tout — jamais — comme l'affirment bon nombre de nos patients, vous ne seriez pas en train de lire ce livre. Vous seriez à l'hôpital. Plusieurs nuits sans sommeils aucun peuvent entraîner la mort.

Donc vous n'êtes pas insomniaque.

Heureusement pour vous ; mais c'est déjà grave de ne pas dormir. Ne vous jetez pas sur des somnifères, par pitié, ils ne résoudront rien et ne feront qu'aggraver votre cas, à la longue. Essayez donc nos conseils ; et s'ils ne sont pas suffisamment efficaces, consultez un praticien qui cherchera à comprendre la ou les causes de votre problème.

Ces causes existent, il faut les découvrir. Il ne suffit pas de vous assommer tous les soirs pour avoir la paix. Il faut vous comprendre et vous rééquilibrer.

I. RELAXATION — RESPIRATION

Pendant une demi-heure le soir, avant de vous coucher, allongez-vous sur un tapis à même le sol. Respirez par le nez en gonflant le ventre au maximum. Expirez par le nez en rentrant le ventre. Le temps d'expiration, qui est le temps de détente, doit être beaucoup plus long que le temps d'inspiration.

Si la position allongée sur le dos est gênante :
— ajoutez un petit coussin sous la tête,
— pliez les jambes pour que la région lombaire repose bien sur le sol.

II. DOUCHE RELAXANTE

Douche très chaude selon un trajet très précis :
— pied droit : remontez le long du bord externe de la jambe, redescendez à l'intérieur de la jambe ;
— pied gauche : même trajet ;
— main droite : remontez tout le bras à l'extérieur, jusqu'à l'épaule ; descendez à l'intérieur, jusqu'à la paume de la main ;
— main gauche : trajet identique ;
— abdomen : en tournant sur le ventre dans le sens des aiguilles d'une montre ;
— colonne vertébrale de bas en haut.

La peau doit être très rouge sur tout le corps. Pour finir :
— douche froide des mollets en tournant dans le sens des aiguilles d'une montre avec la douchette ;
— temps non limité pour la douche chaude ;
— douche froide : deux minutes par mollet.

III. BAIN CHAUD AUX ESSENCES DE PLANTES

Faites couler un bain très chaud (38 à 42°), ajoutez deux cuillères à soupe du mélange suivant :

Huile essentielle de Camomille	10 ml
Huile essentielle de Pin	20 ml
Huile de noyau hydrogénée	20 ml
Huile de pépins de raisin	50 ml

Ce mélange est à faire préparer en pharmacie. Des formules améliorées et moins coûteuses existent dans le commerce : Bains aux huiles essentielles de plantes Kamiflore.
Durée du bain : 10 minutes.

Une douche froide rapide des jambes est indispensable après le bain pour éviter les stases veineuses.

IV. ENVELOPPEMENT CHAUD-HUMIDE DE L'ABDOMEN

Trempez un linge de coton dans de l'eau très chaude. Essorez largement. Entourez tout le buste avec le linge. Enroulez-vous dans une couverture de laine et retirez le linge dès qu'il est froid.

V. MASSAGE RÉFLEXE DES PIEDS

Faites préparer en pharmacie le mélange suivant :

Huile essentielle de camomille	10 ml
Huile essentielle de Lavande	10 ml
Huile essentielle de Verveine	10 ml

Mettez cinq gouttes sur la plante des pieds (juste en-dessous des orteils) et massez avec la pulpe des doigts, dans le sens contraire des aiguilles d'une montre.

Ce massage doit se pratiquer avant le coucher et sur les deux pieds.

VI. TISANE APAISANTE

Faites préparer en herboristerie ou en pharmacie, le mélange suivant :

Passiflore	30 g
Cônes de Houblon	30 g
Racine de Gentiane	20 g
Angélique archangélica	25 g
Menthe poivrée	15 g
Mélilot officinal	30 g
Fleurs de Camomille	20 g
Fleurs d'Oranger amer	15 g
Thym (plante fleurie)	10 g

Une cuillère à soupe pour un bol d'eau bouillante. Laissez infuser dix minutes. Buvez chaud une demi-heure avant le coucher.

VII. MOUVEMENTS DE GYMNASTIQUE

A effectuer le soir, avant de se coucher.

1. Debout, jambes légèrement écartées, pieds parallèles, bras le long du corps. Inspirez en montant les bras au-dessus de la tête. Tout en continuant l'inspiration, descendez les mains de façon à placer les pouces de chaque côté des narines. Appuyer fortement sur les narines (bouchez-vous le nez). Retenez votre respiration au maximum. Chassez l'air brutalement en allant toucher vos pieds. Répétez trois fois, maximum.

2. Debout, jambes légèrement écartées, pieds parallèles, bras le long du corps, paumes des mains tournées vers l'avant. Inspirez profondément par le ventre en montant les bras à l'horizontal. Restez dans cette position en inspiration le temps maximum. Rejetez l'air des poumons en portant les mains de chaque côté de la tête (mouvement de jeter derrière soi tous les ennuis de la journée en même temps que l'air des poumons).

Tous les traitements que je viens de vous indiquer ne sont pas forcément compatibles entre eux. Certains se marient, d'autres se contrarient.

Vous pouvez faire en même temps :

I. II. IV. VI.

I. III. V. VI.

I. IV. V.

Vous ne devez pas faire :

III. IV.

II. III.

XXXII. VOUS ÊTES ANGOISSÉ

De tous les symptômes décrits dans ce livre, celui-ci est probablement le plus fréquent. Ce serait presque inutile de le décrire comme symptôme tant il fait partie de la vie quotidienne.

Qui n'est pas nerveux ou angoissé par moments ?

Le plus difficile est d'apprendre à supporter un peu seul certaines angoisses, sans avoir à prendre une béquille médicamenteuse, fût-elle sans danger.

Mais lorsque l'angoisse devient trop gênante, quand on passe la journée à lutter contre, il devient alors nécessaire de faire le point. Qu'est-ce qui cause cette angoisse et que peut-on faire pour y remédier ? Si l'on ne trouve pas l'origine tout de suite, un traitement peut très bien aider à vivre avec ce malaise ; ainsi, on peut chercher les causes profondes plus efficacement.

Nous affirmons que lorsqu'on cherche en soi une cause à ses angoisses, on trouve toujours quelque chose ; mais, lorsqu'on veut chercher une origine extérieure à soi, on se trompe toujours. Devant une même situation, deux personnes ont un comportement et une angoisse différents.

Il faut donc d'abord faire le point avec soi-même et ne pas accuser gratuitement une situation ou une personne de son entourage. Il est bien connu que toute situation angoissante va déclencher une réaction en chaîne dans votre tête, et réveiller de vieux problèmes qui n'ont parfois plus rien à voir avec cette prétendue cause extérieure.

Ce que nous retrouvons le plus souvent, et de très loin, ce sont les origines affectives. Ce qui montre une fois de plus que l'homme est un cœur ayant d'être un cerveau.

Puis viennent le travail et le rythme de vie trop rapide.

Apprenez à comprendre vos angoisses, elles pourront ainsi vous aider à évoluer, vous découvrirez tout ce que vous avez au fond de vous-même, et qui ne demande qu'à se révéler.

Les remèdes

• Vous avez des soupirs involontaires, des baillements fréquents et des pleurs. Votre humeur est paradoxale : vous avez parfois de l'insomnie avec des démangeaisons, une migraine « comme un clou » planté dans la tête, une sensation de « boule » qui monte de l'estomac et serre la gorge. Paradoxe digestif : vous digérez un repas copieux, s'il est pris dans une bonne ambiance, et vous serez malade avec un repas de régime, si vous être dépressif. Vous avez parfois une diarrhée émotive, une toux nerveuse (dire « toux de l'entracte », qui se calme dès que le spectacle commence). L'aggravation principale : les odeurs, en particulier celle du tabac. Voici le remède du chagrin et des émotions :

Ignatia (la fève de Saint-Ignace)

Dilution : paradoxe là aussi ; certains réagissent bien avec trois granules de 5 CH matin et soir, d'autres avec 9 CH au lever et au coucher, d'autres encore en doses 9 à 30 CH, selon besoin. Essayez le matin et constatez le résultat.

• Vous avez une angoisse d'anticipation, le « trac ». Vous êtes tremblant, abruti, car vous craignez de parler. Vous avez des maux de tête qui partent de la nuque pour aller vers le front. Vos paupières sont lourdes, pesantes, vous avec de la peine à les ouvrir. Votre langue est enflée, engourdie, vous n'avez pas soif. Vous avez des selles après une émotion. Votre pouls est lent, votre respiration est lente, vous êtes comme « paralysé » :

Gelsemium

Dilution : 9 CH à 30 CH, selon l'importance de « l'abrutissement ».

• Vous êtes agité, anxieux, fébrile dans les gestes, les paroles, les actes. Vous faites tout vite. Le temps passe trop vite, vous voudriez avoir terminé ce que vous entreprenez dès que vous avez commencé. Vous rêvez de serpent et vous avez un désir de sucre qui pourtant vous gêne sur le plan digestif. Vous avez des palpitations. Voici un remède de diarrhée verte, d'enrouement le matin, de maux de tête congestifs et de vertiges :

Argentum Nitricum

Dilution : 8 à 30 CH, granules au début.

• Votre angoisse tient au fait que vous n'avez pas confiance en vous-même ; si l'on vous donne, d'un coup, davantage de responsabilités, vous avez tendance à les exagérer et l'angoisse nait. Pourtant votre intelligence vive vous permet de surmonter votre travail, mais à l'intérieur de vous, vous êtes triste.

Sujet sensible, vous vous libérez parfois par des colères explo sives, vous exprimant en termes violents et perdant tout contrôle ; comme si vous vouliez montrer que vous êtes capable d'autorité, car vous avez un brin d'orgueil.

Vous vous réveillez de très mauvaise humeur le matin, vous avez des pertes de mémoire et souvent des migraines. Lorqu'on vous entoure avec le sourire, qu'on reste insensible à vos colères, vous êtes désarmé ; vous montrez alors l'autre·versant de votre personnalité qui est faite de douceur et de sensibilité :

Lycopodium

Dilution : 9 CH, au début ; laissez agir la dose et montez les dilutions. A discuter avec votre thérapeute.

• Vous êtes un angoissé-né ; votre extrême sensibilité réclame, de la part de votre entourage, une grande attention. Vous êtes un romantique (voir la description du tuberculisme). Vous pouvez être tellement déçu par la société que vous allez vous isoler sur une île déserte et vous étioler petit à petit, vous qui avez tant besoin de compagnie (Jacques Brel en est l'exemple type). Vous êtes anxieux, agité, vous ne tenez pas en place et vous ne supportez pas la solitude. Vous dormez mal la nuit, vous vous réveillez souvent et vous vous assoupissez le jour. Vous avez des vertiges, beaucoup de troubles digestifs et pulmonaires, et une tendance aux hémorragies par votre mauvais état hépatique :

Phosphorus

Dilution : remède difficile à manier ; employez plutôt en haute dilution et en laissant agir la dose longtemps, jusqu'à la réapparition des symptômes.

• Vous êtes déprimé nerveusement, mais agité physiquement. Votre caractéristique : vous triturez toujours un objet dans vos mains ; ou bien vous tapez vos doigts sur la table. Vous avez des accès de mélancolie et une parole difficile, voire un bégaiement. Parfois, vous avez une insomnie par soucis ou troubles affectifs. Chez l'enfant, on trouve des terreurs nocturnes avec grincement des dents, cris pendant le sommeil, et parfois somnambulisme :

Kali Bromatum

Dilution : 9 CH, au début au coucher, puis en dose.

• Vous êtes hypersensible, très impressionnable et la moindre chose vous bouleverse. Vous êtes très sensible à la musique. Votre angoisse se manifeste par des troubles des nerfs sympathiques : vous êtes incapable de faire quoi que ce soit devant quelqu'un :

Ambra Grisea

Dilution : 7 à 30 CH, selon les troubles.

• Vous êtes nerveux, fatigué ; mais vous cherchez à vous occuper pour échapper à votre angoisse. Le temps passe trop lentement : toujours pressé, vous tressaillez au moindre bruit. Vous avez des pertes de mémoire et, parfois, des sensations étranges : vous pensez que quelqu'un se trouve derrière vous. Des pressentiments peuvent vous faire croire que votre existence est irréelle :

Medorrhinum

Dilution : 9 CH, au début ; remède à manier en liaison avec un thérapeute.

Nous devons humblement le reconnaître, devant une angoisse vraie, sans fondement (apparent), d'apparition brusque avec sensation de boule à la gorge, à l'estomac ou dans le ventre, la phytothérapie est désarmée. Elle vous aidera si vous êtes d'un tempérament « anxieux », c'est-à-dire inquiet, peut-être trop sensible mais pas si vous souffrez d'angoisse profonde. Si c'est votre cas, songez que ces fameuses sensations de boules se trouvent toujours situées au niveau du « plexus ». Il s'agit d'un blocage de l'énergie sur le plexus, et le thérapeute devra trouver un moyen de débloquer cette énergie s'il veut obtenir la guérison. La thérapie sera fonction du patient et du praticien qui pourra choisir l'homéopathie, l'acupuncture, le magnétisme, la sophrologie, la sympathicothérapie ou l'analyse. Il s'agira toujours d'un traitement long si l'on veut obtenir une guérison définitive.

Rappelez-vous qu'il existe sept plexus (ou Chakras). Les trois localisations dont nous avons parlé sont les plus fréquemment associées à l'angoisse mais le déséquilibre peut se « somatiser » différemment et nous aurons alors l'impuissance, la frigidité, la fatigue si le plexus sexuel est en cause ou des migraines s'il s'agit du plexus correspondant au 3e œil. Il ne s'agit que d'exemples, car les manifestations de ce mal de vivre sont trop nombreuses. Pour nous qui refusons « d'abrutir » nos patients avec des remèdes-matraques, elles sont capitales pour nous permettre de bien vous soigner. Il ne faut donc pas avoir honte de les décrire lorsque vous venez nous voir.

I. TISANE RELAXANTE ET DÉCONTRACTANTE

Aubépine (fleur)
Houblon (cône)
Oranger (fleur)
Violette (racine)   àà 30 g
Angélique (racine)
Basilic (feuille)
Sauge (feuille)
Bourrache (feuille)

Comptez quatre cuillères à soupe pour un litre d'eau. Portez à ébullition. Ne laissez pas bouillir. Infusez dix minutes et filtrez. Vous pouvez en boire trois tasses par jour, après les repas. Cette préparation a été composée pour atténuer toutes les angoisses.

Si vous voulez une préparation plus adaptée à votre cas, retenez cette règle d'or :
— plus de racines : si vous souffrez de migraines ;
— plus de feuilles : si la sensation de serrement ou de boule à la gorge se situe au niveau du cœur ou du plexus solaire ;
— plus de fleurs : si la vie vous fait « mal au ventre » ;
Vous trouvez cela compliqué. Peut-être ; ça l'est toujours un peu de se prendre en charge. Même si vous ne vous sentez pas prêt à jouer les apprentis sorciers et à composer vous-même vos tisanes, vous pouvez tout simplement augmenter les doses correspondantes de celle-ci.

II. MASSAGE AUX HUILES ESSENTIELLES

Il ne s'agit pas d'un traitement de fond, mais d'un excellent moyen de stopper vos angoisses. Il est, de plus, fort agréable. Faites-vous préparer le mélange suivant :

Huile essentielle de lavande   12 ml
Huile essentielle de marjolaine   10 ml
Huile essentielle d'ylang-ylang   6 ml
Labrafil codex   20 ml

Huile végétale codex   20 ml

Avec cette préparation, massez, du bout des doigts, les trois points suivants :

— *la base des pouces*, au niveau des poignets (le point est facile à trouver car douloureux en cas d'angoisse) :

en tournant dans le sens des aiguilles d'une montre ;

— *le plexus solaire*

en tournant dans le sens contraire des aiguilles d'une montre ;

— *le nombril*

en tournant dans le sens contraire des aiguilles d'une montre.

Si vous avez quelqu'un qui partage vos angoisses, demandez-lui de vous masser le dos, au niveau de vos trapèzes, juste au-dessous des omoplates. Vous trouverez un point douloureux près de votre colonne vertébrale, où l'omoplate fait un angle.

III. BAIN AUX HUILES ESSENTIELLES

Lorsque vous sentez poindre la crise, prenez immédiatement un grand bain bien chaud, avec des huiles essentielles de lavande, d'oranger et de sauge.

Faites préparer le mélange suivant :

Lavande	15 ml
Oranger	10 ml
Sauge	5 ml
Labrafil codex	20 ml
Huile végétale codex q.s.p.	100 ml

Deux cuillères à soupe pour un grand bain seront suffisantes pour vous détendre et vous apaiser.

IV. DOUCHE

En cas de surtension nerveuse, essayez une recette bien simple de l'abbé Kneipp. Prenez une douche très chaude, en insistant longuement sur la colonne vertébrale et terminez par une douche glacée des mollets.

344 Vers une nouvelle médecine naturelle

Séchez-vous en vous frottant avec les mains, sans vous essuyer, et couchez-vous bien au chaud.

V. RESPIRATION HYPNOTIQUE

Allongez-vous dans l'obscurité, bras le long du corps, jambes allongées. Placez une bougie (ou une petite lampe) en hauteur, de façon à l'apercevoir sans effort. Pendant cinq minutes, fixez la lumière en respirant de la sorte :
— inspirez en gonflant le ventre puis la cage thoracique,
— expirez en rentrant d'abord le ventre puis la cage thoracique bien à fond et par le nez.

Puis vous fermez les yeux et vous adoptez une respiration uniquement ventrale (inspiration en gonflant le ventre, expiration en rentrant le ventre).

C'est un bon moyen de débloquer votre plexus et peut-être de remédier à votre angoisse d'une façon durable si vous avez la patience de pratiquer cette respiration hypnotique tous les soirs.

Tous les traitements que je viens de vous indiquer ne sont pas forcément compatibles entre eux. Certains se marient, d'autres se contrarient.

Vous pouvez faire en même temps :
    I. III.
    III. V.
    I.V.
    IV. V.
Vous ne devez pas faire :
    I. II.
    III. IV.

En ce qui concerne les enfants, nous pouvons affirmer que c'est là la cause de consultation la plus fréquente... ainsi que de coups de téléphone.

S'il est bien un point, en médecine, qu'il est important de comprendre, c'est la température. Un individu sain oscille entre 36,5° et 37,5°. Il existe des gens qui ont, en temps normal tout au long de l'année une température de 36,2° ou de 37,3°.

Chez la femme, le cycle menstruel influe sur la température de base (que l'on doit prendre au réveil, avant de se lever). La première partie du cycle est, en moyenne, au-dessous de 37°, alors que la deuxième est au-dessus. Chez la femme enceinte, on constate généralement l'existence d'un « plateau » de 37° à 37,4°, qui permet de confirmer l'existence de la grossesse. Bien sûr, l'effort physique fait monter la température de base, ainsi que l'énervement, la tension émotionnelle et la colère. Alors, que veut dire l'expression « avoir de la fièvre ? » D'abord, il faut toujours vérifier la température avec un thermomètre, car on peut paraître brûlant et n'avoir que 38°. Cette hausse de température indique, dans la quasi-totalité des cas, une infection latente ou patente, virale ou bactérienne. Apprenez à ne plus vous émouvoir exagérément devant votre fièvre, mais à la comprendre. Tout a un sens dans l'organisme humain, et la fièvre n'échappe pas à cette règle : elle est le reflet du « combat » que l'organisme mène pour lutter contre un « agresseur ».

Savez-vous que la fièvre est un moyen très efficace de combattre un virus ? N'avez-vous jamais remarqué les poussées de croissance qui suivent en général les poussées de température chez les enfants ? Savez-vous que les poussées de fièvre peuvent même être un moyen efficace de se protéger contre un cancer ? Nous avons trouvé une série d'articles médicaux décrivant les bienfaits des bains chauds sur certains cancers. Il y est même question de réchauffer les organes cancéreux.

En médecine d'orientation anthroposophique, le traitement par le gui (Viscum Album fermenté) contre le cancer fait souvent monter la température. Il existe même des médicaments injectables destinés à provoquer des poussées de fièvre, tant on connaît ses effets bénéfiques sur un organisme en proie à un cancer. La fièvre indique que l'organisme lutte, et c'est toujours bon signe.

Encore une fois, nous sommes en complet désaccord avec la médecine officielle, que l'on pourrait appeler « médecine de la peur ». Car nous avons si souvent reçu en consultation des mères qui nous amenaient leurs enfants pour les guérir d'un seul symptôme : la fièvre !

Les patients qui se soignent en homéopathie depuis longtemps ont une tout autre attitude. Ils ont appris à observer la gorge de leur enfant, à voir s'il tousse gras ou sec, ou si son haleine a l'odeur d'acétone, à déterminer si la cause de sa fièvre est évidente ou non (coup de froid ou de chaleur, passage à l'humidité, forte douleur au ventre faisant penser à une appendicite, etc.). Ils ont appris aussi à ne pas avoir peur. La peur des parents est un facteur aggravant des maladies de l'enfant : plus les parents sont calmes, moins l'enfant sera paniqué, et mieux se déroulera sa maladie.

Que de fois les médecins disent : « au moindre signe de fièvre, appelez-moi ». Pourquoi ? Ne dispose-t-on pas de quelques heures pour « voir venir » ? Ne peut-on attendre de voir si ce n'est pas le signe précurseur d'une maladie infantile (rougeole, varicelle, oreillons...) ou d'une hépatite virale, avant d'inonder ce pauvre petit organisme d'antibiotiques, dits « de couverture » ?

Notre expérience personnelle nous a montré que le traitement antibiotique systématique, dès l'apparition d'une fièvre, est inutile dans plus de la moitié des cas. Souvent, quand on attend quelques heures, la fièvre redescend comme elle était montée.

Pensez aussi à l'ineptie d'une « couverture antibiotique » pour une fièvre élevée due à une poussée dentaire qui ne dure que quelques heures.

En tant qu'allopathe, nous prescrivions en hiver jusqu'à trois à dix traitements antibiotiques par jour. Aujourd'hui, en tant qu'homéopathe, nous en prescrivons trois à cinq par an ! ... Et encore est-ce en désespoir de cause, lorsque les symptômes sont vraiment insuffisants pour trouver le remède, et que l'infection gagne trop vite du terrain. Il faut savoir reconnaître ses faiblesses, et quelquefois les faiblesses des patients qui ne se sont pas suffisamment observés pour nous aider à trouver le bon remède.

Les seuls cas où il faut agir vite, dès le début, sont les cas de fièvres où la cause est flagrante : coup de froid sec avec fièvre sans transpiration (aconit), coup d'humidité froide, intoxication alimentaire, poussée dentaire. Si, même en cherchant bien, on ne trouve pas la cause de la température, il vaut mieux attendre une heure ou deux en observant bien les symptômes afin de trouver le bon remède. Sachez enfin que la fièvre se traite avec des remèdes différents selon les saisons (aconit en hiver, dulcamara en automne, apis en été...) et que le plus important, ce sont les symptômes du patient.

Les remèdes

• Votre fièvre est très vite élevée. Votre gorge est très chaude, rouge mais sèche. Votre visage est rouge et chaud lui aussi, mais vous pâlissez dès que vous vous asseyez. Votre pouls est rapide et tendu, il bat fort et amplement.

Vous êtes anxieux, vous avez soif et vous réclamez des soins. Vous avez peur de mourir, tout particulièrement vers 23 heures. Vous ne supportez pas que votre chambre soit trop chauffée. Voici le remède du coup de froid sec :

Aconit

Dilution : une dose en 9CH dès les premiers symptômes, à répéter une à deux heures après ; ou trois grains toutes les demi-heures en 7 CH ; ou une dose en 15 CH si les symptômes s'accompagnent d'une grande anxiété avec peur de mourir.

• Votre peau est tour à tour sèche et moite, vous urinez de moins en moins et vous n'avez pas soif. Vous avez même des œdèmes ou de l'urticaire. Vous avez la paume des mains brûlante. Chez un nourrisson, cette fièvre provoque le sommeil, bien que le tout-petit soit agité de mouvements qui le maintiennent réveillé. Il a un début de syndrome méningé, avec une fontanelle un peu tendue même lorsqu'il ne pleure pas. Dans ce cas, il faut consulter tout de suite.

Voici un remède qui convient mieux aux tuberculiniques.

Apis

Dilution : 7 CH, toutes les demi-heures, puis espacez.

• Votre température est très élevée, souvent au-dessus de 39°. Votre peau dégage une chaleur intense, et elle est couverte de sueur. Votre pouls est rapide et plein. Vos pupilles sont dilatées. Vous êtes abattu et irrité, alors qu'en temps normal vous avez plutôt bon caractère. Vous avez même des peurs irraisonnées. Votre fièvre peut vous faire délirer (vous mordez, vous parlez vite en secouant votre tête d'un côté et de l'autre sur l'oreiller).

Vous êtes rouge, et enflé. Votre langue est rouge, framboisée, sèche. Vous avez soif.

Si vous avez une angine, votre gorge est rouge, sèche, et elle vous semble rétrécie. Vous ne pouvez avaler que par petites gorgées, et parfois le liquide que vous buvez reflue par les narines.

Bien qu'on l'ait surnommée « l'aspirine homéopathique », ce remède est, comme tous les autres, soumis à des symptômes précis. Il convient mieux aux carboniques :

Belladonna

Dilution : 5 CH toutes les demi-heures au début, une dose en 15 CH, à répéter deux heures après s'il y a alternance d'agitation et d'abattement.

• Votre fièvre vous rend apathique, prostré, vous qui êtes d'ordinaire irritable et coléreux. Vous avez tout de même des poussées d'irritabilité, si l'on vous dérange (bruit ou mouvement). Vous ne supportez pas la moindre agitation autour de vous. Vos lèvres sont sèches, et vous avez soif : vous buvez de grandes quantités d'eau, à de larges intervalles. Le simple fait de vous asseoir sur votre lit vous donne des nausées. Votre sueur est huileuse et d'odeur acide.

Bryonia

Dilution : 5 CH à 9 CH toutes les heures. 15 CH si vous avez des maux de tête et une grande irritabilité (une dose à répéter si nécessaire).

• Vous êtes alternativement rouge et pâle. Vous avez des bouffées de chaleur et de rougeur au visage, alors que vos extrémités sont froides. Vous craignez l'air froid, sauf lorsque vous avez mal à la tête. Votre pouls est rapide, mais il est mou. Votre fièvre est rarement très élevée (38°), et vous transpirez la nuit.

Voici l'un des remèdes principaux de l'otite :

Ferrum Phosphoricum

Dilution : 7 CH, toutes les deux heures, puis espacez.

Réflexion sur le fer, métal de l'incarnation

Le fer tient un grand rôle dans les maladies infectieuses et à fièvre.

On a découvert que certains peuples d'Afrique étaient très rarement sujets à des rhino-pharyngites, beaucoup moins que nos enfants par exemple. Les recherches ont montré que ces Africains manquent de fer. Rien d'étonnant donc à ce que le fer, dilué et dynamisé, soit un remède homéopathique des maladies infectieuses et de la fièvre.

Nous avons même été amenés à réfléchir sur les goûts spontanés de très nombreux enfants en ce qui concerne les aliments riches en fer. Les lentilles et les épinards font partie des aliments que, en général, les enfants n'adorent pas. Est-ce que les enfants, instinctivement, ne s'éloigneraient pas du fer pour se prémunir contre les infections ? C'est un pas que nous osons franchir.

D'autre par, nous avons remarqué que la plupart des rhinopharyngites se répètent avant sept ans. Or, en anthroposophie, le fer est le métal de l'incarnation terrestre. Il est alors facile de supposer que l'enfant s'incarne progressivement, en n'incorporant que lentement le fer à son alimentation. Il sait, quelque part en lui, qu'il doit acquérir une immunité contre les microbes de cette terre, mais de façon progressive. Plus il se rapprochera du fer, plus il mangera du fer, plus il s'incarnera et plus il saura se défendre contre les infections, par l'immunité qu'il aura acquise.

C'est vers sept ans qu'il va enfin se débarrasser de son enveloppe éthérique pour naître, au point de vue éthérique, dans son corps de vie. Et c'est justement ce corps de vie qui est chargé de guérir les maladies.

• Tout brûle : vous avez chaud, et continuellement besoin d'air. Vous êtes auto-intoxiqué, et vous mangez trop, votre peau en est le reflet (elle est sale et démangeante, et vous n'aimez pas vous laver).

Votre fièvre est continue et rémittente. Votre peau est sèche et brûlante, et votre visage congestionné. Vous ressentez une faiblesse à la limite de l'évanouissement vers onze heures du matin :

Sulfur

Dilution : 7 CH toutes les heures, puis espacez. Puis une dose, en 15 CH lorsque tout est fini, pour nettoyer l'organisme. C'est le remède que l'on donne à la fin des maladies éruptives de l'enfance.

• Votre fièvre ne vous donne pas soif. Vous êtes « abruti » par cette hausse de température. Vous avez mal à la tête avec une sensation de faiblesse et de courbature :

Gelsemium

Dilution : 9 CH toutes les heures puis espacez.

• Votre fièvre est souvent due à une bronchite ou à une intoxication alimentaire. Vous êtes fatigué, angoissé, agité. Vous avez froid, et réclamez bouillotes et couvertures, mais vous aimez avoir un filet d'air frais sur le visage.

Votre anxiété est telle que vous avez peur qu'on vous empoisonne. Vous vous méfiez des remèdes qu'on vous donne. Vous sentez votre fin approcher surtout entre 1 h et 3 h du matin. Vous réclamez de petites quantités d'eau, que vous rejetez dès qu'elles se sont réchauffées dans votre estomac.

Vous ne supportez pas les conserves, ou les viandes qui ont commencé à s'abandonner. Dans ce cas, votre diarrhée est brûlante, fétide, suivie d'un grand épuisement accompagné de tremblements. Vous êtes sûr que vous n'en sortirez pas :

Arsenicum Album

Dilution : 5 CH, toutes les heures, puis 9 CH, puis espacez.

• Votre face est rouge, violacée et chaude, mais votre nez et vos extrémités sont froides. Vous êtes sans arrêt à la recherche de la bonne place dans le lit, et vous ne supportez pas d'être touché, ni même que l'on s'assoit sur votre lit. L'enfant qui présente ces symptômes pleure en sentant venir sa toux qui le rend grincheux. Voici un remède des coups, mais aussi des gastro-entérites et des bronchites :

Arnica

Dilution : 7 CH toutes les demi-heures puis espacez.

• Vous êtes agité, vous avez l'haleine fétide et vous délirez. Votre sueur est d'odeur fétide elle aussi. Il y a disharmonie entre votre pouls et votre température : votre pouls est lent alors que votre température est élevée. Vous avez des courbatures et des frissons, et votre lit vous paraît très dur.

Voici un remède que nous prescrivons toujours dans les maladies infectieuses, même lorsque nous ne sommes pas en présence de ses symptômes caractéristiques :

Pyrogenium

Dilution : 7 à 9 CH trois à quatre fois par jour.

Il existe d'autres remèdes de fièvre en homéopathie, mais nous préférons en réserver l'usage à votre praticien, car ce sont des remèdes de maladies beaucoup plus graves (baptisia, helleborus, lachesis, camphora, muriatic acid, carbolic acid...).

Remède d'orientation anthroposophique

Lorsqu'il s'agit d'un début de grippe, prenez :

Infludo

6 gouttes par heure au début (3 à 5 pour les touts petits).

Hyosciamus	0,01 %
Primula	2,5 %
Onopordon	2,5 %
Excipient q.s.p.	100 %

15 gouttes matin et soir chez l'adulte
10 gouttes matin et soir chez l'enfant
 5 gouttes matin et soir chez le nourrisson.

Ce remède, appelé *Cardiodoron* est à prendre systématiquement en cas de fièvre. Il harmonise le système rythmique (le cœur) et régularise les excès dus à la fièvre.

Pour le phytothérapeute aussi, la fièvre est le signe extérieur d'un combat interne que mène votre organisme contre un envahisseur : virus, microbes, germes pathogènes, bacilles, etc.

La fièvre, si alarmante pour certains, (surtout pour les mères de famille) n'est donc qu'une réaction saine d'un corps sain. C'est pourquoi il est dangereux de vouloir le « faire descendre » et le camoufler à tout prix par des médications « coup de massue » comme, par exemple, les antibiotiques. Vous pourriez alors passer à côté d'une maladie en pleine évolution, priver l'organisme de ses défenses naturelles.

Les remèdes que nous vous indiquons ici feront « tomber » la fièvre doucement, sans cacher l'évolution de la maladie dont la fièvre est le premier signal.

Ils soulageront et soutiendront le malade affaibli par cette élévation thermique anormale et stimuleront sa récupération.

I. TISANES FEBRIFUGES

Bouillon blanc	20 g
Artichaut (feuilles)	5 g
Sureau (fleurs)	20 g
Bourrache (fleurs)	10 g

Hysope (sommités fleuries)	25 g
Reine des prés (feuilles et fleurs)	25 g
Olivier (feuilles)	15 g

Versez quatre cuillères à soupe de ce mélange dans un litre d'eau bouillante. Infusez dix minutes et filtrez. Sucrez avec du miel de tilleul. Buvez 3 à 4 tasses au cours de la journée en dehors des repas.

Houx (feuilles)	20 g
Boucage (racines)	20 g
Lierre terrestre (plante entière)	15 g
Saponaire (racines)	15 g
Réglisse (racines)	5 g
Chardon bénit (sommités fleuries)	25 g

Versez quatre cuillères à soupe de ce mélange dans un litre d'eau froide. Chauffez à feu doux jusqu'à ébullition, laissez cuire une minute, puis reposer dix minutes. Buvez cette tisane au cours de la journée en trois ou quatre prises en ajoutant à chaque fois dix gouttes de teinture-mère de tormentille.

II. L'EAU D'ORGE

Préparez une décoction d'orge (une poignée pour un litre d'eau froide). Après deux ou trois minutes de cuisson, jetez cette première eau (mais conservez l'orge), refaites bouillir le grain dans à nouveau un litre d'eau froide pendant cinq minutes. Buvez cette préparation dans la journée en dehors des repas coupée de lait (2/3 d'eau d'orge pour 1/3 de lait).

Ce remède, au demeurant très ancien et très simple, se révèle être d'une efficacité remarquable. En effet, il soutient les forces du malade qui s'alimente peu, il tempère la chaleur fébrile du corps, donne des forces aux anémiés.

III. BAIN AUX PLANTES

Chacun sait qu'outre la sensation de détente et de bien-être que procure un bain, celui-ci, surtout s'il est aux plantes, peut aussi être une remarquable thérapie.

Dans le cas de fièvre, il agit comme un véritable « régulateur » thermique. Préparez un bain chaud complet (38°) auquel vous ajouterez la préparation suivante :

Lierre grimpant   4 grosses poignées
Oignon   2 grosses poignées
Ortie piquante   6 grosses poignées

Versez le tout dans deux litres d'eau bouillante. Laissez bouillir trois minutes et infusez dix minutes. Filtrez avant d'ajouter à l'eau du bain.

La durée de ce bain ne doit pas excéder 15 minutes, et il doit obligatoirement être suivi d'un repos allongé au chaud. Le mieux est alors de vous envelopper dans un drap sec et une couverture.

IV. CATAPLASME D'ARGILE

Préparez un saladier d'argile. Vous lui ajouterez, en remuant bien avec une cuillère en bois, la décoction suivante :

Saponaire (plante coupée)   30 g
Salsepareille (racine)   30 g

Jetez les plantes coupées dans un litre d'eau froide.

Chauffez et laissez bouillir dix minutes, puis filtrez. Lorsque argile et décoction formeront une pâte bien homogène, ajoutez-leur ce mélange :

Huile essentielle de gingembre   10 ml
Labrafil codex   20 ml

Remuez bien et séparez la pâte en deux parties égales afin de former deux cataplasmes dont vous entourez vos pieds et vos mollets. Recouvrez d'un linge et gardez ces cataplasmes jusqu'à ce qu'ils deviennent secs.

V. MASSAGES REFLEXES

1. Pour faire « tomber » la fièvre, massez deux à trois minutes les points suivants.

Au niveau de la main :

— les extrémités des pouces (commencez par le gauche) ;
— un point situé au milieu de la paume de la main, à deux travers de doigt sous le majeur (commencez par la main gauche) ;
— un point situé au milieu du bord externe (soit du côté de l'auriculaire) de la main gauche.

Au niveau du pied ;

Massez toute la plante des pieds en insistant (massez avec le poing) sur le 1/3 moyen. Commencez par le pied gauche.

Pour ces massages, utilisez ce mélange d'huiles essentielles :

Huile essentielle de cannelle	5 ml
Huile essentielle de thym	5 ml
Huile essentielle de citron	5 ml
Huile de pépins de raisin	60 ml

2. Pour lutter contre l'anémie, la fatigue, la maigreur qu'entraînent la fièvre : massage du kao-roang.

Ce point est, pour les Orientaux, notre centre de vitalité, son massage (en tournant dans le sens des aiguilles d'une montre), tonifiera votre organisme et vous donnera des forces neuves.

Mais dans ce cas précis, vous ne pourrez pas vous masser vous-même, ce point étant situé dans le dos.

Pour que la personne qui vous masse trouve aisément le point, asseyez-vous coudes posés sur une table et suffisamment rapprochés, pour que vos omoplates fassent saillie, qu'elles se décollent. Le point se trouve un peu en-dessous de l'angle supéro-interne de l'omoplate droite (près de la colonne). De toute façon, la recherche du point est facilement guidée par la douleur car il est extrêmement sensible à la pression. Le résultat de ce massage sera nettement meilleur si vous employez quelques gouttes d'huile essentielle de *verveine des Indes*.

VI. SUPPOSITOIRES ANTI-INFECTIEUX

Tout en stimulant les défenses naturelles de l'organisme pour combattre une éventuelle infection, ils favorisent l'élimination des toxines, soulageant ainsi le travail des reins ; ils font baisser la fièvre dès la première prise.

Mettez un suppositoire chaque soir pendant 3 à 5 jours .

Huile essentielle de thym	0,10 g
Huile essentielle de marjolaine	0,10 g
Huile essentielle de citron	0,10 g
Huile essentielle de gingembre	0,10 g
Huile essentielle d'eucalyptus	0,10 g
Excipient q.s.p.	3 g

Tous les traitements que je viens de vous indiquer ne sont pas forcément compatibles entre eux. Certains se marient, d'autres se contrarient.

Vous pouvez faire en même temps :

I. III.

II. III.

I. IV.

II. VI.

I. V.

Vous ne devez pas faire :

I.a. I.b.

I.a. I.b. III.

IV. VI.

XXXIV. VOUS ÊTES FATIGUÉ LE MATIN EN VOUS RÉVEILLANT

Il n'est pas normal d'être fatigué au réveil. Peut-être quelques minutes pour « redescendre » sur terre sont-elles nécessaires à certains, mais pas plus.

Tout ce qui se traduit par un sommeil persistant, une envie de se coucher, un « manque de force » et d'entrain en début de journée est anormal. La fatigue, le matin, est souvent secondaire à un sommeil perturbé (surtout par les somnifères, chapitre « vous dormez mal »). Elle peut être due aussi à un état nerveux, voire à un état dépressif que l'on appelle « réactionnel », dû à une situation de conflit qui vient de l'environnement (couple, travail mal accepté, etc.). Il est donc nécessaire d'analyser cette éventualité avec votre thérapeute.

Une fatigue dès le matin, avec cette impression que les heures de sommeil n'ont pas été réparatrices — et si cette fatigue se répète — signale toujours un problème de santé (foie, intestins, reins, estomac, alimentation mal appropriée), ou un problème de mauvaise adaptation à sa propre vie. Recherchez ce qui peut être modifiable dans vos habitudes, ou tout au moins ce qui vous préoccupe (parfois sans que vous vous en rendiez compte).

Accordez une place de choix à vos recherches alimentaires et supprimez définitivement les repas trop riches, et éliminez les graisses, le vin et les sauces le soir.

Les remèdes

Fatigue par inadaptation à la vie menée :

• Vous avez une boule à la gorge qui vient de l'estomac. Vous êtes triste, souvent après un choc moral ou une mauvaise nouvelle. Vous baillez et soupirez souvent. L'odeur du tabac vous est insupportable. Exception à la règle : en vacances, vous vous retrouvez dans une bonne ambiance, votre entourage est gai et détendu, alors vos troubles diminuent :

Ignatia (la fève de Saint-Ignace)
Dilution : 9 CH, trois granules au lever.

• Une mauvaise nouvelle ou un choc vous a mis dans un état de stupeur : vous vous sentez comme abruti et presque endormi ·
Gelsemium (le jasmin de Virginie)
Dilution : 15 CH, une dose, à répéter éventuellement.

Fatigue par insomnie ou manque de sommeil :

• Vous avez des vertiges, des nausées, une sensation de lenteur intellectuelle, de mauvaise mémoire immédiate. Vous vous sentez grandement susceptible aux offenses, aux contradictions ; et ces nausées qui reviennent... Voici notre remède habituel de mal des transports :
Cocculus (la coque du levant)
Dilution : 9 CH, trois granules matin et soir.

• Surexcité le soir, au moment de vous endormir, vous êtes dans un tel état de tension que vos idées défilent dans votre tête à toute vitesse. Le sommeil n'a pas été reposant et le matin vous voit épuisé :
Coffea Tosta (le café cuit)
Dilution : 9 CH, trois granules le soir au coucher.

Fatigue intellectuelle :

• Vous êtes triste, vous manquez de volonté et votre indécision vous désole. Vous êtes incapable de réfléchir :
Kalium Phosphoricum
Dilution : 9 CH, trois granules au lever et à midi.

• Votre lenteur intellectuelle, votre perte de mémoire vous irritent. Vous êtes incapable de suivre une conversation, et il s'ensuit une indifférence à ce qui vous entoure et à vos propres études. Voici un remède pour vous aider à réussir vos examens, si vous êtes dans cet état :
Phosphoricum Acidum
Dilution : 9 CH, trois granules au lever et à midi ; espacez dès amélioration.

• Votre fatigue s'accompagne de maux de tête en étudiant, et d'une perte d'appétit. Vous êtes plutôt maigre, longiligne, et chaque poussée de croissance augmente votre taille... et diminue vos résultats scolaires :
Calcarea Phosphorica

Dilution : 9 CH, trois granules au lever pendant plusieurs semaines.

Très bien soutenu par les préparations d'orientation anthroposophique :

— *Sels calcaires nutritifs :* à prendre à raison d'1/4 de cuillère à café du numéro 1 le matin, et du numéro 2 le soir.

— *Sirop de prunelle Weleda :* 3 cuillères à soupe par jour (dans un verre d'eau).

A noter le radical « Phosphore » qui est justiciable des fatigabilités cycliques du tempérament « phosphorique ».

Fatigue par excès ou erreur alimentaire :

• Vous êtes un gros mangeur sédentaire qui adore faire une courte sieste après son repas de midi. Mais le soir, tout change : après votre dernier digestif, qui a suivi les cerises à l'eau de vie et le gros repas bien en sauce, vous allez au lit... Dodo petit canard à l'orange, dodo truite aux amandes, même avec musique de Schubert, dodo filet de bœuf épais et grains de poivre vert...

Edition spéciale : ouragan digestif dans la nuit !

Votre foie est au 400 mètres-haies ; votre pancréas au marathon ; votre intestin, à la brasse papillon ; votre sang est réquisitionné dans votre tube digestif.

Ah, vous dormez ! Mais votre organisme ne dort pas, il est aux jeux olympiques du tube digestif. Qui s'étonnera de votre « gueule de bois », de votre fatigue et de votre mauvaise humeur au réveil ?

Nux Vomica

Dilution : 7 CH, trois granules au coucher ; faites un traitement de fond avec votre thérapeute.

• Vous êtes un glouton à la langue blanche et épaisse le matin. Vous avez dévoré toute la journée d'hier, et ce matin, vous êtes maussade, hargneux, vous recherchez la contradiction, vous boudez et vous refusez de parler. Vous pouvez être si triste que vous en avez un dégoût de la vie. Alors, vous allez vous goinfrer à nouveau pour compenser, et la fatigue reviendra demain :

Antimonium Crudum (le sulfate noir d'antimoine).

Dilution : 5 CH, trois fois par jour ; puis augmentez les dilutions.

Pour le naturopathe aussi, si vous êtes fatigué en vous réveillant le matin, ce n'est pas normal , pas normal du tout... ! Ne vous laissez pas raconter que c'est parce que .. vous travaillez trop, que c'est normal à votre âge, que vous êtes simplement fainéant, que... Dieu sait quoi !

Nous vous le disons tout net : vous devez vous réveiller en pleine forme, en ayant envie de chanter, quels que soient votre âge, votre soucis, votre travail.

Bref ! Aucune raison, aussi bonne soit-elle, n'est acceptable. Il peut y avoir mille causes à cette fatigue :
— mauvaise digestion, mauvaise circulation, blocages articulaires, difficultés à déconnecter.
Pour commencer, essayez donc de mettre en pratique quelques habitudes que nous avons prises tous les deux et qui nous permettent de toujours nous réveiller en pleine forme.
— Le soir, avant de vous coucher, buvez une infusion bien chaude (cf. chapitre « Insomnie »).
— Dans votre lit, astreignez-vous à respirer bien à fond pendant au moins 1/4 d'heure, en essayant de vous relaxer.
— Le matin, en vous levant, faites à Neti Krya » : aspirez de l'eau à peine tiède et salée par une narine, et rejetez-la par l'autre (c'est automatique). Vous devez inspirer alternativement par chaque narine et bien vous moucher après chaque inspiration. Cette pratique ancestrale des yogis est un gage de bon équilibre nerveux et endocrinien.
— Prenez une douche très chaude, tous les matins et faites-la suivre d'une douche froide, de tout le corps. Nous savons, par expérience que c'est difficile les premières fois mais nous savons également que tout le monde peut y parvenir avec un peu de courage et de persévérance.
— Faites au moins quelques mouvements d'assouplissement avant de vous habiller. Ne dites pas que vous n'avez pas le temps. Il vous faut cinq minutes pour cette gymnastique, et lorsque vous vous réveillerez en forme, vous vous apercevrez que la journée est toute à vous, et que vous avez largement le temps. Surtout, ne pensez pas : « c'est trop simple pour être efficace ». Essayez et vous verrez.

Si ces petits conseils ne sont pas suffisants, en voici d'autres qui vous aideront mais rappelez-vous que pour être en forme, il est indispensable de se prendre en charge.

I. TISANE DÉPURATIVE

Lorsque la fatigue est due à une mauvaise élimination des toxines, buvez une grande tasse, matin et soir, de la préparation suivante :

Salsepareille	30 g
Chardon bénit	25 g
Fumeterre	30 g
Chiendent	25 g
Prêle	15 g
Pensée sauvage (feuilles)	15 g
Bardane (racines)	15 g
Verveine	30 g
Thym	20 g

Comptez une cuillère à soupe pour une tasse d'eau bouillante. Laissez infuser dix minutes, et buvez très chaud.

II. HUILES ESSENTIELLES STIMULANTES

Si votre fatigue est liée à une mauvaise digestion, prenez après chaque repas un demi-sucre de canne imprégné de quatre gouttes du mélange suivant :

Huile essentielle de romarin	6 ml
Huile essentielle de citron	6 ml
Huile essentielle de coriandre	6 ml
Huile essentielle d'estragon	6 ml
Huile essentielle de carvi	6 ml

III. STIMULATION DE LA PLANTE DES PIEDS

Tous les matins, dès le réveil, piétinez rapidement, pendant cinq minutes sur un paillasson en paille de riz ou en chiendent. Ensuite, frottez vigoureusement la plante des pieds avec le mélange suivant :

Huile essentielle de cannelle de Ceylan 10 ml

Huile essentielle de sarriette	10 ml
Huile essentielle de sauge	10 ml
Huile de noyau hyperoxygénée	25 ml
Huile de pépins de raisin	70 ml

IV. PRENDRE LE MATIN A JEUN

Une dose (2 ml) d'un mélange des oligo-éléments suivants :
    cuivre - or - argent
Il est indispensable de conserver cette dose pendant deux minutes sous la langue avant d'avaler.

V. MOUVEMENTS DE GYMNASTIQUE

1. Avant de poser le pied par terre, étirez-vous dans tous les sens en tendant bras et jambes au maximum, « comme un chat ».
2. Assis, le buste droit, jambes tendues. Le derrière du genou touche le sol. Les mollets reposent au sol. Les talons sont légèrement décollés.
Mains aux épaules.
Tendez les bras au-dessus de la tête en creusant le dos entre les omoplates. Respirez en tendant les bras. Expirez en posant les mains sur les épaules.
Nota : si le mouvement est trop difficile au début, écartez les jambes.
3. Assis sur le sol, le buste droit, les jambes écartées, les pointes des pieds ramenées, les talons si possible décollés du sol.
Les mains jointes, bras tendus au-dessus de la tête. Allez toucher un pied avec les deux mains. Revenez à la position de départ. Allez toucher l'autre pied.
Nota : après un peu d'entraînement, il faut passer les mains jointes derrière chaque pied.
4. Allongé sur le sol. Jambes pliées. Bras écartés, mains à plat sur le sol.
Portez doucement les genoux de chaque côté de la tête en essayant de tendre les jambes.

Tous les traitements que je viens de vous indiquer ne sont pas forcément compatibles entre eux. Certains se marient, d'autres se contrarient.

Vous pouvez faire en même temps :

    I. III.

    I. IV.

Vous ne devez pas faire :

    I. II.

    III. IV.

Nous abordons là un des chapitres les plus épineux de la médecine actuelle. Il faut tout d'abord s'étendre sur le terme « maigrir ». Certains veulent perdre du poids (90 % des cas sont des femmes) ; d'autres veulent perdre juste quelques kilogrammes, mais à des endroits choisis (comme si le médecin avait, tel le sculpteur, la capacité de modeler le corps humain !). Admettons que, dépassé une certaine limite, le poids puisse gêner, donner des difficultés respiratoires ou même agacer le sens de l'esthétique. Mais de grâce, n'admettons-nous pas qu'en vieillissant, certaines capacités de l'organisme diminuent (« je n'ai plus mes jambes de vingt ans ! ») ?

Alors, il faut accepter certaines rondeurs, comme une petite marque des événements de la vie : grossesses, états de fatigue, problèmes circulatoires ou endocriniens (des glandes).

Si nous parlons ce langage, ce n'est pas parce que les problèmes esthétiques ne nous concernent pas (loin de là), mais pour deux raisons :

— après avoir fait des dizaines de traitements anti-celluliteux, et d'amaigrissement, nous avons remarqué que :

1. La cellulite revient un jour ou l'autre si l'on ne change pas d'alimentation, même lorsque nous employons la méthode barbare des multi-injections locales dans les bourrelets de cellulite (méthode que nous avons abandonnée, cela va sans dire).

2. Il y a une loi du « tout ou rien ». Le traitement entrepris, si le poids descend le résultat est durable, sans fatigue ni aucun effet secondaire (comme lors de traitements classiques aux « coupe-faim », aux hormones thyroïdiennes et aux diurétiques). Si le poids ne bouge pas, alors il y a peu de probabilité qu'il bouge un jour.

— La deuxième raison qui nous fait prendre tant de précautions avant d'aborder ce sujet, c'est que nous en avons largement assez du bourrage de crâne intensif des revues de mode et de jeunes : l'abêtissement des foules passe par une uniformisation de la masse des gens. Nous nous élevons avec force contre cette mode de la femme-épingle, filiforme, avec la taille bien marquée, des jambes allongées et une poitrine quasi inexistante. Les critères de l'esthétique appartiennent à tout le monde, y compris à vous, et non aux organisateurs de la mode ou de la standardisation de la femme. Il faut que l'on accepte pour « esthétique », comme à une époque de ce siècle, la femme ayant des rondeurs. Elle-même doit s'accepter comme elle est. Elle doit aussi se persuader que pour plaire, il n'y a pas que l'enveloppe extérieure, le corps. La beauté réside plus souvent dans le cœur et les qualités d'âme. La féminité n'a réellement rien à voir avec le rapport taille-poids. Nous avons remarqué que les « rondes » étaient très souvent plus sensuelles et féminines.

Un dernier mot concernant les régimes. Selon ce que nous avons dit de l'alimentation, de son rôle dynamisant et équilibrant au début de ce livre, il nous semble totalement aberrant et même dangereux pour l'être humain de le priver totalement et définitivement d'une catégorie d'aliments.

Il est écrit *partout* que les hydrates de carbone sont les pires ennemis du genre humain arrondi. Ailleurs, ce sont les graisses ; pour d'autres encore toute l'alimentation est à proscrire. Et l'on voit des énormités telles que :
- Deux œufs durs
  un pamplemousse le matin
- Deux œufs durs
  un pamplemousse à midi
  et un café noir sans sucre, etc.

Pour d'autres, il faut faire un régime hyperprotidique (avec beaucoup de protéines), quitte à les manger en poudre, dans des sachets au goût douteux, vendus en pharmacie, fabriqués de surcroît à partir de lait de vache, souvent très mal supporté par les adultes).

Nous sommes outrés que des thérapeutes et des médecins puissent prescrire de tels régimes.

Le corps humain est un ensemble complexe de tous (ou presque tous) les éléments qui sont à la surface du globe. Pour pouvoir fonctionner, il a donc besoin de tous ces éléments.

Comprenez bien que le cerveau est essentiellement constitué de... graisses ; et que le sucre est nécessaire au métabolisme, surtout pour les gens actifs. L'organisme ne peut pas se passer de tel ou tel apport alimentaire durant de trop longues périodes. Heureusement, la nature et l'instinct sont bien faits : la personne « au régime » a de temps en temps des crises de boulimie ; ce qui permet au corps de se recharger en sucres et en graisses. On appelle

« hydrate de carbone » tous les aliments à base de sucres ou apparentés : pâtes, pain, pâtisseries, féculents, fruits, biscottes, biscuits, bonbons, etc...

Il est donc impensable de rester des années sur un régime ainsi carencé.

Nous préférons avoir une personne grasse, en pleine forme et souriante, qu'une personne maigre, malade et déprimée. Citons comme anecdote deux visites de nuit d'urgence, lorsque nous exercions dans une station balnéaire du Languedoc. L'été et les mini-maillots aidant, deux jeunes filles voulaient perdre quelques bourrelets à coup de gélules soi-disant homéopathiques et sans rien manger. Nous avons été obligé d'hospitaliser une d'entre elles en clinique psychiatrique pour « état d'excitation sur fond de dépression nerveuse ». Il paraît évident que faire maigrir à ce prix ne nous intéresse pas. Il est plus constructif d'accomplir un travail sur soi-même, en s'acceptant tel que l'on est.

Aux personnes qui doivent faire un régime : mangez exactement, en qualité, tout ce que vous avez l'habitude de manger.

Petit conseil : servez-vous (vous-même) le tiers de ce que vous vous servez d'habitude. Cela peut amplement suffire pour vivre sans être malade (exception faite des travailleurs physiques). Dernière indication : il est totalement faux que boire beaucoup fait maigrir. Nous avons les vivants exemples, dans nos clientèles, de femmes qui boivent beaucoup, sans trop manger... et qui grossissent ! Au risque de nous attirer les foudres des marques d'eaux minérales, nous affirmons que boire beaucoup d'eau ne fait rien éliminer du tout ; à la longue, les urines deviennent aussi claires que l'eau bue. Buvez lorsque votre organisme a soif, suivez votre instinct encre une fois. Si, toutefois, vous avez constaté que vous « éliminez » en buvant, continuez. Votre métabolisme réagit positivement ; tant mieux pour vous. Nous affirmons simplement que cela n'est pas vrai pour tout le monde.

A noter, pour être mauvaise langue, que comme par hasard, la quantité d'eau conseillée par jour est de un litre et demi, et comme par hasard, le contenu des bouteilles est de un litre et demi...

Les remèdes

Eliminer doit vouloir dire « drainer ». Et les cures purgatives du printemps, pratiquées par nos anciens, avaient largement plus de sens curatif que boire un litre et demi d'eau assis toute la journée derrière son bureau (même si l'on fait de la rétention d'eau).

Drainer un organisme, c'est stimuler tous les organes appelés « émonctoires » : le foie, les reins, l'intestin, la peau, etc. Le drainage le plus simple, à faire soi-même, est la sudation (le drainage par la peau). Le sport, la course, la marche, le vélo ne font en aucun cas maigrir s'ils ne sont pas accompagnés d'un régime. Ils ouvrent, au contraire, l'appétit. Ils sont un excellent moyen de transpirer.

Les remèdes de drainage des émonctoires les plus courants ;
• Berberis, pour le rein.
• Solidago, pour le foie et le rein.
• Chélidonium, pour le foie.

Mais il est préférable d'utiliser des mélanges de remèdes, ce qui nous rapproche de la phytothérapie. Nous prescrivons souvent ·
   Chelidonium (la chélidoine)
   Carduus Marianus (le chardon Marie)
   Solidago (la verge d'or)
   Berberis (l'épine vinette).
en mélange à parties égales en troisième décimale.

On demande le mélange en « àà 3X », et on prend 15 gouttes, matin et soir, dans très peu d'eau, avant les repas. Voici un excellent remède de drainage d'orientation anthroposophique qui s'appelle le « Chelidonium composé ».

Chélidonium	D1
Carduus Marianus	D1
Digestodoron	
Onopordon	D1 (le chardon)
Taraxacum	D1 (le pissenlit)
Urtica Dioica	D1 (l'ortie)

à prendre 10 gouttes, trois fois par jour.

Tout le reste du traitement homéopathique est constitué de remèdes de fond à trouver avec votre homéopathe ; remèdes qui sont souvent complétés par des gouttes de :
   Fucus Vesiculus TM
   50 gouttes matin, midi et soir, et de
   Pilosela TM

50 gouttes matin et soir, si la fonction d'élimination urinaire est insuffisante.

On parle aussi de lièrre :

Hedera TM

50 gouttes matin, midi et soir, à tenter pour les excès graisseux.

Pour la cellulite, localement l'huile de *Rhus Tox. TM.*

Nous a parfois donné des résultats, à condition que le traitement soit long, de l'appliquer après une douche, et le passage d'un gant de crin sur les plaques de cellulite (évitez de frotter trop fort !).

Les remèdes de cellulite sont à employer avec votre thérapeute, car leur emploi est délicat.

La cure d'eau d'Hydoxydase (deux petites bouteilles par jour en dehors des repas) est souvent un auxiliaire précieux au « nettoyage » de l'organisme.

Il est tout de même honnête de dire, lorsqu'on prend du Fucus, du Pilosela ou tout autre remède dit « amaigrissant » que l'élément principal est le régime alimentaire ; vous n'obtiendrez jamais aucun résultat avec un remède — même s'il amorce une baisse de votre poids — si vous ne revoyez pas votre régime alimentaire.

Entrons sur un terrain glissant : la nourriture !

Que de significations, de compensations, de rappels à l'enfance ! Sachez que, plus d'une fois, lorsque vous réclamiez les bras de votre maman ou de votre papa, entre deux biberons souvent bien sucrés, on vous a donné un biscuit pour vous calmer. La bonne éducation veut qu'on ne peut pas avoir un enfant dans les bras tout le temps...

Déjà au berceau, on a créé un réflexe conditionné : carence affective = nourriture compensatrice. Plus tard, les sucreries ont inondé le marché alimentaire... et votre organisme, créant de tels désordres que vos cellules en ont été marquées.

C'est dans les 18 premiers mois que l'on détermine une obésité chez un adulte ! C'est dans votre toute tendre enfance que vos petits bourrelets, qui émerveillaient votre famille, ont été la réserve de cellules graisseuses. Celles qui, aujourd'hui, font vos paquets de cellulite.

« C'est un beau bébé » veut toujours dire « c'est un gros bébé » ; il est temps que cela change !

Remarque : chaque fois qu'il est question de nourriture, en consultation ou entre amis, nous voyons une levée de boucliers et une angoisse naître dans le regard des gens. Certains sont paniqués à l'idée de devoir abandonner un jour la plaquette de chocolat. D'autres disent « qu'après tout, si on n'a même pas le plaisir de la table, ce n'est pas la peine ».

Car, observez bien, le plaisir de la table n'est pas le plaisir de « goûter », de se délecter. C'est le plaisir d'enfourner, et la quantité a tôt fait de ne plus s'occuper — ou presque — de la qualité.

Le doux massage de l'œsophage par ces grosses bouchées successives a un effet calmant sur les plexus nerveux qu'elles traversent. Se soucie-t-on de connaître les effets de ces fatras d'aliments ? Dépassé l'œsophage, ce n'est plus notre problème, c'est automatique ! La digestion se fait toute seule, on est repu, on est bien, on est endormi, on est animal satisfait ! Dans une époque de pléthore alimentaire, il faudra bien un jour que les humains retrouvent leur véritable instinct de nourriture. Quel animal ne sait pas discerner ce qui va convenir à son organisme rien qu'à la vue ou à l'odeur ?

Il faut savoir sortir de sa petite enfance, et ne plus se laisser prendre par une « nourriture gavage » pour combler un manque affectif ou professionnel. Le jour où ces deux équilibres sont enfin acquis, c'est votre corps qui est affaibli, chargé, graisseux, et vous n'êtes pas maître de toutes vos capacités. Enfin, au risque de nous répéter, nous élevons une mise en garde solennelle et grave contre l'abus d'aliments sucrés. Nous découvrons, tous les jours, les ravages causés par l'abus de sucre depuis l'après-guerre : des troubles de l'enfance (rhino-pharyngites à répétition, troubles du caractère, diabète, troubles hépatiques et intestinaux), jusqu'à l'obésité qui vous fait lire ces lignes. Le moindre aliment sucré, dans une journée de régime, rend celle-ci caduque !

Au lieu d'être obsédé par votre poids, pensez à discuter avec votre thérapeute. Pourquoi avez-vous tant besoin de vous gaver ? N'y a-t-il pas une carence affective qui peut remonter à votre enfance ? N'y a-t-il pas un trouble hépato-pancréatique à corriger ? N'y a-t-il pas une habitude familiale d'extinction de la conscience par l'estomac rempli régulièrement ?

La fin du XXe siècle doit voir un réveil de la conscience humaine : celle-ci ne pourra se faire que par l'intermédiaire du discernement alimentaire. Vous êtes libre qu'elle se fasse ou qu'elle ne se fasse pas.

Traitement par la phytothérapie

I. TISANE DE DRAINAGE

Pour aider votre organisme à éliminer et stimuler ainsi tous vos organes d'élimination, nous pouvons conseiller une excellente préparation compatible avec les remèdes homéopathiques. Cette tisane de drainage donne de meilleurs résultats pendant la lune décroissante ; et mieux encore, en début de printemps et d'automne.

La voici :

Ecorce de bouleau	20 g
Fumeterre (plante entière)	30 g
Marrube blanc (sommités fleuries)	20 g
Frêne (écorce)	15 g
Olivier (feuilles)	20 g
Reine des prés (sommités fleuries)	20 g
Mauve (fleurs)	15 g
Genièvre (baies)	30 g
Romarin (sommités fleuries)	20 g

Il faut prendre quatre cuillères à soupe du mélange que vous laisserez macérer dans un litre d'eau toute une nuit. Portez ensuite à ébullition sans laisser bouillir. Retirez du feu aux premiers frémissements et buvez dans la journée. Si vous ne souffrez pas de constipation, vous pouvez ajouter, pour un litre de tisane :

60 gouttes de teinture-mère de piloselle.

Cette plante draine le foie et les reins, elle est efficace en cas de cellulite, d'œdème, d'urée et d'hypertension ; mais elle est très astringente (propriété de « resserrer ») et si elle aide à combattre la diarrhée, elle doit être évitée en cas de constipation.

II. BAINS AUX HUILES ESSENTIELLES DE PLANTES

Tous les bains stimulant la circulation sont à conseiller en cas de surcharge pondérale, et à utiliser selon la cause des troubles : artériels ou veineux.

Ils sont, non seulement à conseiller, mais à utiliser régulièrement car il est illusoire de vouloir maigrir sans soigner les causes profondes de la prise de poids. Une mauvaise circulation peut être — ô combien — une de ces causes.

N'oubliez pas que ce n'est pas « le poids » que vous devez traiter, mais vous.

Ceci dit, il existe des mélanges d'huiles essentielles de plantes qui donnent de très bons résultats par leurs actions équilibrante du système endocrinien, drainante des émonctoires, et stimulante de l'élimination.

Nous vous conseillons des bains avec les huiles essentielles suivantes :

> Sauge
> Thym
> Citron

Faites préparer en pharmacie :

Huile essentielle de sauge ⎤
Huile essentielle de thym ⎬ àà 5 %
Huile essentielle de citron ⎦

Huile végétale codex ⎫
Labrafil codex ⎬ q.s.p. 250 ml

Vous pouvez trouver ces bains tout préparés (bains Kamiflore) dans le commerce.

Ils ont l'avantage d'être moins gras à l'utilisation. N'oubliez pas qu'un bain se prend chaud mais sans exagération, et qu'il doit durer 15 minutes maximum, suivi d'une douche froide, au moins des jambes.

III. BAINS AUX ALGUES ET PLANTES MICROFINÉES

Si le bain excédent est un excellent adjuvant de toutes les surcharges de poids liées à un déséquilibre endocrinien, ce bain est plus spécialement conseillé aux femmes souffrant de cellulite.

Faites préparer le mélange suivant :

Fucus vésiculosus poudre	400 g
Laminaires poudre	400 g
Camomille matricaire poudre	50 g
Bouillon blanc poudre	50 g
Lierre terrestre poudre	50 g
Sureau poudre	50 g

Utilisez à raison de 5 grandes cuillères à soupe pour un bain.

Attention : il faut être absolument certain que ces algues ont été pulvérisées à l'aide de meules de pierre et pas par un appareil électrique.

En effet, certains pharmaciens achètent de plus en plus des plantes entières et les pulvérisent eux-mêmes. Le résultat n'est pas du tout le même. Les plantes se chargent d'ions positifs et perdent leurs vertus.

Vous seriez déçus du résultat.

IV. CATAPLASME

Pour les cellulites très localisées, vous pouvez utiliser ce mélange en cataplasme en en renforçant l'efficacité par l'adjonction d'huiles essentielles.

Mélangez dans un saladier :
4 cuillères à soupe du mélange précédent
2 cuillères à soupe de son de blé.
Délayez avec la quantité d'eau chaude nécessaire.
Ajoutez une cuillère à café de :

Huile essentielle de citron	15 ml
Huile essentielle de sauge	10 ml
Labrafil codex	25 ml
Huile végétale codex	50 ml

Appliquez tiède sur les zones à traiter, et conservez une demi-heure.

En cas de cellulite douloureuse, il est préférable d'ajouter une cuillère à soupe d'argile verte en poudre pour obtenir une action désinfiltrante plus prononcée.

Les quantités de produits sont, bien entendu, variables en fonction des zones à traiter, mais en conservant les mêmes proportions.

Tout cela peut vous sembler compliqué, mais lorsque vous avez vos deux mélanges de base : poudre et liquide tout prêts, le cataplasme est vite préparé.

V. MOUVEMENTS DE GYMNASTIQUE

1. Affiner les hanches

— Allongé sur le côté, en appui sur le coude, l'autre main posée à plat, la jambe côté sol repliée, l'autre jambe tendue ; levez cette jambe dix fois.

— Même position : faites de grands cercles avec la jambe tendue, dix d'un côté, dix de l'autre.

2. Affiner la taille

— A genoux, genoux serrés ; les mains aux hanches ; s'asseoir alternativement, dix fois à droite, dix fois à gauche.

— Debout, un manche à balai derrière les épaules, serrez fortement le manche des deux mains ; jambes écartées ; allez toucher alternativement le genou gauche avec le coude droit et vice-versa.

3. Affiner les fesses

— Debout, jambes très écartées, mains croisées au niveau de l'estomac ; allez vous asseoir alternativement sur le pied gauche et le pied droit, dix fois.

4. Affiner les cuisses

— A l'intérieur, le mouvement précédent est très efficace ; vous pouvez y ajouter : allongé sur le dos, mains bien à plat, jambes tendues à 90 %, écartez les jambes au maximum et rapprochez-les dix fois (ce mouvement est beaucoup plus efficace avec des semelles de plomb).

— Sur le devant et à l'extérieur ; debout, les mains en appui en hauteur, plier et tendre successivement une jambe après l'autre, dix fois. Le pied droit doit être à chaque fois bien ramené à la fesse (mouvement beaucoup plus efficace avec des semelles de plomb).

Tous les traitements que je viens de vous indiquer ne sont pas forcément compatibles entre eux. Certains se marient, d'autres se contrarient.

Vous pouvez faire en même temps :

I. II. IV.

Vous ne devez pas faire .

II. III.

XXXVI. VOUS TRANSPIREZ FACILEMENT

Nous avons cité la peau comme un des émonctoires les plus utiles de l'organisme. Les nombreux échanges qui se font par la peau avec le milieu extérieur sont facilement contrôlables ; la transpiration est un de ceux-là.

Même en hiver, votre peau élimine : cela s'appelle la « perspiration ». Il suffit d'observer un animal à fourrure qui ne peut transpirer ; dès le moindre effort, il va haleter pour éliminer l'excès de chaleur qu'il ne peut dégager par la peau.

Dans l'organisme, il existe un équilibre entre les différents émonctoires. Si l'un d'eux fonctionne plus qu'un autre, c'est que cela est nécessaire. Avant de « guérir » une transpiration abondante, il faut faire un long traitement de terrain qui va relancer le foie, le rein, l'intestin, débarrasser le corps des toxines, et favoriser une diminution progressive de la transpiration. Il faut toujours réfléchir à un symptôme avant de le combattre ; d'autant qu'ici, il n'est pas immédiatement vital.

Si, malgré un traitement de fond, la transpiration ne cède pas, il est pour nous dangereux de la faire cesser par des moyens externes. Rien ne nous dit qu'on ne va pas fermer un émonctoire et favoriser la venue d'une maladie interne.

En dehors de la fièvre, la transpiration peut être due à divers troubles :

— Les crises d'hypoglycémie, avec malaise et sensation de « se trouver mal ».
— L'obésité.
— La ménopause.
— La sycose (voir au début de ce livre).
— Les troubles cardiaques.
— Les rhumatismes.
— La spasmophilie ou la nervosité.
— L'émotivité.
— Les troubles hépatiques.
— La fatigue.
— etc.

Il ne faut pas s'acharner sur un symptôme, mais en comprendre le sens. Il existe plusieurs dizaines de remèdes homéopathi ques de la sueur. Pour les affections citées ci-dessus, nous en avons plusieurs centaines.

Nous ne décrirons que quelques principaux remèdes. Pour plus de détails, reportez-vous à un dictionnaire médical.

Les remèdes

• Vous transpirez surtout de la tête « au point de mouiller l'oreiller, et au moindre exercice ». Vous êtes un sujet lymphatique et anxieux, avec des troubles digestifs :

Calcarea Carbonica.

Dilution : 5 CH, deux fois par jour ; puis en doses espacées 9 à 30 CH.

• Vos sueurs sont surtout localisées aux pieds ; abondantes, fétides, d'odeur intolérable, elles entament la peau. Vous êtes maigre, déminéralisé, vous vous tenez mal. Extrêmement sensible au froid, vous présentez des infections guérissant mal ; même les plaies sont longues à cicatriser. Vous avez une faiblesse physique et morale avec perte d'énergie ; c'est la structure de soutien qui vous manque : la silice. Chez l'enfant, il peut y avoir des sueurs de la tête :

Silicea.

Dilution : 7 CH, deux fois par jour ; puis augmentez la dilution en espaçant les prises.

• Vos sueurs sont extrêmement abondantes, témoins et causes d'une fatigue intense : vous êtes profondément épuisé. Vous avez de gros troubles digestifs avec gaz très abondants et des palpitations. Voici un remède de faiblesse avec lumbago et sueur, surtout chez les « sujets carboniques » (voir début du livre) :

Kali Carbonicum

Dilution : 9 CH, en doses plus ou moins répétées selon effet, puis augmentez la dilution.

• Vos sueurs sont d'odeur douçâtres, d'odeur de « soupe de poireaux ». Vos sueurs sont plus marquées pendant le sommeil et s'arrêtent au réveil. Vous suez seulement sur les parties découvertes et à certains endroits particuliers : les cuisses, les parties génitales et le périnée (zone élective du « sujet Thuya), la lèvre supérieure. Votre état s'aggrave à l'humidité, et vous souffrez d'infiltration cellulitique des tissus :

Thuya

Dilution : commencez en basse dilution 4 ou 5 CH ; puis en doses à déterminer avec votre thérapeute.

• Vous transpirez surtout la nuit. Vous êtes fatigué, vous êtes même franchement épuisé, même si vous ne travaillez pas. Ce qui peut créer des tensions dans votre entourage. Vous avez anormalement soif. Par contre, dès que vous avez un peu de température, la soif diminue et vous frissonnez.

Vous avez des troubles digestifs (gaz, diarrhées, foie gros et sensible), et une faiblesse avec tremblements des membres inférieurs :

China

Dilution : 5 CH, matin et soir ; puis augmentez la dilution.

• Vos sueurs sont abondantes, jaunâtres et de saveur salée. Vous perdez vos cheveux, vos poils en général. Voici un remède d'épuisement avec amaigrissement ; c'est aussi un remède d'enrouement, surtout en commençant à parler, obligeant à éclaircir sa voix. La cause est souvent un excès sexuel :

Selenium

Dilution : 9 CH, deux fois par jour.

• Vous êtes un vrai hépatique avec des sueurs souvent aux pieds. Vous avez une faiblesse physique, mais un intellect vif, et des troubles digestifs divers. Votre sensibilité peut vous amener vers une perte de confiance en vous :

Lycopodium

Dilution : difficile à manier ; commencez en 7 ou 9 CH, avec des remèdes complémentaires.

En tant que phytotérapeutes nous avons déjà traité de ce problème dans un livre précédent et nous pourrions écrire des livres de recettes sur le sujet. Il vous faudrait alors les essayer et trouver celle qui vous convient.

La transpiration étant un problème d'élimination, comme l'asthme, l'eczéma et bien d'autres maladies, il est indispensable de localiser le ou les organes d'élimination qui, en se mettant au repos, obligent la peau à prendre le relais. Il n'est donc pas possible de donner d'emblée la recette miracle sans voir le patient, sans trouver l'organe responsable. Nos recettes seront donc des « cocktails » destinés à drainer, si possible, tous les émonctoires. Selon leur action plus spécifique sur les reins, le foie, les intestins, les poumons, ils seront plus actifs chez les personnes dont cet organe est le point faible.

Une seule « recette » donne toujours d'excellents résultats et c'est pourquoi nous la répétons d'ouvrage en ouvrage.

I. BAIN AUX HUILES ESSENTIELLES DE SAUGE ET DE THYM

Prenez, trois fois par semaine, un grand bain complet chaud (le plus chaud possible : 37 à 42°) avec des huiles essentielles de sauge et de thym. Ce bain doit être suivi d'une douche froide des mollets.

La solution la plus économique est de vous procurer en pharmacie un flacon prêt à l'emploi (Kamiflore) ou de faire exécuter la formule suivante :

Huile essentielle de sauge	12 ml
Huile essentielle de thym	7 ml
Labrafil codex	20 ml
Huile de pépins de raisin codex q.s.p.	100 ml

Dans les deux cas, vous utiliserez deux cuillères à soupe du mélange pour une baignoire.

Si votre transpiration se localise électivement aux pieds, vous obtiendrez également de bons résultats en pratiquant des bains de pieds quotidiens avec deux cuillères à soupe de ce produit. Un bain de pieds seul doit toujours être beaucoup plus concentré en produit actif qu'un grand bain complet.

II. TISANE DRAINANTE

Prenez deux tasses par jour de la composition suivante :

Hysope (sommités)	30 g
Chiendent (racines)	30 g
Ortie (plante entière)	30 g
Fumeterre (plante entière)	25 g
Pissenlit (racine)	25 g
Sauge (feuilles)	20 g
Prêle (plante entière)	20 g

Préparation idéale : faites tremper cinq cuillères à soupe du mélange pendant deux heures, dans un litre d'eau froide. Portez à ébullition sans laisser bouillir. Infusez dix minutes.

Préparation pratique : ne faites pas de macération à froid. Lais-.sez bouillir quatre minutes, puis infuser dix minutes. Filtrez.

Si vous avez tendance à suer toujours un peu trop, d'une façon chronique, vous pouvez boire cette tisane en permanence, toute l'année, à raison d'une grande tasse au coucher mais seulement en période de lune décroissante.

Annotation intéressante : la plupart des plantes réputées lutter contre la transpiration contiennent des sels minéraux. La plupart des patients se plaignant de sueurs profuses souffrent facilement de crampes musculaires — quand ce n'est pas de spasmophilie déclarée, signe de mauvaise fixation du magnésium et du calcium. Pour nous, cette fameuse maladie, très à la mode, tétanie ou spasmophilie, est liée à un état de stress ; donc justiciable, en premier lieu, d'une thérapie anti-stress : la sympathicothérapie (cf. La santé sans médicament / Michel Bontemps et Jean-François Ridon. Ed. Balland).

La conclusion est simple : si vous suez trop abondamment, avant de vous lancer dans des thérapies de longue haleine, essayez donc trois à quatre séances de sympathicothérapie. Les résultats sont souvent spectaculaires.

III. UN APERITIF

Introduisez dans une bouteille :

Racine de bardane	25 g
Feuilles de sauge	25 g

Complétez avec du vin doux (muscat par exemple). Laissez macérer pendant dix jours, en secouant la bouteille de temps en temps. Filtrez avec un papier-filtre.

Buvez un verre à apéritif (avant les deux repas).

Cette recette a bien des avantages : le goût de ce vin apéritif est délicieux, c'est un excellent stimulant des fonctions digestives, un reconstituant général qui draine les reins et les poumons.

Il est judicieux d'en faire une cure à l'automne, au moment où l'on ne se « sent pas en forme ».

Les origines de ce symptôme sont à rechercher avec soin, car il peut cacher des affections profondes.

Pour nous, la peau est un émonctoire, une des voies d'accès de l'intérieur de l'organisme vers l'extérieur, par laquelle il se débarrasse des « toxines » ; ce sont des « métabolites » (ou produits chimiques) qui sont la conséquence du fonctionnement, du nettoyage des organes internes. On admet que les urines, les selles, les sécrétions nasales et bronchiques, ainsi que la peau (et la transpiration) sont les émonctoires les plus importants. On a récemment découvert que les larmes contenaient de l'adrénaline, la substance sécrétée par l'organisme en cas de stress. Le fait de pleurer soulage donc l'organisme de ce produit qui cause tant de troubles. Dans notre physiologie, tout a un sens.

Lorsque la peau est le siège d'un symptôme, quel qu'il soit, les praticiens des médecines de l'homme total dressent l'oreille : il faudra parfois des semaines ou des mois pour déterminer ce qui est responsable de ce trouble.

1. Le terrain de l'individu

Il est soit héréditaire, soit acquis.

Terrain héréditaire, bien sûr dans les maladies allergiques, dans les troubles de certains organes qui sont sans cesse « encombrés », donc cherchant une « issue de secours » pour se nettoyer.

Terrain acquis, lorsqu'un organe est malade mais qu'un autre n'élimine pas assez. Prenons l'exemple d'une personne qui ne transpire jamais ; si son foie est insuffisant, elle aura peut-être des démangeaisons. Celles-ci n'existeraient sans doute pas si le rein urinait beaucoup de toxines. L'élimination par un organe en soulage un autre, merveille de solidarité dans l'organisme.

D'où la nécessité de savoir stimuler certains autres émonctoires avant de soigner l'organe atteint. Car si l'on donne d'emblée des remèdes puissants (pour le foie par exemple), on risque une aggravation de l'état hépatique. C'est pourquoi, la « sérocytothérapie » donne toujours « émonctoires » en premier (tous les émonctoires mélangés).

2. L'origine psychologique

Non négligeable, nous en verrons un remède ci-dessous.

Après un choc moral, une vexation ou une colère, peut se développer une démangeaison généralisée ; laquelle peut durer très longtemps si l'on n'a pas donné les remèdes appropriés.

3. L'origine digestive

Un des tout premiers symptômes possibles de l'hépatite virale, la démangeaison, peut aussi signifier une insuffisance hépatique. Les quelques cas que nous avons eu à soigner étaient difficiles, et la patience était de mise pour rétablir toutes les fonctions du foie avant de débarrasser la peau de ce trouble.

Le traitement homéopathique de l'hépatite virale est d'une remarquable efficacité ; nous évitons ainsi les suites redoutables de cette maladie.

Nous lançons un appel pressant : nous savons que dans le monde, des milliers de personnes meurent d'hépatite.

Nous trouvons inadmissible de laisser mourir ces gens sans leur avoir donné la chance d'avoir un traitement homéopathique qui a largement prouvé son efficacité. Nous tenons à la disposition des médecins hospitaliers et des pouvoirs publics le nombre impressionnant de cas d'hépatites rapidement guéries avec le traitement homéopathique. Il est du devoir de tout un chacun d'en avertir son entourage et de porter assistance à une personne en danger.

Les résultats sur les Transaminases (produit témoin dans le sang d'une hépatite) et sur les autres analyses sanguines, sont très rapides. Sans dire que nous atteignons 100 % de réussite (chiffre suspect en médecine !), nous n'en sommes pas bien loin.

Attention donc aux démangeaisons généralisées, si elles s'accompagnent d'un état nauséeux, d'une fatigue ou d'une coloration jaunâtre des yeux ou de la peau.

Citons aussi les vers intestinaux (encore eux !) comme origine possible de démangeaisons cutanées.

Dans la mesure où nous demandons aux patients une prise en charge personnelle globale, de manière à ne pas en faire des « assistés » médicaux, nous demandons aux allergiques de méditer sur la réflexion suivante.

— Lorsque quelqu'un est allergique, on est souvent amené à plaisanter sur la possibilité d'une allergie à la belle-mère, ou à la voisine, ou au mari, etc. Sans adhérer totalement à cette boutade, recherchez quand même ce qui fait votre relation aux autres ; recherchez s'il n'existe pas une sorte de repli par rapport aux autres, un mécanisme qui vous rendrait hypersensible au contact.

Il serait bon pour tous les allergiques d'effectuer un travail de réconciliation avec tout ce qui n'est pas soi, marcher définitivement sur son égocentrisme, de manière à ce que les traitements soient suivis d'effets beaucoup plus durables.

Cela paraît curieux, mais les vrais allergiques sauront de quoi nous parlons...

Les remèdes

• Voici une des grandes réussites des découvertes de l'homéopathie. Une patiente me disait dernièrement : « comment un seul remède peut-il agir aussi profondément et atteindre des domaines aussi reculés de l'inconscient ? ». Staphysagria est un des remèdes que nous chouchoutons le plus. Il est notre bon « saint Bernard » qui sauve le psychisme de divers blocages conscients ou inconscients. Il fait éliminer « quelque chose que l'on avait en travers, que l'on n'avait pas digéré, qui était mal passé » (nous voulons dire moralement).

Dans les descriptions des matières médicales, nous lisons : « remède qui provoque des troubles, suite à chagrins répétés, colères rentrées, indignation ou vexation rentrée, chocs refoulés ». Que de fois dans une vie nous pouvons vivre ce genre d'expériences, que de traces elles laissent, depuis la réprimande injustifiée à l'école primaire (cause des premiers cauchemars), jusqu'au silence obligatoire devant un patron ou un conjoint qui se défoule.

Nous affirmons que les 3/4 de la population d'un pays devraient avoir pris ce remède au moins une fois dans sa vie... Et les résultats qui nous sont signalés par nos patients sont étonnants : explication à présent possible avec le patron ou le conjoint, sensations diverses de « déblocage mental », comme si quelque chose s'était « dégrippé », rêves remontant à la période où est né le trouble... Nous avons bien des exemples à citer encore.

Staphysagria

Dilution : 9 CH, une fois par jour ; demandez à votre thérapeute pour augmenter la dilution, 15 voire 30 CH.

• Voici un de nos remèdes de rhumatisme. Si vous avez une douleur à la poitrine avec une gêne respiratoire, accompagnant les rhumatismes, voici votre remède. Vous avez aussi une caractéristique : une démangeaison des pieds.

Magnolia

Dilution : 4 ou 5 CH, deux ou trois fois par jour.

• Vos démangeaisons sont aggravées à la chaleur, et améliorées par des applications froides ; aggravées par le grattage, localisées surtout aux régions pileuses et aux paumes des mains. Vous avez, parfois, une douleur au foie avec des éructations acides et des maux de tête aggravés par la chaleur. Voici un remède du foie :

Fagopyrum (le sarrazin)

• Vous présentez une démangeaison du conduit auditif ou de la région du creux poplitée (derrière le genou) :

Sepia (remède du foie).

• Vous avez les mêmes symptômes que précédemment, mais en plus vous avez les bouffées de chaleur de la ménopause :

Lachesis

• Vous présentez une démangeaison des mains. Voici un remède de vers intestinaux :

Granatum

• Vous présentez une démangeaison quelque peu particulière : celle... des mamelons ! Voici un remède qui est, dit-on, indiqué chez des jeunes filles précoces et « maniérées » :

Origanum

• Vous présentez une démangeaison du cuir chevelu, avec quelquefois une éruption sèche ou humide, aggravée par la chaleur et l'excitation nerveuse. Vous êtes sujet à des hémorragies (utérus, nez, gencives) et aux gonflements divers (ventre, doigts, visage) :

Bovista

Il existe encore une liste impressionnante de remèdes de démangeaisons. Nous en avons choisi quelques-uns des plus représentatifs, pour vous montrer la valeur d'un symptôme qui ferait chercher une maladie de peau alors qu'il peut s'agir d'un trouble interne (psychologique, hépatique, gynécologique, circulatoire, vermineux, etc.). Encore une fois, ceci démontre la richesse de la recherche homéopathique.

Comme nous en avons maintenant l'habitude en phytothérapie, il faut séparer nos remèdes en deux catégories très distinctes :
— les traitements de fond à effet durable mais lent ;
— les paliatifs à action immédiate mais souvent peu durable. Ceux-ci nous sont indispensables en début de soins, nos patients sont bien souvent impatients, ils viennent nous voir en dernier recours après avoir essayé bien des remèdes. Si nous ne trouvons pas le moyen de les soulager rapidement, ils peuvent se lasser et ne pas avoir le courage d'attendre le résultat du traitement de fond. Comme nous nous refusons absolument à utiliser les pommades allopathiques (surtout celles contenant de la cortisone et ses dérivés), nous sommes bien obligés de trouver des solutions « naturelles d'attente ».

I. TISANES SUDORIFIQUES ET DIURÉTIQUES

Une des plantes les plus intéressantes, en cas de démangeaisons, est sans nul doute la Capillaire de Montpellier. C'est une des très rares plantes médicinales à avoir une double action sudorifique et diurétique.

L'infusion de Capillaire de Montpellier se prépare à raison de 15 g de plantes séchées pour un demi-litre d'eau, à laisser infuser 20 minutes. Le liquide restant sera bu, après filtration, en deux fois : une tasse le matin à jeun, une tasse le midi avant le repas.

Il est à noter que la plante fraîche donne des résultats plus rapides. Si vous habitez la région méditerranéenne, nous vous recommandons de cueillir vous-mêmes cette petite fougère très caractéristique, d'odeur faiblement aromatique. Vous la trouvez autour de tous les petits points d'eau rocailleux, rochers suintants, ou dans les pierres des puits.

Si vous aimez cueillir les plantes médicinales, nous vous conseillons de récolter également la Camphrée de Montpellier qui a des propriétés analogues mais qui stimule fortement l'état général. Elle ne se trouve plus, hélas, en herboristerie. Vous reconnaîtrez facilement la Camphrée. Si vous habitez le sud, vous en avez sans nul doute déjà vu. C'est une très petite plante qui ressemble à de la bruyère mais dont les tiges sont moins dures ; elle s'étale sur le sol en formant de toutes petites ramifications, exceptionnellement atteignant 20 à 50 cm. Ses feuilles sont petites, aiguës, groupées en faisceaux et ses fleurs vertes, peu visibles, s'ouvrent pendant l'été, jusqu'au mois de novembre. Si vous récoltez la Camphrée de Montpellier, utilisez-la en mélange avec la Capillaire.

10 g de capillaire

10 g de camphrée

Pour un demi-litre d'eau, laissez infuser vingt minutes. Buvez dans la journée, en deux fois.

Pourquoi ces deux plantes anti-démangeaisons sont-elles dites de Montpellier ? Probablement parce que les apothicaires de Montpellier, célèbres au Moyen-Age, les tenaient en grande estime.

Nota : une autre utilisation remarquable de la Capillaire, le sirop de Capillaire, dont vous pouvez vous servir avec succès pour sucrer et renforcer l'action de toutes vos tisanes qu'elles soient sudorifiques, dépuratives, anti-asthmatiques, expectorantes, diurétiques, stimulantes... Une panacée !

20 g de capillaire ; faites infuser pendant vingt minutes dans 350 g d'eau ; filtrez ; ajoutez 650 g de sucre roux cristallisé ; faites chauffer à feu doux pendant vingt minutes en tournant avec une cuillère en bois ; conservez dans un flacon bien bouché.

II. TISANES DE DRAINAGE

Comme nous l'avons expliqué en tête de chapitre, les origines des démangeaisons de peau sont multiples ; pour cette raison, il n'est pas possible de donner « une » formule de tisane miracle. Selon qu'il s'agit d'un blocage général des émonctoires ou plus spécialement des reins ou du foie, les mélanges de plantes sont différents. Nous vous offrons trois possibilités.

Nous vous conseillons de toujours commencer par la première préparation pendant 14 jours (si possible en période de lune croissante) avant d'utiliser celle — à tropisme, hépatique ou rénale — qui sera le mieux adaptée à votre terrain.

1. Tisane dépurative du sang

Frêne (feuille)   20 g

Bardane (racine)	20 g
Fumeterre	25 g
Sureau (fleur)	15 g
Ményanthe	10 g
Pensée sauvage (racine)	10 g
Pissenlit (racine)	15 g
Réglisse	20 g

Vous jetterez quatre cuillères à soupe dans un litre d'eau bouillante ; vous laissez bouillir encore trois à quatre minutes et infuser dix minutes ; filtrez.

Cette décoction est à boire en deux jours, à raison d'une tasse matin et soir après les repas. Vous vous habituerez vite au goût de cette tisane, surtout lorsque après dix jours de cure vous commencerez à vous sentir beaucoup plus léger, comme libéré d'une cuirasse.

2. Tisane dépurative du foie et du sang

Racine de bardane	20 g
Fumeterre	20 g
Racine de chicorée	15 g
Aubier de tilleul	15 g
Racine de gentiane	25 g
Chiendent (racine)	20 g
Feuille de cassis	15 g
Feuille d'artichaut	10 g
Romarin	15 g
Thym	20 g

Comptez cinq cuillères à soupe pour un litre d'eau froide ; chauffez et laissez bouillir deux minutes ; puis infusez dix minutes. Buvez à raison de deux prises par jour. Il est important pour cette tisane de ne pas faire bouillir les plantes plus de deux minutes, car les fleurs verraient leurs propriétés diminuer en une équation inversement proportionnelle à l'amertume de la tisane !

Cette cure dépurative doit être commencée après les deux

semaines de la première préparation et poursuivie pendant un mois.

---

3. Tisane dépurative du sang et des reins

Racine de salsepareille	30 g
Fleur de bruyère	20 g
Tilleul sauvage (aubier)	30 g
Baie de genièvre	15 g
Fleur de pensée sauvage	25 g
Pariétaire	30 g
Fleur de violette	15 g
Plante entière de fumeterre	30 g
Prêle	20 g
Feuille de sauge	30 g
Racine de chiendent	20 g

Comme la précédente, cette tisane se prépare à raison de cinq cuillères à soupe pour un litre d'eau mais il faut la laisser bouillir sept minutes et infuser sept minutes.

A boire toute la journée en deux ou trois fois. Cette préparation parfaitement dosée est un excellent dépuratif à la fois du sang et du filtre rénal. Pour en parfaire l'action, vous pouvez ajouter à chaque tasse une cuillère à soupe de jus de bouleau amer Weleda. Quant à la durée de la cure et à ses modalités, elles sont absolument identiques à la précédente.

Ces tisanes sont à utiliser à chaque fois que votre peau vous démange mais également en cure annuelle où elles vous rendront de grands services. .

La préparation « 2 » doit être utilisée pendant un mois au début du printemps et la préparation « 3 » pendant le même temps au début de l'automne. Ce rythme bi-annuel de dépuration du sang (foie printemps, sang automne) est très important si vous voulez vous sentir frais et dispos d'un bout de l'année à l'autre. Nos parents, qui avaient encore un peu de sagesse, savaient qu'il est primordial de « s'alléger » le sang et pratiquaient ces cures régulièrement. Il est curieux de constater que plus nous sommes cernés par la pollution, moins nous songeons à nous purifier.

Combien de nos malades, fatigués chroniques parce qu'intoxiqués, viennent nous réclamer des « remontants » et sont ahuris de nous voir prescrire des dépuratifs.

Comment peut-on imaginer qu'un médicament agressif et intoxiquant parce que chimique, puisse améliorer un état de fatigue qui est justement un cri d'alarme d'un organisme intoxiqué par la pollution, la suralimentation, les produits chimiques de toute nature ?

III. LOTION ANTI-DEMANGEAISONS

1. Lotion concombre-argile

Prenez un grand saladier que vous emplissez de fines tranches de concombre ; il est préférable de l'éplucher au préalable. Vous laissez reposer trois à quatre heures au réfrigérateur puis vous filtrez de façon à recueillir le jus. Vous ajoutez à ce suc de concombre, de l'argile verte (trois cuillères à soupe pour 1/2 litre). Vous utilisez en lotion sans frotter la peau. Prenez bien soin d'agiter le flacon avant de vous en servir et de conserver la lotion au froid. Si la peau est très sensible, il est préférable d'appliquer des compresses imbibées de cette préparation. L'avantage de cette recette réside dans son action remarquable et rapide ; l'inconvénient, dans sa préparation un peu longue et dans le fait qu'elle ne se conserve que peu de temps.

2. Pulpe d'amande amère

Vous écrasez quelques amandes amères fraîches, lorsqu'elles sont réduites en poudre, vous ajoutez un peu d'eau (Evian, Volvic, pluie...) de façon à obtenir une pâte très fluide. Vous vous lotionnez le visage avec et vous rincez après avoir laissé sécher. Cette lotion ne peut s'appliquer qu'à la saison des amandes et c'est regrettable car elle stoppe net toutes les démangeaisons.

3. Lotion-décoction

Faites préparer le mélange suivant :

Ecorce d'orne
Racines de saponaire
Douce amère   } àà 50 g
Racine de bardane

Vous faites bouillir 30 g de ce mélange pendant 1/2 heure dans un litre d'eau ; filtrez ; vous pouvez vous lotionner le corps entier avec cette macération qui a l'avantage dans les cas graves de peau hypersensibilisée, de remplacer la toilette au savon. Il est préférable de se rincer après la lotion avec de l'eau de source (Evian, Volvic, pluie...). Cette préparation est très intéressante car elle peut se préparer plusieurs jours à l'avance et demande donc peu de « main-d'œuvre ».

4. Lotion-infusion

Faites composer ce mélange :

Fleur de sureau	100 g
Fumeterre	50 g
Baie de genièvre (écrasée)	50 g

Vous comptez quatre cuillères à soupe que vous jetez dans un litre d'eau bouillante ; vous éteignez le feu et vous laissez infuser 1/2 heure en prenant soin de couvrir. Il faut comme toujours filtrer et conserver au frais.

Cette lotion peut être utilisée sur toutes les parties du corps.

Surtout n'essayez pas de recueillir vous-mêmes les plantes pour cette infusion car les fleurs de sureau ne s'emploient pas fraîches, elles dégagent une odeur forte et extrêmement désagréable qui disparaît à la dessication. La décoction de fleurs de sureau est si efficace pour nettoyer la peau de ses impuretés qu'elle s'employait jadis (donc pourquoi pas maintenant ?) pour traiter les ulcères variqueux, les plaies qui commençaient à se gangréner et les brûlures. Ce qui prouve que son action est non seulement désinfectante mais également régénérante. Nous faisons ici la même remarque que vous avez trouvée à bien des pages de ce livre, à savoir qu'une préparation à action locale symptômatique (comme les lotions) peut être suffisante à première vue pour « guérir une maladie ». Toutefois, souvenez-vous qu'il n'est pas suffisant de faire disparaître une démangeaison pour s'estimer satisfait ; il faut compren

dre pourquoi le terrain de l'individu a marqué un moment de faiblesse, quels organes ont failli, permettant ainsi à ce symptôme
de s'installer. Si cette faille a pu se produire une fois, elle se repro-
duira et toujours d'une façon plus dramatique.

Tous les traitements que je viens de vous indiquer ne sont pas
forcément compatibles entre eux. Certains se marient, d'autres
se contrarient.

Vous pouvez faire en même temps :

I. II.1.
I. II.2.
II.1. II.2.
II.1. II.3.

Les lotions sont compatibles avec toutes les tisanes.

Vous ne devez pas faire :

I. II.3.
II.2. II.3.

TABLE DES MATIÈRES

Achevé d'imprimer en juin 1986
sur presse CAMERON
dans les ateliers de la S.E.P.C.
à Saint-Amand-Montrond (Cher)
pour le compte des Éditions Générique
2, rue des Italiens
75009 Paris

Dépôt légal : juin 1986
N° d'édition : 138. N° d'Impression : 1059.
Imprimé en France

MES SECRETS DE SANTÉ

par Roseline et Michel BONTEMPS

Kinésithérapeute, naturopathe, rebouteux, sympathicothérapeute, magnétiseur, guérisseur (?)... le titre que Michel BONTEMPS préfère est « *praticien de médecine libre* ». Après avoir été kinésithérapeute des Ballets Roland Petit, du Ballet Théâtre Contemporain, de la Fédération Française de Ski Nautique, après avoir soigné toutes les étoiles du monde de la danse, Zizi Jeanmaire, Rudolph Noureev, Roland Petit, Maïa Plissetskaïa et du Tout-Paris, Michel BONTEMPS a décidé de tourner le dos à la célébrité de salon et de se consacrer à la *médecine naturelle.*

Son but : réapprendre aux gens à se soigner seuls.

Pour faire passer le message, il écrit quatre livres à succès : Astrologie et Santé, La Santé par la Nature en 10 leçons, Les Petits Secrets des Grands Guérisseurs, La Santé sans Médicament.

Il participe à des émissions régulières sur EUROPE 1 et à *la télévision* où il explique en direct comment confectionner des remèdes de médecine populaire.

Il écrit dans de nombreux journaux, donne des conférences, est appelé en consultation par des gouvernements étrangers. Grâce à cette grande expérience, il publie, pour la première fois, *un guide de santé naturelle pratique et complet.*

Vous y trouverez tous les remèdes de Michel BONTEMPS, *dont tous ceux qu'il donne à la télévision. Pour soigner toutes vos maladies courantes et... rebelles :*

122 remèdes   113 tisanes

Ecrit en collaboration avec Roseline BONTEMPS, « praticien de médecine libre », auteur d'un livre à succès « Les maux des sportifs », directrice d'un centre de remise en forme,

« MES SECRETS DE SANTÉ »

est une bible de la santé qui ne quittera pas votre table de chevet : un livre indispensable pour identifier facilement vos troubles de santé, trouver les plantes et les conseils de *médecine douce* qui pourront y porter remède.

Pour le recevoir,
retourner ou recopier lisiblement ce bon à découper
aux Éditions Générique : 2, rue des Italiens, 75009 Paris.

BON A DÉCOUPER, à retourner aux Éditions GÉNÉRIQUE
2, rue des Italiens, 75009 Paris (Tél. : 48.24.46.21)

Veuillez m'envoyer ...... exemplaire(s) du livre « MES SECRETS DE SANTÉ », par Roseline et Michel BONTEMPS, au prix unitaire de 74 F (frais de port compris).

Ci-joint, mon règlement par chèque libellé à l'ordre des Éditions GÉNÉRIQUE, d'un montant de ....

M. ....

Adresse ....

....

Un régime révolutionnaire !
LE RÉGIME FIBRES

Grâce à ce livre pratique et facilement utilisable quotidiennement, vous allez découvrir un régime simple et efficace pour éliminer les kilos superflus et retrouver une forme éblouissante tout en combattant efficacement la constipation.

Fondé sur la consommation régulière d'aliments riches en fibres, ce régime, facile à suivre, se situe à l'avant-garde des recherches de la diététique moderne. Audrey EYTON en explique les principes avec une remarquable clarté et fournit pour toute l'année des recettes savoureuses qui vous permettront de retrouver et de conserver minceur et santé.

Mis au point par Audrey EYTON, vendu à 5 millions d'exemplaires dans le monde, ce livre est maintenant disponible en langue française.

Pour le recevoir, retourner ou recopier ce bon à découper aux Éditions GÉNÉRIQUE : 2, rue des Italiens, 75009 Paris.

**BON A DÉCOUPER, à retourner aux Éditions GÉNÉRIQUE
2, rue des Italiens, 75009 Paris (Tél. : 48.24.46.21)**

Veuillez m'envoyer ..... exemplaire(s) du livre « RÉGIME F. COMME FIBRES », par Audrey EYTON aux prix unitaire de 70 F (frais de port compris).

Ci-joint mon règlement par chèque libellé à l'ordre des Éditions GÉNÉRIQUE, d'un montant de . . . .

M. . . . .

Adresse . . . .
. . . .